CW00391969

CE QUE JE NE POUVAIS PAS DIRE

Du même auteur

Romans policiers

Le Curieux, Éditions N° 1, 1986
Pièges, Robert Laffont, 1998
Quand les brochets font courir les carpes, Fayard, 2008
Meurtre à l'Assemblée, Fayard, 2009
Regard de femme, Fayard, 2010
Jeux de haine, Fayard, 2011

Essais historiques

La Justice au XIXᵉ siècle : Les Magistrats, Perrin, 1980
La Justice au XIXᵉ siècle : Les Républiques des avocats, Perrin, 1984
Les Oubliés de la République, Fayard, 2008 (prix Agrippa d'Aubigné 2008)
Les Dynasties républicaines, Fayard, 2009
En tête à tête avec Charles de Gaulle (illustrations Philippe Lorin),
    Gründ, 2010
En tête à tête avec les présidents de la République (illustrations Philippe
    Lorin), Gründ, 2012
Ces femmes qui ont réveillé la France (avec Valérie Bochenek), Fayard, 2012

Essais politiques

Les Idées constitutionnelles du général de Gaulle, Librairie générale de
    droit et de jurisprudence, 1974 ; réédition 2015 (prix Edmond Michelet
    1974)
Le Pouvoir politique, Seghers, 1976
Le Gaullisme (avec Michel Debré), Plon, 1978
En mon for intérieur, Jean-Claude Lattès, 1997
Le gaullisme n'est pas une nostalgie, Robert Laffont, 1999
La Laïcité à l'école, un principe républicain à réaffirmer, Odile Jacob, 2004
Qu'est-ce que l'Assemblée nationale ?, L'Archipel, 2006
Racontez-moi le Conseil constitutionnel, Name éditions, 2010 et 2014
« Françaises, Français ». Ces discours qui ont marqué la Vᵉ République,
    L'Archipel, 2013
Le Monde selon Chirac, Tallandier, 2015

Témoignage

Je tape la manche (avec Jean-Marie Roughol), Calmann-Lévy, 2015

JEAN-LOUIS DEBRÉ

CE QUE
JE NE POUVAIS PAS DIRE

2007-2016

Robert
Laffont

Ouvrage édité par Jean-Luc Barré

© Éditions Robert Laffont, S.A., Paris, 2016
ISBN 978-2-221-14634-7

À Camille
Gabrielle
Aurèle
Vivienne
Lila-Marianne
Margaux

Avertissement

Ce journal aurait pu s'intituler Libres instantanés *ou* Impressions et réactions quotidiennes.

Dès que je le pouvais, je m'installais devant mon ordinateur pour noter ce que j'avais vu, entendu, ce dont j'avais été le témoin direct, enregistrer mes réactions, mes indignations mêlées à des souvenirs politiques ou familiaux.

Cet exercice personnel, non initialement destiné à être partagé, m'a permis de rester libre dans ce que je relatais, dans mes commentaires, mes jugements, d'exprimer la vérité de mes opinions ou de mes sentiments en toute sincérité, sans contrainte, au gré de mes humeurs. Je ne relisais jamais après coup ce que je venais de rédiger, de manière à préserver la spontanéité de mes réflexions, ne pas être tenté de les atténuer ou de les corriger.

Le président du Conseil constitutionnel est astreint à un strict devoir de réserve. Il ne peut ni ne doit manifester un engagement partisan, faire part des critiques que peut lui inspirer le comportement des différents protagonistes du monde politique, de même qu'il est tenu de ne jamais évoquer les délibérés de l'institution qu'il préside.

Mais si j'ai volontairement quitté la politique avant qu'elle ne me quitte, je suis resté attentif à ce qui fut, pendant plus de vingt ans, le sel de ma vie publique.

Au Conseil constitutionnel, tel qu'il est devenu et fonctionne aujourd'hui – notamment ces cinq dernières années, avec l'instauration de la question prioritaire de constitutionnalité (QPC), nous avons rendu plus de décisions que pendant un demi-siècle –, j'ai eu la chance et l'opportunité de croiser des personnalités diverses, de devenir un observateur attentif du pouvoir dont je n'étais plus un acteur direct ; d'observer aussi cet univers judiciaire auquel j'ai cessé d'appartenir après les nombreuses années consacrées à ma fonction de juge d'instruction. Écrire ainsi ce que je pensais, ressentais, pressentais, espérais, sans chercher à plaire ni à nuire, sans espérer récompense ou approbation, sans craindre critiques ou représailles, m'a procuré un grand bonheur.

Voué à un certain silence, je me suis réfugié, pour contourner mon obligation de réserve, dans l'écriture de romans policiers. Ils sont certes inspirés de la réalité, je n'ai pas le talent pour tout inventer, mais demeurent un travail de fiction.

Pour m'évader du quotidien, j'ai aussi publié des essais sur notre histoire républicaine. J'aime à revisiter notre passé pour mieux comprendre notre présent. Ressusciter des « oubliés » de la République, faire réapparaître des personnages jadis illustres, aujourd'hui inconnus, qui ont façonné notre société, n'a cessé de me passionner.

Ce livre est d'une origine toute différente. Conçu comme un exercice d'écriture au quotidien, à la façon dont le pianiste fait ses gammes, ce témoignage en quelque sorte saisi sur le vif ne constitue pas à proprement parler des Mémoires. Je me suis toujours méfié de ce genre littéraire, le considérant comme une tentative de réécrire sa propre histoire. J'ai souvent suspecté les mémorialistes d'être surtout préoccupés de valoriser leur action, de laisser d'eux l'image la plus favorable ou positive, sans craindre l'autosatisfaction ni l'autosuffisance.

Nadia Tuéni, poétesse libanaise d'expression française, aujourd'hui disparue, nous invite à « écoute[r] la respiration des mémoires ». C'est ce que j'ai tenté de faire, avec la certitude d'être sincère mais pas forcément impartial.

*
* *

Il y a peu de temps, à la veille de mon départ du Conseil constitutionnel, mon ami Jean-Luc Barré, au terme d'âpres discussions, a su balayer mes hésitations et me convaincre de publier ce que j'avais écrit librement pendant neuf années, sans y toucher sur le fond.

2007

16 mai

Je vais devoir, dans quelques instants, le proclamer élu président de la République. En attendant le début de la cérémonie dans le grand salon de l'Élysée, je me demande si son arrivée au pouvoir ne va pas entraîner un changement de régime politique. N'a-t-il pas affiché la « rupture » comme le leitmotiv de ses engagements électoraux ? Non seulement vis-à-vis de Jacques Chirac qu'il n'a pas ménagé, et de ses prédécesseurs, mais surtout du fonctionnement des institutions. Signe inquiétant : le seul modèle auquel il se réfère est le système américain.

Que restera-t-il de l'œuvre léguée par le général de Gaulle et par mon père ? Elle a permis de restaurer l'autorité et la crédibilité de l'État comme d'assurer la stabilité ministérielle. Cette Constitution, dont certains prédisaient en 1959 qu'elle ne survivrait pas à de Gaulle, régit notre vie politique depuis près d'un demi-siècle. Elle a résisté aux alternances et aux cohabitations successives. Même Mitterrand, qui avait si sévèrement critiqué ces nouvelles institutions, s'en est magnifiquement servi. À travers lui, la « monarchie républicaine » a trouvé un véritable souverain.

Nicolas Sarkozy a annoncé sa volonté de les moderniser. Il entend symboliser une nouvelle génération politique qui, par son audace, osera bousculer les vieux tabous, incarner le mouvement, promouvoir un libéralisme moderne et mettre fin à l'assistanat social.

Nicolas Sarkozy sera sans aucun doute le premier président de la République à exercer son mandat dans l'esprit du quinquennat. Son Premier ministre n'aura pas une grande liberté d'action. Sarkozy aime trop gouverner, diriger, ordonner pour envisager de céder une once de pouvoir. Son Premier ministre apparaîtra vite comme le principal de ses ministres. Et ces derniers comme les principaux collaborateurs du président, tandis que les conseillers de l'Élysée auront plus d'influence qu'eux. Tout cela correspond à la personnalité et à la volonté politique du nouveau chef de l'État.

Le voici qui entre dans le grand salon de l'Élysée, accompagné de sa famille.

Au moment de prendre la parole pour proclamer son élection, je perçois parfaitement les regards d'amusement, de mépris ou d'hostilité qui convergent vers moi. Je suis affligé du comportement de ces personnages que j'ai croisés maintes fois dans les allées du pouvoir au temps de Jacques Chirac et qui s'apprêtent à faire leur cour à son successeur avec la même servilité. Certains évitent soigneusement de me saluer, d'autres y consentent avec une distance que je ne leur connaissais pas auparavant. Je n'ai jamais supporté ces petits marquis qui hantent les antichambres ministérielles. Aujourd'hui, je ne suis pas déçu, ils ont déjà oublié leurs courbettes d'hier. C'est leur marque de fabrique que de trahir très vite ceux qu'ils ont servis ou honorés.

La scène qui se joue aujourd'hui ne manque pas de saveur : voici l'un des adversaires les plus résolus de Nicolas Sarkozy contraint par ses fonctions de le proclamer président de la République.

Je suis devenu et je n'ai plus cessé d'être son opposant depuis la campagne présidentielle de 1995. Il avait alors choisi de soutenir Édouard Balladur, tandis que je restais fidèle à Jacques Chirac. J'étais secrétaire général adjoint du RPR, et Sarkozy a été ulcéré que je ne le suive pas et sois demeuré fidèle à Chirac. Par la suite, n'ayant que peu de considération pour ce dernier, il n'a jamais accepté l'idée que Balladur ait pu être battu et a toujours cherché sa revanche comme s'il s'agissait d'une défaite personnelle. L'échec de Balladur était aussi le sien et c'est cela qu'il ne tolérait pas.

Élu président du groupe RPR à l'Assemblée nationale sous la cohabitation qui a suivi la dissolution de 1997, je me suis dressé contre Sarkozy à plusieurs reprises. Et en 2002, il n'a pas davantage admis que j'élimine Balladur dans la course à la présidence de l'Assemblée nationale, alors qu'il avait fait campagne activement au sein des députés de la nouvelle majorité.

Son comportement pendant le second mandat de Jacques Chirac m'a paru inacceptable. Lors des petits déjeuners qui se tenaient le mardi à Matignon autour de Dominique de Villepin, nos heurts ont été fréquents. L'hypocrisie et la lâcheté de la plupart des autres participants, à l'exception d'Henri Cuq, le ministre des Relations avec le Parlement, me révoltaient. Sarkozy leur faisait peur. Ils se taisaient, n'osaient répliquer ou le contredire. Villepin ne faisait pas toujours preuve, lui non plus, d'un grand courage. Il évitait de monter au front contre son ministre.

J'ai jugé l'attitude de Sarkozy, lors de la crise étudiante du printemps 2006, inadmissible pour un prétendant déjà déclaré à la fonction suprême. Lui qui aspirait à diriger l'État, il n'a cessé de se démarquer du gouvernement dont il faisait partie, de jouer et de combiner contre le Premier ministre et le chef de l'État.

Je me souviens d'une réunion organisée à ce moment-là à Matignon autour de Dominique de Villepin pour mettre au point une stratégie politique, en pleine révolte étudiante contre le CPE, le contrat premier emploi. Nous étions très peu nombreux. Ce qui fut envisagé devait naturellement demeurer confidentiel. Deux heures après, j'ai entendu à la radio un syndicaliste étudiant rapporter assez fidèlement nos discussions. Il cachait à peine l'origine de ses informations. J'en ai été scandalisé. Je l'ai dit à Villepin comme à Chirac. Mais il était trop tard pour réagir. Ils ne pouvaient prendre le risque d'ajouter à la crise étudiante et sociale une crise politique. Et ce d'autant que bon nombre de parlementaires de la majorité étaient déjà aux abris, peu enclins à se sacrifier pour Villepin qu'ils n'aimaient pas et qui le leur rendait bien.

Plus tard, Bruno Julliard, le dirigeant de l'UNEF et meneur des étudiants en grève, confirmera le double jeu de Sarkozy dans cette affaire. Il lui avait dit militer lui aussi pour le retrait du CPE et comprendre son combat.

J'ai été révolté par les propos et agissements de celui qui était alors ministre de l'Intérieur vis-à-vis de Jacques Chirac,

13

président de la République. J'ai souhaité plusieurs fois que celui-ci ne se contente pas d'une molle réplique, mais trouve le moyen de le « virer » du gouvernement. Mais l'attitude de Chirac vis-à-vis de Sarkozy n'était pas toujours, elle non plus, limpide et courageuse.

Si on ne fait pas allégeance à Sarkozy, on devient immédiatement à ses yeux un ennemi à décrédibiliser directement ou par l'intermédiaire d'affidés. Seul lui importe de marginaliser publiquement ou d'abattre politiquement celui qui ose lui résister.

En écoutant sa courte allocution ce matin à l'Élysée, je suis frappé par sa façon de répéter le mot « je » avec insistance. Plus de vingt-cinq fois : je me suis amusé à compter. J'y vois une preuve supplémentaire que ce « pouvoir » dont il a tant rêvé, il n'a aucune intention de le partager.

En quittant rapidement l'Élysée, j'ai conscience que des temps difficiles s'annoncent pour moi. Avant et après la cérémonie je me suis senti bien seul.

J'éprouve aussi une certaine tristesse au souvenir d'une autre cérémonie d'investiture. Celle de Jacques Chirac, en 1995, à laquelle je n'avais pas été invité. Avec deux ou trois amis, nous avions demandé à assister à cette intronisation républicaine du nouveau président. Nous qui étions demeurés fidèles à Chirac alors que de nombreux compagnons l'avaient trahi, et avions œuvré nuit et jour à sa victoire, il nous avait alors été répondu que seuls les « corps constitués » étaient conviés. Ce fut longtemps une blessure pour moi. Et aujourd'hui je ne peux m'empêcher d'y repenser en sortant de l'Élysée à l'issue d'une cérémonie à laquelle je me serais bien passé, cette fois, d'assister.

23 mai

Remise au Conseil de la Légion d'honneur à Roger Tessier, ancien garde du corps du général de Gaulle. Le temps passe.

27 juin

Déjeuner avec Jacques Chirac. Je le trouve « ailleurs » malgré les apparences, fatigué, usé, las. Je l'interroge sur l'intention qu'on lui prête d'écrire ses Mémoires. Pour toute réponse, j'ai droit à ceci : « Je n'ai pas l'intention de commenter, de réagir, de critiquer ou d'approuver la politique de mon successeur à l'Élysée. C'est une tradition républicaine à laquelle je me tiendrai. »

J'insiste : « Il ne s'agit pas de cela. Pour les Français vous vous devez de rédiger des Mémoires, vous avez été un artisan de notre histoire… »

Il ne me laisse pas le temps de terminer ma phrase : « Une vache ne retourne pas deux fois de suite à l'abreuvoir ! »

C'est du Chirac dans le texte. Comprend qui veut. Le Chirac des formules imagées, déroutantes, parfois grivoises.

Combien de fois l'ai-je entendu dire : « Ça m'en touche une sans faire bouger l'autre », « Les emmerdes c'est comme les cons, ça vole toujours en escadrille », « Je m'en tape le coquillard avec une patte d'alligator femelle », « Ce sont des affaires de corneculs »…

Il aime provoquer par des expressions triviales, paillardes, rabelaisiennes.

Un soir de 1992, lors d'une tournée électorale à Nonancourt où je me présentais aux élections cantonales, après la réunion publique il m'avait lancé : « Trouve-moi un bistrot, j'ai soif, et allons boire à nos femmes, à nos chevaux et à ceux qui les montent ! »

Je l'ai entendu à plusieurs reprises déclarer en public : « Il faut mépriser les hauts et repriser les bas. » La fois où je l'ai interrogé sur l'origine de cette expression, il m'a répondu qu'elle venait de sa grand-mère.

Quand je viens lui annoncer en 2002 que je me présente à la présidence de l'Assemblée nationale, alors qu'Édouard Balladur s'apprête à être candidat, il me prédit que je serai battu et me recommande surtout de ne pas me « bouffer le foie ». Je n'en eus pas l'occasion, ayant largement devancé mon concurrent. Mais cette autre métaphore chiraquienne est restée présente dans ma mémoire…

15

Chirac a aussi, naturellement, un langage plus « convenable », plus policé, avec des mots ciselés, voire imagés du type « Notre maison brûle et nous regardons ailleurs » ou « L'on n'exporte pas la démocratie dans un fourgon blindé ». Celles-ci ont été travaillées, préparées pour avoir un impact politique et n'ont rien d'improvisé.

Jacques Chirac excelle dans la langue de bois colorée, celle qui ne veut rien dire mais lui évite de répondre à la question posée. Du genre : « J'apprécie le pain, le pâté, le saucisson plus que la limitation de vitesse ! »

À un journaliste de *Libération* qui l'interrogeait sur son positionnement politique, il répliqua un jour : « Bien sûr je suis à gauche, je mange de la choucroute et je bois de la bière ! » ou encore : « Un bouc se caractérise par quatre pattes, des sabots, des cornes et quelques autres éléments dont je constate qu'ils sont réunis, avec de fortes dimensions : donc, sans nul doute, voilà un bouc. Eh bien, ne vous en déplaise, c'est un taureau. »

Connaît-on vraiment Jacques Chirac ? Je n'en suis pas certain.

D'abord parce qu'il ne parle que peu de sa propre personne, ne se livre pas, se confie rarement, n'extériorise ses sentiments qu'à des moments exceptionnels. « J'ai la simplicité de croire que mes états d'âme et mes humeurs n'intéressent personne… », a-t-il écrit dans *La Lueur de l'espérance*, avant tout soucieux comme il l'a déclaré à Bernard Pivot de « conserver » son « jardin secret ».

Mais son mystère tient aussi à l'immense recul qu'il a toujours pris par rapport à lui-même, au point de se délecter, non sans provocation, à véhiculer l'image d'un homme qui ne lit que des romans policiers, ne regarde à la télévision que des westerns. Ce qui est loin d'être sa vérité.

12 juillet

Sarkozy a choisi Épinal pour s'exprimer sur les institutions qu'il veut réformer. C'est dans cette même ville que de Gaulle, après son discours de Bayeux, avait défini, le 29 septembre 1946, celles qu'il jugeait nécessaires pour la France de l'après-guerre.

Lorsqu'il se réfère au Général, peut-être cherche-t-il inconsciemment à dessiner une sorte d'autoportrait : « Le génie de de Gaulle est que la volonté politique ne lui fait pas peur », déclare-t-il comme s'il voulait parler de lui-même.

Je ne suis pas loin de penser que pour Sarkozy, entre de Gaulle et lui, il n'y a eu personne de notable au regard de l'Histoire. De Gaulle a fait évoluer notre pays, restauré son prestige international, fait entendre la voix de la France en Europe et dans le monde. Sarkozy est convaincu qu'il en sera ainsi avec lui.

16 juillet

Je reçois le président de la Cour suprême des États-Unis, John Roberts, accompagné par trois juges. Visite importante, c'est la première qu'il rend à notre Conseil. Pour lui montrer combien nous y sommes sensibles, je suis allé l'accueillir la veille à l'aéroport Charles-de-Gaulle.

Au cours de notre rencontre, un des membres du Conseil, Olivier Dutheillet de Lamothe, évoque nos méthodes de travail après que j'ai présenté notre rôle dans le processus de l'élection présidentielle. Puis j'interroge John Roberts sur la Cour suprême américaine et notamment sur la possibilité donnée à ses collègues d'exprimer une opinion dissidente. Il m'apparaît personnellement réservé sur cette faculté.

J'y suis opposé pour ma part, s'agissant de notre Conseil. Une telle possibilité n'entre pas dans notre tradition juridique. C'est une entorse grave au secret du délibéré, gage d'un débat serein où chacun se détermine en son âme et conscience. La décision du Conseil doit demeurer collégiale et non devenir l'expression d'une majorité contre une minorité.

S'il leur était permis de se démarquer publiquement de la décision rendue, certains membres préféreraient alors cultiver leur différence. Ils n'auraient plus en tête que de chercher à plaire à leurs amis, si ce n'est à l'opinion, à se construire une « image », une « renommée ». Dans la mesure où nous examinons les lois qui

17

viennent d'être votées par les Assemblées et ne sont pas encore promulguées, nos travaux ne feraient que prolonger l'affrontement parlementaire et notre décision prendrait une tonalité politique, voire politicienne. Bref, cela restreindrait la recherche du consensus qui doit rester notre objectif.

L'expression publique d'une opinion dissidente apparaîtrait par la force des choses comme une critique de la décision rendue, fragiliserait la loi jugée constitutionnelle, favoriserait l'instabilité juridique, minerait l'autorité du Conseil en remettant en cause le principe de « l'autorité de la chose jugée ».

Ma position à ce sujet, j'en ai conscience, n'est pas partagée par tous les juristes et, au sein du Conseil, elle ne reçoit pas l'agrément de Pierre Joxe et de certains professeurs de droit. Mais tant que je présiderai le Conseil, je m'opposerai à cette faculté pour un membre de se désolidariser publiquement de la décision adoptée par la majorité.

À la fin de notre séance de travail, à la place des traditionnels cadeaux, c'est-à-dire une médaille et un ouvrage en français sur le Conseil et un autre sur l'histoire du Palais-Royal, j'offre au président Roberts un magnum de grand vin de Bordeaux datant de l'année de sa naissance et à ses collègues des bouteilles de même provenance. Ils ont l'air surpris et très heureux de cette initiative. Le président de la Cour suprême me dit en partant qu'il est prêt, dans ces conditions, à revenir souvent nous rendre visite.

17 juillet

Pour écrire mon prochain roman dont le titre sera *Quand les brochets font courir les carpes*, j'ai besoin de me replonger dans l'atmosphère du Quai des Orfèvres, de parler avec des policiers, de les écouter, de visiter ces lieux que j'ai beaucoup fréquentés quand j'étais juge d'instruction. Les fonctionnaires de la criminelle sont un peu surpris de me voir là, mais ils me reçoivent avec une grande disponibilité et beaucoup de gentillesse.

Dans mes nouvelles fonctions, je n'ai plus le droit de m'exprimer publiquement pour commenter l'actualité. J'avais préparé un petit livre qui entrait dans cette catégorie. Mais Jacques Chirac, à raison, m'a suggéré d'en différer la publication. J'y racontais les cinq années passées à la présidence de l'Assemblée et ce que j'avais perçu de l'attitude de nos « héros » politiques du moment.

Je me suis lancé alors dans la rédaction d'un polar. Une autre manière de raconter ce monde politique dont je viens de m'extraire.

21 juillet

Le souffle de sa vie s'est éteint, brisé par la force de la maladie. Le cœur d'Anne-Marie s'est arrêté de battre à l'aube. Elle est partie avec la dignité qu'elle portait en elle. Avec Charles, Guillaume et Marie-Victoire, nous voici seuls.

27 juillet

Surprenant, le procès que nombre de commentateurs politiques font à Nicolas Sarkozy à la suite du discours qu'il a prononcé hier à l'université de Dakar. Certaines de ses affirmations ne sont pas très heureuses et cette leçon donnée aux Africains est déplaisante et inopportune. Mais ceux qui dénoncent ce discours comme l'expression d'un sentiment raciste et d'un éloge de la discrimination raciale ont-ils fait un effort pour le lire dans son entier ? Je n'en suis pas sûr.

Ils auraient remarqué que Sarkozy procède d'abord à une critique sans complaisance de la colonisation. C'est courageux de sa part. Il indique aussi, il est vrai, que si les colonisateurs ont beaucoup pris, ils ont également beaucoup donné, et que tous n'étaient pas des profiteurs ou des « négriers ». Une nouvelle fois la politique fait cause commune avec la mauvaise foi.

19 septembre

Édouard Balladur, chargé par Nicolas Sarkozy de présider un comité de réflexion sur la réforme des institutions, a décidé de m'auditionner. Cela ne m'enchante guère de me retrouver en face de l'ancien Premier ministre.

Je n'ai aucune estime pour ce personnage hautain et dédaigneux, prétentieux et méprisant, ni de mots assez forts pour exprimer ce que je pense de lui. C'est probablement le seul de tous les hommes politiques que j'ai pu croiser, de droite comme de gauche, pour lequel j'éprouve aussi peu de considération.

Certes je n'ai pas une sympathie très prononcée pour Nicolas Sarkozy, mais je reconnais son talent politique, sa force de persuasion et de caractère. Rien de tel avec Balladur, dont la suffisance me met mal à l'aise. Je ne lui fais aucune confiance. Tout sonne faux chez lui.

Son caractère l'a toujours empêché d'être un rassembleur. Pour fédérer, unir les Français, il est nécessaire de leur apparaître à tout le moins sympathique et apte à les regarder, les écouter. Balladur en est incapable. C'est pour cela que je n'ai jamais cru en son destin politique.

Son comportement déloyal vis-à-vis de Jacques Chirac pourtant à l'origine de son ascension politique jusqu'aux fonctions de Premier ministre est resté ancré dans ma mémoire.

Pendant la campagne de 1995, j'avais posé la question à Jacques Chirac : « Quelle est la différence entre vous et Balladur ? » Il ne m'avait pas répondu et je lui avais alors précisé : « Lui ne pardonne jamais et vous trop rapidement. »

Je me souviens aussi de ce jour où, dans la voiture qui nous conduisait au Havre, Chirac venait d'apprendre qu'un prochain sondage le plaçait pour la première fois à égalité avec son rival inattendu. Il était heureux, le ciel politique s'éclaircissait enfin. On pouvait sérieusement envisager qu'il arrive à devancer Balladur et soit ainsi qualifié pour le second tour de la présidentielle. Chirac alors me dit : « Tu vois, Balladur me fait penser à ce proverbe chinois qui dit que les poteries, comme les militaires, supportent les décorations mais pas le feu. »

Lorsque je me suis présenté à la présidence de l'Assemblée, Balladur a exigé qu'il y ait des primaires au sein de l'UMP pour désigner le candidat de notre parti. Je l'ai largement distancé, mais il n'a pas accepté ce verdict et, lors du scrutin public dans l'hémicycle, a fait malgré tout acte de candidature. Et je l'ai battu… Avec l'arrivée à l'Élysée de Sarkozy, le voilà remis en scène.

L'audition est terminée, j'ai pu dire ce que je voulais et notamment plaider pour l'instauration d'un droit nouveau permettant aux citoyens de saisir le Conseil de lois déjà votées. Ce que les spécialistes appellent le « contrôle de constitutionnalité par voie d'exception ».

Le soir, je dîne au Conseil avec des amis députés. Soirée détendue. Ils m'interrogent sur Chirac, à qui ils aimeraient bien rendre visite. Mais ils comprennent que celui-ci, pour l'instant, entend rester en dehors du jeu politique et ne souhaite pas qu'on puisse lui attribuer d'éventuels propos partisans.

10 octobre

Bernard Accoyer me convie à déjeuner au restaurant Laurent.

Il rêve encore trop d'être ministre. Il est incapable de se détacher de son parti, n'arrive pas à concevoir que son rôle est non de servir le gouvernement et de favoriser la majorité, mais avant tout d'être indépendant, d'incarner l'Assemblée dans toutes ses composantes et d'être à ce titre le protecteur des droits de l'opposition, de lui permettre de s'exprimer et de la défendre si besoin contre les prétentions excessives de la majorité.

Je lui conseille d'assister aux réunions de questure pour que la gestion quotidienne de la maison ne lui échappe pas. Mais visiblement il n'écoute aucune de mes suggestions. Son regard se promène dans la salle pour vérifier si on le reconnaît. S'il a été poussé vers la présidence du groupe UMP en 2004 après le départ de

Jacques Barrot, c'est seulement pour éviter qu'un sarkozyste ne s'empare de ce poste politique stratégique. Il a servi, en quelque sorte, d'expédient.

31 octobre

À Montauban, à la demande d'anciens résistants, et surtout du professeur Robert Badinier, je dévoile, en présence de Brigitte Barèges, députée-maire de la ville, la plaque commémorative au 32, rue du Général-Sarrail où mon père a séjourné entre 1943 et 1944.

Grâce au maire de l'époque, Joseph Bourdeau, installé par Vichy, dont l'hostilité à l'occupant était sans concession comme son refus de l'antisémitisme, mon père avait obtenu des cartes d'identité qui allaient servir à protéger certains résistants.

C'est au couvent de Grisolles, non loin de là, que pendant quelques mois mon arrière-grand-mère a été cachée. Juive, fille et femme de rabbin, elle avait plus de quatre-vingts ans.

27 novembre

Invité par le directeur de l'ENA à prendre la parole à Strasbourg, lors de l'hommage rendu à mon père et à la première promotion qui porte le nom de « France combattante ».

Cet hommage ne peut que me réjouir. Il s'agit, en fait, de perpétuer la trace d'un homme habité par une haute exigence de l'État et de la France. Mon père était sincèrement convaincu que notre pays a besoin d'un État qui dispose des moyens de sa mission au service de la République et de l'intérêt général. Je l'entends encore marteler d'une voix nerveuse que la liberté ne s'oppose pas au pouvoir, qu'elle meurt tout au contraire de l'absence de pouvoir ou sombre quand celui-ci fuit ses responsabilités.

Aujourd'hui où l'État abdique de ses prérogatives sous couvert de décentralisation et où trop souvent ses responsables gesticulent plus qu'ils n'agissent, raviver ce message me paraît opportun.

Alors que certains rêvent ouvertement d'une VIe République qui ressemblerait comme une sœur siamoise à la défunte IVe, je veux qu'on n'oublie pas les ravages commis de 1946 à 1958 par une instabilité ministérielle qui avait abouti à un profond discrédit des dirigeants politiques et au déclin de l'influence française. Combien l'impuissance de l'État était alors manifeste et désespérante !

Mon père était fier d'avoir pu créer l'ENA. Cette école, qu'il est aujourd'hui de bon ton de dénigrer, était pour lui une nécessité afin de former les meilleurs serviteurs de l'État et d'en démocratiser le recrutement.

Déjà en 1848 Hippolyte Carnot, ministre de la IIe République, avait imaginé la création d'une telle école, qui devait mêler dans une même formation des fonctionnaires de niveaux différents. Naturellement, l'idée n'a pas survécu au second Empire. Elle a ressurgi près d'un siècle plus tard, reprise par Jean Zay, ministre de l'Éducation nationale du gouvernement Blum, mais à son tour elle a sombré avec le Front populaire.

C'est en octobre 1945 que mon père a proposé au général de Gaulle la création de l'ENA. Il avait imaginé l'architecture de cette école dès 1938 dans un article publié par la *Revue Dalloz*. Dans son esprit, il s'agissait de faire émerger une République nouvelle, qui s'appuierait sur une administration performante et en serait la clé de voûte, et pour cela réussir à attirer vers le service de l'État républicain les jeunes les plus brillants.

« Fais en sorte que l'on n'abîme pas l'ENA, elle est utile et nécessaire à la République », m'a-t-il dit en 1995 lorsque je suis devenu ministre de l'Intérieur, en me recommandant d'être attentif au devenir et à la pérennité de cette « institution authentiquement républicaine, démocratique » et de veiller à ce qu'elle ne soit pas « dénaturée » selon son expression.

Naturellement, mon père a voulu que l'ENA soit ouverte aux femmes. Quelques années plus tard, il leur permettra aussi d'intégrer l'École polytechnique, non sans se heurter alors à une hiérarchie militaire qui accepta difficilement cette évolution.

Je me souviens d'avoir été confronté au même conservatisme de la part d'officiers généraux lorsque, ministre de l'Intérieur, j'ai voulu que les policiers participent au défilé du 14 Juillet à Paris. Il a fallu toute l'autorité de Jacques Chirac, président de la République, pour que j'obtienne gain de cause.

29 novembre

Dans le petit salon du Conseil je reçois une dizaine de collaborateurs restés proches de Chirac pour son soixante-quinzième anniversaire. L'atmosphère est détendue et fraternelle. Il est bien, souriant, affectueux avec tout le monde et sa joie nous remplit de bonheur. Nous sommes là pour l'assurer de notre affection.

5 décembre

Je découvre peu à peu un Conseil au fonctionnement surprenant. Jamais je n'avais connu une administration aussi mal et scandaleusement gérée. J'en suis gêné au point d'en avoir honte.

C'est ainsi qu'un ancien membre continuait depuis longtemps à recevoir une petite rémunération. Il ne faisait plus rien. J'y ai mis un terme. Il n'est pas content et me le dit.

J'apprends de la même façon que l'un de mes prédécesseurs, en quittant les lieux, s'est fait verser une confortable indemnité. Qu'un autre est parti avec une voiture officielle, ou plus exactement qu'il l'aurait achetée pour un euro symbolique ! Naturellement il n'a pas fait changer la carte grise et le Conseil, depuis de nombreuses années, reçoit les procès-verbaux pour infraction au stationnement... Nous n'avons jamais retrouvé le véhicule. Il paraît que l'intéressé l'aurait revendu, mais il ne sait plus à qui.

Un salarié du Conseil est employé depuis plusieurs années sans jamais avoir signé le moindre contrat de travail et, au fil du temps, certains membres du personnel ont pris beaucoup de liberté avec les horaires… Un employé ne vient à son poste qu'en fin d'après-midi et demeure sur place une partie de la soirée, sans que j'arrive vraiment à savoir ce qu'il y fait. « Il s'occupe un peu d'informatique », me dit-on… Les chauffeurs rentrent chez eux le soir avec les voitures de l'administration. Ils ne travaillent que quatre jours par semaine…

Les heures supplémentaires sont généreusement payées pour un personnel dont la durée d'activités hebdomadaires a été fixée à 32 heures au lieu des 35 légales.

Je découvre aussi que des commerces contigus au Conseil se sont branchés sur notre réseau d'électricité. Par conséquent, ils nous font régler leur consommation.

Dans le même temps, les locaux, particulièrement le dernier étage, sont dans un état de délabrement stupéfiant. Aucune des conditions de sécurité imposées par notre législation n'a été respectée.

Les comptes de la maison ne sont pas tenus comme ils devraient l'être et donnent lieu, au sein même du Conseil, à des rumeurs persistantes qui pourraient, si elles étaient avérées, déboucher sur des poursuites pénales.

Remettre de l'ordre, rénover les lieux, réduire un train de vie marqué par des abus intolérables, diminuer le budget du Conseil sont pour moi des impératifs prioritaires.

J'observe et écoute nos « grands » juristes. Je note chez quelques-uns d'entre eux un mépris à peine voilé pour les politiques. Ils savent tout et n'admettent que très difficilement un point de vue différent. Pour eux, la vérité des autres n'existe pas. Seule la leur est digne d'intérêt.

J'ai beau me souvenir de ce qu'écrivait Montesquieu – « la plupart des mépris ne valent que des mépris » –, j'ai peine parfois à cacher mon agacement en entendant certains de leurs propos. Je pense qu'ils devraient faire preuve d'un peu plus d'humilité ou de modestie. Le doute ne les habite jamais, même s'il est « le commencement de la sagesse » selon le précepte d'Aristote. Et pourtant le savoir n'empêche pas le doute. Il le suscite tout au contraire.

En arrivant, j'ai assez vite ordonné, à la surprise de beaucoup, que l'on décroche les portraits des anciens présidents de la République et même qu'on enlève le buste du général de Gaulle commandé par l'un de mes prédécesseurs, ce qui me sera reproché par des membres de la Fondation Charles-de-Gaulle. Peu m'importe. Il faut s'habituer à un conseil indépendant des politiques. Même si la formule ne figure pas au début de nos décisions, nous ne rendons celles-ci qu'« au nom de la France, du peuple français et de la République ». J'ai fait installer un buste de Marianne en haut de l'escalier d'honneur. Je veux que celles ou ceux qui viennent aient conscience d'être dans le temple de la République. Et dans mon bureau, ils verront ma collection de diverses représentations de Marianne.

Le drapeau tricolore et lui seul est placé dans la salle du délibéré et dans mon bureau.

2008

11 janvier

Gadget politique pour moi, les vœux du nouveau président de la République aux corps constitués se déroulent cette année non à Paris mais à la préfecture de Lille. Je prends le train du matin, gare du Nord, en compagnie de Philippe Séguin qui affiche sa mine renfrognée des mauvais jours.

Je l'observe avec attention. Quel personnage, dont le destin politique a été brisé par un caractère impossible ! Philippe Séguin, c'est une silhouette imposante qui ne passe pas inaperçue, une voix puissante et singulière, une intelligence originale, un talent oratoire hors du commun, un être d'une véritable sensibilité à vif. Attachant. Hélas, c'est aussi un caractère fougueux, colérique, cyclothymique, imprévisible. Il veut être admiré, compris, reconnu, et il a tout fait pour qu'il n'en soit pas ainsi.

Je crois que Séguin a toujours éprouvé une véritable et sincère affection pour Chirac, dont il aurait tant voulu être aimé. Mais il l'a souvent exaspéré et lui a toujours fait peur. Il espérait en 1995 devenir son Premier ministre. Chirac lui a préféré Juppé, Séguin ne l'a pas supporté. Il en a souffert au plus profond de lui-même, comme un fils qui se voit écarté par son père au profit de l'un de ses frères.

Arrivés à la préfecture on nous annonce que le chef de l'État aura deux heures de retard.

Parqué dans un petit salon, Philippe Séguin bougonne de plus en plus : cette longue attente le contrarie fortement.

Au bout d'un moment je vais me promener dans les rues entourant la préfecture, interdites aux passants. Une poignée de militants a été autorisée à attendre le président devant les grilles. Je reviens peu avant son arrivée.

Séguin toujours d'aussi mauvaise humeur écoute les vœux de Nicolas Sarkozy non au premier rang, mais sur le côté gauche de l'estrade en signe de réprobation. Il fulmine en l'entendant faire d'abord l'éloge de Jack Lang, député du Pas-de-Calais qui, lui, s'est assis au premier rang, face à la tribune présidentielle. Il faut dire que l'attitude de Lang est aussi horripilante que celle d'un courtisan prêt à toutes les courbettes pour se faire remarquer du souverain et des journalistes.

Après la cérémonie, il est prévu que les personnalités seront dirigées vers un petit salon où le président viendra les saluer. Je décide de ne pas m'y rendre et de reprendre le premier train pour Paris sans plus attendre.

Au moment où je traverse le hall de la préfecture, je croise le regard de Nicolas Sarkozy qui se fait remettre par Martine Aubry, en cadeau de bienvenue, un vélo. Il ordonne à un huissier de me conduire vers lui et me demande pourquoi je m'en vais. Je lui dis que j'en ai assez de perdre mon temps.

« Il faut que je te voie ! insiste-t-il. Veux-tu venir déjeuner avec moi à l'Élysée ?

— Pas pour l'instant.

— Alors invite-moi au Conseil.

— D'accord.

— Dis à ta secrétaire d'appeler la mienne pour convenir d'une date. »

Je regagne Paris, persuadé que rien ne se passera. Et, de mon côté, je n'ai pas l'intention de me manifester auprès de l'Élysée. Je n'en vois pas l'intérêt et je connais déjà les lieux.

17 janvier

J'ai invité à déjeuner avec les membres du Conseil la présidente du MEDEF, Laurence Parisot, afin de parler de notre législation sociale. Elle est directe et spontanée, notre dialogue est facile mais demeure superficiel.

De tels contacts n'entrent pas dans les coutumes de cette maison, mais c'est précisément ce que je veux faire évoluer. Échanger avec une personnalité extérieure n'implique pas que l'on perde sa liberté de jugement. J'ai bien l'intention d'ouvrir cette maison, de faire en sorte que les juristes y débattent avec d'autres que des juristes. Il faut en arriver à une saisine plus large du Conseil.

23 janvier

Déjeuner au Conseil en tête à tête avec Nicolas Sarkozy. Son secrétariat a finalement pris contact avec moi quelques jours auparavant pour me proposer cette date. Je n'en ai informé personne, aucun membre n'est dans la confidence ; seul Marc Guillaume, mon secrétaire général, a été mis dans le secret.

Connaissant les goûts de Sarkozy, j'ai demandé à l'intendant d'aller acheter chez Jean-Paul Hévin un bon dessert du meilleur chocolat.

Je l'accueille à l'entrée du Conseil, rue Montpensier.

À table, il commence par me demander ce que je souhaite, si je ne m'ennuie pas trop dans mes nouvelles fonctions. C'est vrai que j'ai trouvé une maison poussiéreuse, non dirigée, triste, qui prend peu de décisions, vit en dehors du temps et des réalités. Mais je ne le lui dis pas et affirme même le contraire. Sans lui révéler que j'ai fini par prendre goût à la rénover.

Il me rappelle qu'il tient beaucoup à la loi sur la « rétention de sûreté » pour les délinquants sexuels, un engagement qu'il a pris devant les Français.

J'évoque le projet d'ouverture de la saisine du Conseil. Je lui dis qu'une telle réforme marquerait une véritable rupture avec le passé – une formule à laquelle il ne sera probablement pas insensible –, qu'elle conférerait des droits nouveaux aux justiciables et que cela serait interprété positivement puisque la majorité des lois dans le domaine judiciaire est répressive. Je lui remets une note à ce sujet.

Il m'indique qu'il y est favorable, même si son entourage y est opposé et le Premier ministre, François Fillon, également.

« Que ton secrétaire général prenne contact avec Emmanuelle Mignon, ma directrice de cabinet. »

Je suis satisfait de son accord de principe. Cette maison va pouvoir enfin évoluer.

Même si j'étais sur la réserve, ce moment avec lui m'a paru plutôt agréable. J'espère surtout qu'il sera suivi d'effets.

29 janvier

Dîner avec quatre députés restés fidèles à Jacques Chirac, qui n'ont pas été encore contaminés par le « sarkozysme ». Ils continuent à croire au retour sur la scène politique de Dominique de Villepin. Comment peuvent-ils être encore convaincus que Villepin sera le prochain président de la République ? Leur aveuglement est pathétique. Ils ne se rendent pas compte qu'il les mène en bateau, qu'il n'a pour eux aucune considération ou si peu. Il les utilise et les laissera tomber sans un mot ni excuses dès que cela lui sera nécessaire.

Villepin méprise souvent les politiques, se joue de tout le monde. Il se prend pour le Prince de Machiavel dont il partage tout au plus le cynisme.

3 février

Cet affichage par Sarkozy de sa vie privée, cette « peopolisation » m'exaspère et, malgré mon devoir de réserve, je brûlais de le dire publiquement, ce que je viens de faire au micro de Radio J. J'ai déclaré que l'image donnée actuellement de la fonction présidentielle ne correspondait pas à l'idée que s'en font les Français. J'ai ajouté qu'il fallait veiller, lorsqu'on est titulaire d'une haute fonction, à ne pas la désacraliser.

Les « sarkozystes » naturellement se déchaînent aussitôt contre moi. Face à ce torrent de critiques reprises avec gourmandise par la presse aux ordres du pouvoir, j'éprouve vraiment le sentiment, pas forcément déplaisant, d'avancer à contre-courant. Me voici qualifié de nostalgique, de revanchard... Au sein même du Conseil, un membre me fait part de sa réprobation : j'ai eu tort selon lui de m'être laissé aller à de telles remarques. Il a raison, mais je m'en fiche. J'aime trop la République pour supporter qu'on l'écorne.

Alors que l'on baigne en pleine « Sarkomania », j'ai beaucoup de difficultés à croire en ce nouveau président. Son talent évident le rend convaincant lorsqu'il s'exprime. Il apparaît même sincère, mais c'est une sincérité du moment. Peu lui importe qu'elle soit démentie l'instant d'après. Lui est déjà ailleurs et ses opposants ou contradicteurs ont du mal à lui répliquer, à suivre son rythme, puisqu'il change sans cesse de sujet, comme si aucun n'avait d'importance à ses yeux.

6 février

Déjeuner avec Rachida Dati, la ministre de la Justice. Elle est surprenante, déroutante, séduisante et exaspérante à la fois, mais intelligente. Elle cherche d'abord à plaire, parle tout le temps, ne s'embarrasse pas de détails.

On ressent en l'observant et en l'écoutant combien elle est grisée par le pouvoir, bousculée et ballottée par les médias. Elle ne boude pas son plaisir d'être sans cesse regardée, enviée, admirée.

Peu lui importe, apparemment, d'être dénigrée par certains conseillers d'État, magistrats, hauts fonctionnaires qui peuplent les couloirs de la Chancellerie. Ils n'arrivent pas à supporter que ce poste prestigieux n'ait pas été confié à quelqu'un qui leur ressemble.

Mais que se passera-t-il quand Rachida Dati ne sera plus ministre, ni une proche du président de la République ? Sa chute sera aussi brutale que son ascension politique a été fulgurante. Elle n'a pas conscience qu'elle sera plus longtemps ancienne ministre que ministre.

21 février

Peu avant la décision du Conseil concernant la loi sur la rétention de sûreté, Nicolas Sarkozy m'appelle pour me redire qu'il faut à tout prix que le Conseil la valide. « C'est moi qui l'ai voulue, s'exclame-t-il, je m'y suis engagé. Tu ne dois pas y toucher. »

Cette agressivité qui ne me surprend pas chez lui me paraît inadmissible à l'égard d'une institution comme la nôtre. Je lui précise que le Conseil « fera ce qu'il croira devoir faire », mais qu'il me semble peu probable qu'il ne censure pas certaines dispositions contraires au principe de la non-rétroactivité des lois.

Il m'interrompt et, de façon comminatoire, me déclare qu'il ne l'acceptera pas. Il me fait comprendre sans ambiguïté qu'il me le fera « payer » si nous nous risquons à annuler cette loi.

Sur ce, le Conseil décide une censure partielle et émet des « réserves d'interprétation ». La rétention de sûreté pour le Conseil « ne saurait être appliquée à des personnes condamnées avant la publication de la loi ou faisant l'objet d'une condamnation postérieure à cette date pour des faits commis antérieurement ».

32

Peu après la publication de notre décision, *Le Figaro*, dans un éditorial signé d'Étienne Mougeotte, me met méchamment en cause. Je reconnais certaines expressions de Sarkozy lors de notre entretien téléphonique. À l'évidence cet article a été inspiré. J'écris à son auteur que je me faisais une autre idée de l'indépendance des journalistes. Je n'aurai jamais de réponse d'Étienne Mougeotte.

25 février

Stupéfiante et scandaleuse, cette mission confiée par l'Élysée à Vincent Lamanda, le premier président de la Cour de cassation.

Après notre décision de censure, le président de la République lui a donné mission, dans la réalité et derrière les mots, de trouver un moyen de contourner notre jurisprudence.

Rien ne m'étonne plus de Sarkozy. Il n'a pas un grand sens de l'État. C'est un chef de clan auquel il est interdit de résister, surtout au nom du droit. Mais que le premier président de la Cour de cassation puisse accepter une telle mission me paraît choquant. Lui qui doit rester le symbole d'une justice indépendante à l'égard du pouvoir politique, le voici transformé en simple auxiliaire du président de la République chargé de trouver les moyens permettant de revenir sur le principe de la non-rétroactivité des lois et ainsi de contourner l'inconstitutionnalité déclarée par le Conseil.

Si je le pouvais, je crierais publiquement mon indignation.

25 mars

Après l'avoir fait à Épinal quelques jours auparavant, j'évoque le rôle du Conseil devant les étudiants de l'Institut d'études politiques de Strasbourg.

L'un d'eux m'interroge sur son influence politique. Il n'est pas convaincu qu'il en ait une. Je tente de lui démontrer, à travers certaines décisions, qu'il se trompe. Malgré ma réponse, il demeure sceptique.

Les étudiants m'apparaissent plus intéressés par mes relations avec Sarkozy. J'ai beau leur préciser que je suis sorti du monde politique et respecte les titulaires des fonctions de l'État, quels qu'ils soient, cela ne les convainc pas davantage. Pour eux la politique se résume à des luttes ou à des oppositions personnelles.

15 avril

À l'École navale de Brest, je présente le Conseil aux élèves officiers. C'est une institution non identifiée pour eux. Ils m'écoutent parce que c'est à leur programme et surtout parce que leurs chefs sont assis au premier rang.

21 avril

Le président du groupe UMP à l'Assemblée, Jean-François Copé, ne me cache pas le peu de sympathie que lui inspire Nicolas Sarkozy. Même s'il en rajoute un peu pour me faire plaisir, ses critiques sont sans complaisance. Son hostilité envers François Fillon est tout aussi manifeste.

Jean-François Copé, avec talent et sans scrupule, tisse méticuleusement sa toile. Je le connais depuis longtemps, je sais que son ambition est sans limites. Il manœuvre parfaitement, protège ses collègues députés, intervient avec intelligence quand il le faut. C'est un excellent président de groupe, doublé d'un bon orateur. Il tente d'incarner l'alternance à droite.

Le microcosme le regarde avec intérêt, pour certains avec espoir. Les journalistes s'intéressent à lui. Avec habileté, il marque publiquement envers Sarkozy sa différence et son indépendance, non son opposition. Même si cela ne trompe personne, il affiche une loyauté qui consiste tout au plus à ne jamais franchir la ligne jaune.

34

Paradoxalement, il s'inspire pour accéder au pouvoir de la stratégie qui fut celle de Sarkozy vis-à-vis de Chirac, mais il suit ce modèle avec plus de roublardise. Il n'est pas certain que Sarkozy sera battu en 2012, et estime de toute façon qu'il ne pourra pas se présenter contre lui, si bien qu'il se prépare pour 2017.

Alors que Villepin m'assure, quand je le rencontre à son bureau, attendre avec confiance l'issue de l'affaire Clearstream, ne doutant pas qu'elle lui sera favorable et qu'alors « ce sera terrible pour Sarkozy », Copé, lui, se prépare de façon plus méthodique. Il se constitue des réseaux d'influence, cherche à nouer des amitiés avec des patrons d'industrie, rencontre des journalistes…

C'est avec habileté que Copé construit son avenir politique alors que Villepin attend son heure en estimant que le temps joue en sa faveur. Il est persuadé que les Français se tourneront alors vers lui.

Villepin m'apparaît cependant bien velléitaire. Sans me l'avouer ouvertement, il est évident qu'il envisage de se présenter à la prochaine élection présidentielle, persuadé que Sarkozy ne sera pas alors en état de gagner. Il croit trop en sa « bonne étoile », incapable de se remettre en cause, trop pénétré du sentiment de son intelligence pour voir la réalité politique telle qu'elle est.

Pour arriver au pouvoir, il ne faut pas tout attendre de la chance ou du hasard. C'est un travail quotidien auquel on doit s'astreindre. Il faut savoir s'appuyer sur une équipe, rassembler des soutiens. Il n'y a plus d'hommes providentiels.

Pompidou, Giscard d'Estaing, Mitterrand, Chirac, Sarkozy ont pu accéder à l'Élysée parce qu'ils le voulaient, y pensaient en permanence. Certes, ils ont pu et su profiter d'une conjoncture favorable, mais surtout ils se sont donné tous les moyens d'une réussite qui a réclamé patience et obstination.

Villepin est incapable de vraiment s'organiser. C'est un dilettante en politique. Il croit qu'il lui suffira, le moment venu, d'apparaître sur la scène pour que l'on se prosterne devant lui.

Comment peut-on être à la fois si intelligent, si brillant et si naïf ; avoir une telle méconnaissance du monde politique et une si haute idée de soi ?

Il n'a su se doter d'aucune organisation efficace. Les députés qui l'entourent sont peu nombreux et avant tout des aigris du sarkozysme ou des nostalgiques de Chirac. Ce n'est pas seulement en comptant sur eux qu'il peut espérer conquérir le pouvoir.

25 et 26 avril

À Doha où se tient un colloque international, je trouve notre ambassadeur aussi énervé qu'épuisé par les « caprices » de Rachida Dati, arrivée peu avant moi. Elle se conduit comme une « petite fille gâtée », exige un coiffeur à onze heures du soir, traite l'ambassadeur comme son valet, est en retard au déjeuner officiel… Je suis obligé de demander à nos hôtes de commencer sans elle tant j'ai honte de son comportement.

28 avril

Les dix amis députés avec qui je dîne sont encore bluffés par le dynamisme de Nicolas Sarkozy. Ils ne comprennent pas mes réticences à son égard et pensent sans toujours me l'avouer que je suis excessif et lui en veux toujours de ses agissements envers Chirac. Seuls deux ou trois de ces députés, dont mon ami Henri Cuq, partagent ma conviction que le « vibrionnage » politique du président lassera les Français.

Tout s'imagine, se conçoit, se prépare, se décide à l'Élysée et s'annonce depuis le palais présidentiel. Il est devenu fréquent que les collaborateurs s'expriment publiquement à la place des ministres qu'ils tiennent en liberté surveillée. Le Premier ministre, François Fillon, apparaît comme le principal d'entre eux, non comme un chef de gouvernement bénéficiant d'une autonomie.

Les parlementaires de la majorité « convoqués » à l'Élysée pour y recueillir directement les instructions présidentielles en sortent anesthésiés. Même les plus sceptiques sur Sarkozy sont subjugués par son énergie. Je m'en rends compte au cours de ce dîner.

Juillet

Aux nombreux députés de la majorité qui m'interrogent, j'indique combien certains changements envisagés de la Constitution sont inutiles voire dangereux et vont à l'encontre de l'esprit de la Vᵉ République. Elles ont pour but de détricoter le « parlementarisme rationalisé » voulu par le général de Gaulle et Michel Debré.

Nicolas Sarkozy est attaché à une modification : celle qui doit permettre au président de la République de s'exprimer devant les députés et sénateurs réunis à Versailles. Une fausse bonne idée à mes yeux.

Le chef de l'État, dans la Constitution, n'est pas responsable devant le Parlement. Qu'il prenne la parole devant la représentation nationale serait l'exposer à voir son autorité contestée et par là rabaisser le prestige de sa fonction.

Le débat qui suivrait ses interventions n'aurait aucun sens, de surcroît, puisque le président ne serait plus en séance pour entendre les députés contestataires et leur répondre. Il s'agit là d'un gadget qui sera peu utilisé. Le président de la République a d'autres moyens, notamment la télévision, pour s'adresser aux Français.

Afin d'obtenir un consensus sur cette réforme, Sarkozy a donné des gages aux partisans de « l'hyper-Parlement » selon l'expression démagogique de Copé. Il a cédé à celles et ceux qui veulent renouer avec les délices et poisons de la République précédente.

La possibilité offerte à un ministre quittant le gouvernement de redevenir automatiquement député est absurde, elle aussi. Vieille revendication de ces parlementaires qui ont oublié notre histoire politique. Cette règle aura des conséquences sur la stabilité et la cohérence gouvernementales. Certains n'hésiteront plus à démissionner de leur ministère en cas de différend avec l'exécutif dans la mesure où, politiquement, ils ne risquent plus rien. Si l'on ajoute à cela une volonté, exprimée par ailleurs, de retour à la proportionnelle, il y a de grandes chances de voir ressurgir tous les maux qui ont miné nos républiques antérieures. Tant que le système majoritaire décidera de la composition de l'Assemblée, leurs symptômes ne seront pas trop perceptibles. Mais en sera-t-il toujours ainsi ? Sommes-nous à l'abri de gouvernements de coalition ? Je sais que les élus qui sont en face de moi, en grande majorité, ne partagent sur cette question ni mon analyse ni mes craintes.

Le fait qu'un projet de loi discuté dans l'hémicycle n'émane plus du seul gouvernement, mais puisse être issu d'une commission parlementaire, m'apparaît tout aussi dangereux pour la cohérence du débat et celle du projet. Je juge inutile cette augmentation du nombre des commissions, alors qu'il faudrait à l'Assemblée nationale fusionner celles des Affaires étrangères et de la Défense et créer une commission de l'Éducation, de la Formation et de la Culture... À un moment où il est nécessaire de restreindre les dépenses publiques, a-t-on chiffré ce que coûte une commission parlementaire au budget de l'État ?

Permettre aux députés ou sénateurs de voter des résolutions est une idée ancienne. Mais une fausse bonne idée, là encore. Elle porte en elle les germes de crises politiques inévitables. Approuver une pétition de principe, teintée de démagogie et sans conséquences législatives, peut rassembler de nombreux députés d'options politiques diverses. Elle aura valeur d'avertissement ou même de censure pour le gouvernement mis politiquement en difficulté.

Revenir sur la règle essentielle de la maîtrise par ce même gouvernement de l'ordre du jour des assemblées est une erreur dont on constatera rapidement les fâcheuses conséquences. Je dis à mes amis députés présents qu'ils seraient bien inspirés de refuser cette évolution. Je ne réussis pas à les convaincre.

Je préconise et soutiens en revanche l'ouverture de la saisine du Conseil, autrement dit la possibilité offerte pour les justiciables de mettre en cause la constitutionnalité des lois même si elles sont anciennes. Je me réjouis que Nicolas Sarkozy ait tenu l'engagement qu'il avait pris devant moi. C'est à sa volonté politique que cette disposition devra d'être inscrite dans un projet constitutionnel qui me paraît par ailleurs si contestable.

Déjà en 1989, Robert Badinter avait lancé cette idée, traduite dans un projet de révision constitutionnelle qui n'avait pas abouti.

9-12 août

Invité à Saint-Tropez par François et Maryvonne Pinault, à rejoindre Jacques Chirac. Moments singuliers de complicité amicale.

Le matin, je fais un tour de marché avec lui. Il suscite une curiosité incroyable, serre des mains, on le photographie sans cesse. Il est heureux. Très souvent on lui dit qu'on le regrette. Il sourit. Première halte dans un café où, sans qu'il ait besoin de rien commander, on lui apporte une bière et pour moi la même chose. Il l'engloutit toujours aussi vite. Photo avec le cafetier et sa femme. On déambule à nouveau, les commerçants l'interpellent, le saluent, lui offrent ici une rondelle de saucisson, là un morceau de boudin, un peu de rillettes, de la tapenade… Il les avale de bon cœur. « Tu devrais goûter, Jean-Louis », insiste-t-il alors que mon estomac commence déjà à demander grâce.

Nous terminons notre matinée à la terrasse de Sénéquier. Je suis épuisé, mon estomac de plus en plus en ébullition. Chirac est décidé à ne m'accorder aucun répit, il commande un « perroquet » et comme je demande un Perrier citron : « Ce n'est pas bon, c'est de l'eau », me lance-t-il avec un sourire. Il ne me laisse pas le choix : un pastis.

Attroupement, cohue, serrements de mains, il embrasse les jeunes femmes avec gourmandise, les serre contre lui pour la photo, souvent c'est moi qui la prends avec leur téléphone portable. Un couple d'étrangers, des Allemands je crois, ahuris de voir l'ancien président français de si près, insiste pour une photo, puis une deuxième « au cas où la première ne serait pas bonne » dit le mari dans un français teinté d'un fort accent pendant que sa femme dévore Chirac des yeux.

Je l'observe attentivement, comme je l'ai fait si souvent dans le passé. Malgré beaucoup d'automatismes, de réflexes, malgré toutes ces phrases mécaniques que j'ai entendues d'innombrables fois, il se dégage de lui une profonde impression de sympathie, de chaleur humaine.

J'ai le sentiment qu'il est, à ce moment-là, profondément libre. Personne de son entourage n'est là pour le surveiller. Je suis son public et il me sait particulièrement bienveillant à son égard. Alors il en rajoute, se « lâche » plus que d'habitude. Tant mieux s'il trouve de la sorte un peu de joie et de réconfort.

« Tu as vu le pingouin qui arrive, il est ridicule. Qui c'est ? » me demande-t-il avec un petit sourire. Je connais trop Chirac, il sait très bien de qui il s'agit. Mais il ne veut pas prononcer son nom. Le « pingouin », couturier parisien bien connu, fait un détour pour venir saluer Chirac de telle façon qu'on puisse le photographier. Ridicule, effectivement. Chirac, à peine aimable, ne l'invite même pas à prendre un verre avec nous. Il s'en va un peu dépité. Chirac me fait un petit sourire.

Ce matin, il m'avait demandé :

« Si nous allions tous les deux déjeuner à Nikky Beach ?

— Pourquoi pas ? C'est quoi Nikky Beach ?

— Une plage à la mode, branchée comme on dit, et il y a un bon restaurant, me précise-t-il. Je fais réserver une table pour 12 h 30 après notre tour de marché et l'apéro chez Sénéquier... »

Au milieu de la matinée, entre une tranche de saucisson, un demi et du pâté au thym, Chirac m'indique que nous ne serons pas seuls pour déjeuner, Bernadette se joindra à nous. Il a l'air un peu contrarié.

Nous voici donc partis en direction de la plage de Nikky Beach et, coordination parfaite, nous y arrivons tous en même temps. Je comprends alors les raisons de l'agacement que j'avais cru déceler chez lui et pourquoi il aurait préféré être seul avec moi.

Nous sommes accueillis par de jolies serveuses aux seins nus. Ce n'est visiblement pas du tout du goût de Bernadette.

L'ambiance au déjeuner n'est pas détendue. Chirac n'est pas mécontent d'observer, discrètement, ces créatures dénudées qui virevoltent autour de la table, tandis que Bernadette ne dit rien. Son regard n'est pas celui des bons jours.

Au moment de partir, une splendide serveuse à la poitrine généreuse demande à Chirac de faire une photo avec lui.

« Allez vous mettre entre Jacques et la fille », m'ordonne Bernadette sur un ton sec et sans appel. Je me faufile aux côtés de son mari et me voici entre la fille et lui. Cela m'amuse d'être ainsi photographié. Chirac et sa voisine sont tout sourire, Bernadette beaucoup moins.

À en juger par le regard qu'elle me jette le soir durant le dîner, je ne serais pas surpris que son mari m'ait désigné comme l'instigateur de notre virée à Nikky Beach.

Malgré la qualité exceptionnelle de l'accueil et de l'hospitalité des Pinault, je me sens mal à l'aise à Saint-Tropez. Ce monde n'est pas le mien. Ce petit royaume de la prétention, de l'apparence, de l'illusion, de l'arrogance et du m'as-tu-vu, de l'insolence et de la vanité, ne me fait pas rêver. Il m'irrite plutôt.

25 septembre

Je tiens à rappeler aux éminents participants au VII⁰ congrès de droit constitutionnel deux idées simples qui sont à mes yeux primordiales.

Quoi qu'on en dise, la V⁰ République est le meilleur régime politique que la France ait connu. Notre Constitution a permis à la démocratie de disposer d'institutions efficaces et stables. Le régime politique qui en est issu a, contrairement à certaines prédictions initiales, duré au-delà du général de Gaulle et permis à notre pays de surmonter diverses crises et de connaître des alternances et des cohabitations. Bref, ce régime a fait ses preuves et il faut le préserver.

Deuxième idée : le Conseil que je préside aujourd'hui est l'une des réussites de cette Constitution. Devenu le défenseur des droits et libertés, il est désormais l'un des rouages essentiels de notre État de droit.

L'extension prévue des missions du Conseil va ouvrir des perspectives nouvelles et inattendues en faveur des citoyens et conduire à une véritable révolution juridique.

J'informe les juristes de mon intention d'instaurer une procédure contradictoire avec une audience publique.

Je sais qu'en déclarant cela au sein même de notre institution, je ne fais pas l'unanimité. Affirmer qu'il y aura pour les QPC (questions prioritaires de constitutionnalité) une audience ouverte aux avocats, organiser un procès public de la loi sur le modèle des juridictions judiciaires heurtent bien des habitudes. J'ai pourtant la ferme intention de bousculer le conservatisme, l'immobilisme de certains membres enfermés dans leur seule vérité. Ils sont rassurés quand rien ne bouge, ils n'ont pas alors à se remettre en cause.

17 octobre

Déjeuner avec François Fillon. Je suis accompagné par Marc Guillaume, le secrétaire général du Conseil, le Premier ministre est assisté de Jean-Paul Faugère, son directeur de cabinet.

Nous nous installons dans le pavillon de musique au fond du magnifique parc de Matignon. « On m'a dit que lorsque ton père était Premier ministre tu aimais cet endroit », me précise Fillon, manifestement soucieux de m'être agréable.

Il ne me cache pas toutes les réticences que lui inspire la possibilité offerte aux justiciables de saisir le Conseil constitutionnel. Il craint qu'il ne découle de cette réforme une grande instabilité législative. Il convient donc pour lui que la loi organique cadre bien le fonctionnement de la QPC.

Fillon, pour lequel je n'ai jamais eu de grande sympathie mais pas d'antipathie déclarée non plus, et que j'ai toujours considéré comme un peu trop hypocrite, est égal à lui-même.

Prudent en tout et pour tout, il ne correspond pas à l'image que je me fais d'un chef ou d'un patron. C'est un bon second, non un premier. Il a le pied sur le frein quand Sarkozy appuie sur l'accélérateur. Je ne crois pas Fillon capable de s'opposer à son chef si nécessaire. Il est si heureux d'être Premier ministre, même d'un gouvernement dont la véritable tête n'est pas lui.

Marc Guillaume et Emmanuelle Mignon, la directrice de cabinet de Sarkozy, feront en sorte de contourner les réticences de Matignon.

3 novembre

J'organise au Louvre, les locaux du Palais-Royal étant trop exigus, un grand colloque à l'occasion du cinquantième anniversaire du Conseil. Dans mon esprit, il s'agit de retracer sa longue marche vers l'instauration d'une « Cour constitutionnelle ». J'ai demandé à Nicolas Sarkozy de venir présider la séance inaugurale.

Membres et anciens membres du Conseil, universitaires, ministres et anciens ministres, parlementaires, journalistes se pressent dans l'auditorium pour écouter le président de la République.

J'observe avec amusement les manœuvres de certains pour se trouver sur son passage. Apercevoir ce député qui, il y a seulement quelques jours, a été devant moi particulièrement critique à son égard, aujourd'hui jouer des coudes, bousculer plusieurs personnes pour réussir à le saluer et lui adresser quelques mots dont je suis persuadé qu'ils ont la forme d'un compliment, est un spectacle irrésistible qui me fait sourire sans me surprendre. Les courtisans existeront toujours. Les régimes politiques changent, le pouvoir fascine toujours autant et dérègle bien des comportements.

Sarkozy rend hommage au Conseil, vante, c'est normal, la réforme qu'il a imposée. Il ne peut s'empêcher d'adresser une pique à Robert Badinter, assis à mes côtés. Il lui fait remarquer qu'il a voté contre la réforme de la Constitution alors qu'elle intègre cette nouvelle procédure qu'il souhaitait. Sarkozy n'a jamais le triomphe modeste.

20 novembre

À la demande de l'Association Traversée, je vais à Saint-Quentin parler de la Constitution et de son application depuis cinquante ans. Mais j'ai souhaité auparavant rencontrer des élèves pour répondre à leurs questions, leur faire en quelque sorte un cours d'instruction civique.

Les professeurs et membres de cette association ont magnifiquement préparé la rencontre.

Elle a lieu dans la salle du palais Fervaques. Venus de plusieurs établissements scolaires, cinq cents lycéens et lycéennes me réservent un accueil plus que chaleureux. Moments de bonheur. Les élèves de première et de terminale de la ville ont été sensibilisés au thème choisi et les questions fusent, plus pertinentes les unes que les autres. À quoi sert le Premier ministre ? Pourquoi ne pas supprimer cette fonction ? Le Parlement a-t-il encore un pouvoir quand on sait l'importance des règles imposées par Bruxelles ? Le Conseil constitutionnel annule-t-il souvent des lois et ne risque-t-il pas d'abuser de ses pouvoirs ?

Pendant plus de deux heures, je tente de leur répondre le plus concrètement possible, par des phrases brèves, sans langue de bois, en évitant soigneusement toute allusion politique. Je suis heureux, le contact a été facile, je me suis senti très à l'aise face à un public aussi curieux et spontané.

La réunion du soir avec les adultes et notables me paraît beaucoup plus convenue.

2009

5 mars

Pour le cinquantième anniversaire du Conseil, j'ai eu l'idée d'inviter les anciens ministres ou secrétaires d'État de la Vᵉ République. Peu m'importe leur appartenance politique, il s'agit d'un hommage républicain.

Quelque temps plus tôt, pour imaginer la façon de commémorer cet anniversaire, j'avais demandé aux membres de me faire part de leurs propositions. L'un me suggéra l'édition d'un « magnifique livre » sur le Conseil. Un autre de faire frapper une médaille ou d'organiser un colloque.

À ce moment-là, le président Giscard d'Estaing, qui exceptionnellement participait à notre séance, me lança une idée de son cru : « Pourquoi ne pas organiser un grand bal ? » La surprise se lut sur le visage de plusieurs membres. Beaucoup se demandaient s'il faisait ou non de l'humour. Mais Giscard poursuivit avec le même sérieux : « Un grand bal comme il y en avait jadis au Palais-Royal. On pourrait danser la valse. J'ai appris à danser la valse avec Anne-Aymone à Vienne, nous pourrions ouvrir le bal. » Un peu interloqué, je lui répondis : « Vous imaginez la presse le lendemain : "Ça valse au Conseil." » Giscard me regarda et balaya mon objection : « Ne lisez pas les gazettes. »

Je n'ai pas cru bon de retenir l'idée de Giscard.

Dans un propos liminaire, je rappelle que c'est le 5 mars 1959 que le Conseil constitutionnel a été installé par le général de Gaulle. Les neuf premiers membres nommés ont prêté alors serment, au cours d'une cérémonie, d'exercer en toute impartialité leur fonction. À leurs côtés, les anciens présidents de la IVe République, Vincent Auriol et René Coty, membres de droit, complétaient ce Conseil initial. Le 13 mars, il tient sa première réunion dans l'aile Montpensier du Palais-Royal.

Cette mise en place s'opéra dans une parfaite indifférence. Ainsi le premier et bref article d'un grand quotidien du soir qui lui fut consacré portait sur le fait que le nom de Léon Noël, son premier président, offrait un plaisant palindrome. Mais rien, dans cet article, sur les missions du Conseil, rien non plus sur son organisation.

Plus de la moitié des trois cent cinquante membres de tous les gouvernements de la Ve République sur un total de cinq cent neuf ministres et secrétaires d'État sont réunis cinquante ans plus tard pour fêter cette institution passée inaperçue à l'époque et qui n'a cessé de renforcer son autorité même si son rôle reste très méconnu des citoyens.

Je salue tout particulièrement Pierre Sudreau, qui faisait partie en 1959 du premier gouvernement de la Ve République, celui constitué par mon père. Pierre Sudreau a signé le texte de la Constitution de 1958. Parmi ceux qui l'ont paraphé, il est le dernier en vie.

Il y a beaucoup d'émotion parmi ces anciens ministres, oubliés pour la plupart, mais dont la joie est grande de ne pas l'être totalement et de se retrouver réunis et honorés pour un soir, lors de cette fête de famille républicaine.

Retrouver leur trace et leur adresse n'a pas été chose facile. Peu après l'écho paru dans la presse de cette soirée inhabituelle, l'un d'eux m'a fait part de sa tristesse de ne pas avoir été convié. Faute que l'on ait retrouvé sa trace.

23-25 avril

Quarante-septième anniversaire de la Cour constitutionnelle de Turquie à Ankara. Le thème choisi pour donner de l'intérêt à cette manifestation est « La saisine par les citoyens des cours constitutionnelles ». On m'a demandé de présider la deuxième séance consacrée à la « saisine par exception ». L'ensemble est sympathique, bien organisé, mais n'a pas beaucoup d'utilité. Chacun vante les mérites de son propre système sans beaucoup s'intéresser à celui de son voisin. Ils sont pourtant nombreux à s'être déplacés. Il y a là les présidents des cours autrichienne, algérienne allemande, azerbaïdjanaise, chilienne, coréenne, croate, égyptienne, espagnole, hongroise, mexicaine, russe… Mais aussi du Pakistan ou du Kazakhstan. On n'arrête pas de « bouffer », de serrer des mains, de sourire, de poser pour des photos. Ils ont tous l'air d'apprécier ces « grand-messes ». Moi, très modérément.

6 mai

Naturellement l'inauguration du boulevard Jacques-Chaban-Delmas à Bruges, dans la banlieue de Bordeaux, ravive en moi beaucoup de souvenirs. Le maire de la commune m'a demandé de présider cette manifestation et de prononcer un discours.

Pendant mon enfance, Chaban venait souvent chez nous. Mon père et lui étaient liés d'une profonde amitié, ce qui ne les empêchait pas d'avoir des discussions orageuses. Pendant toute la IVe République, mon père entrait dans une grande fureur chaque fois que Chaban acceptait de faire partie d'une coalition ministérielle. Ils « s'engueulaient » au téléphone.

L'Europe était aussi l'objet de vifs débats entre eux.

Chaban, compagnon de la Libération, a montré que l'on pouvait être patriote sans pour autant devenir nationaliste. Chaban, maire de Bordeaux, que l'on pouvait ardemment défendre sa ville ct sa région et s'affirmer partisan de la décentralisation tout en défendant l'unité du pays et l'autorité de l'État.

Beaucoup moins jacobin que mon père, Chaban a œuvré pour un État non pas tentaculaire selon sa formule, un État qui gère tout, s'occupe de tout, réglemente tout, légifère sur tout, mais pour un État concentré sur ses missions régaliennes et assumant ses responsabilités spéficiques. Un État qui sache anticiper les problèmes qui vont se poser à notre société.

Ainsi, comme Premier ministre en 1971, Chaban crée en accord avec Georges Pompidou un ministère chargé de l'environnement, confié à Robert Poujade, député-maire de Dijon. Chaban et Pompidou ont eu l'intuition, avant d'autres, que les questions concernant l'avenir de notre planète deviendraient essentielles. Le progrès, l'industrialisation de la France de l'après-guerre ne leur faisaient pas peur dès lors qu'ils restaient compatibles avec la liberté et la dignité de l'homme.

L'État se devait, pour Chaban, d'être le gardien et le garant de la liberté, de toutes les libertés. Un droit qui passait notamment, pour les citoyens, par l'accès à une information libre et indépendante. Comme on le sait, c'est à lui que l'on doit le début d'une certaine émancipation des médias vis-à-vis du pouvoir. L'État, pour lui, se devait d'être l'initiateur et le garant du dialogue social. L'État avait également pour mission de bâtir une organisation sociale reposant sur l'équité, la justice, la responsabilité individuelle et collective.

Les réflexions et propositions de Chaban sur cette « nouvelle société » qu'il appelait de ses vœux résonnent aujourd'hui comme un refrain inachevé.

Chaban a raté, il est vrai, sa campagne présidentielle de 1974. Elle était insuffisamment préparée, mal organisée, alors que, de son côté, Giscard s'y était attelé depuis des mois. Chaban est apparu à ce moment-là comme l'incarnation d'un pouvoir gaulliste vieillissant. Il a été « plombé » par les révélations sur le paiement de ses impôts. Il a aussi été « trahi » par certains députés pilotés par Chirac, qui ont préféré soutenir Giscard.

À la fin de mon discours que je prononce après le sien, Alain Juppé vient me féliciter. Il semble surpris que j'aie été applaudi plus chaleureusement que lui. Il ne se rend pas compte apparemment de ce qui fait la différence entre nos deux interventions.

La sienne a surtout vanté sa propre action depuis qu'il est maire de Bordeaux, action remarquable et qui témoigne de son dynamisme, mais sans beaucoup évoquer les mérites de son prédécesseur.

De mon côté, je n'ai fait que rendre hommage à Chaban. Or, ceux et celles qui assistaient à cette inauguration, ses anciens collaborateurs ou ses amis, attendaient d'abord que l'on salue la mémoire de leur héros. Que je sois en outre le fils de Michel Debré, qui entretenait avec Jacques Chaban-Delmas, malgré leurs différences, une authentique relation amicale, a favorisé, de toute évidence, l'accueil qui fut réservé à mon propos.

Juppé est un homme aussi fascinant qu'il peut être décevant. L'intelligence du « meilleur d'entre nous », comme l'avait décrit Chirac lors d'une intervention publique, à Strasbourg en 1989, sa capacité à appréhender les dossiers les plus délicats, sa volonté d'agir demeurent impressionnantes. Son sens de l'État et de l'intérêt général ne souffre aucun doute. Mais Juppé est trop sûr de sa supériorité intellectuelle et la montre trop facilement pour être vraiment sympathique et créer un réflexe durable d'attachement à sa personne. Il ne croit qu'en lui et cela se voit. Il extériorise peu de chaleur humaine, malgré une sensibilité réelle. Timide, il n'arrive pas toujours à exprimer ses sentiments. Ce handicap crée avec les autres une distance qu'il ne parvient pas à combler.

22 au 26 mai

Pour la première fois me voici en Israël, à l'invitation de Dorit Beinisch, la présidente de la Cour suprême.

Ce voyage restera longtemps imprimé dans ma mémoire pour plusieurs raisons. Il y a des Juifs qui ont la foi, d'autres qui se sont convertis au judaïsme. Rien de tout cela chez moi. Et pourtant ne suis-je pas juif par l'histoire de ma famille ? C'est sans doute pourquoi je suis si sensible à ma rencontre avec le chef de l'État, Shimon Peres, dans sa résidence de Jérusalem.

Personnalité historique de la politique israélienne, ministre, Premier ministre et prix Nobel de la paix en 1994 avec Yasser Arafat et Yitzhak Rabin, Shimon Peres me reçoit avec simplicité. Il s'exprime lentement et en français. Me dit se souvenir de mon père et évoque son estime pour la France. Il insiste dans un long monologue sur la nécessité de garder l'espoir que des négociations politiques pourront amener la paix au Moyen-Orient et garantir la sécurité d'Israël.

Le Mur des lamentations, vestige du temple d'Hérode, lieu saint du judaïsme, est une étape surprenante. Voir ces femmes, ces hommes, ces religieux tournés vers le mur, prier, embrasser des pierres, glisser des petits morceaux de papier dans les fentes, se prosterner, entourés, surveillés par des militaires a, pour moi, quelque chose de révoltant. Un lieu de prière, de recueillement ne devrait pas avoir à être placé sous protection de l'armée !

Je suis reconnu par un couple de Français venus célébrer la bar-mitsvah de leur fils sur cette terre du judaïsme. Photos.

Au mémorial de Yad Vashem érigé à la mémoire des six millions de Juifs disparus dans l'Holocauste, des survivants et des Justes, je mesure une nouvelle fois jusqu'où peuvent mener la haine et la folie des hommes.

Cette flamme qui brûle en permanence, cette pénombre, ce silence étrange qui entourent le souvenir de tant d'hommes, de femmes, d'enfants exterminés ou disparus dans les vingt et un camps d'extermination nazis en Europe centrale et orientale bouleversent et me donnent envie de pleurer. On sort tout autre et comme métamorphosé de ce sanctuaire du souvenir, de la mémoire, qui est aussi celui de l'horreur et de l'ignominie. J'avais fait jadis un pèlerinage dans un camp de concentration avec Anne-Marie, Charles, Guillaume et Marie-Victoire. Je croyais jusqu'à cette visite, accompagné de Marie-Victoire, avoir atteint les limites de l'indicible. Je me trompais.

Au bout d'un long moment passé dans ce mémorial, je n'ai plus eu qu'une envie : retrouver la lumière du jour, le soleil, l'air, la vie.

Tout au long des jours qui suivent, je ne cesse de penser à ma famille et à mon arrière-grand-père le grand rabbin Simon Debré. Je me dis alors que je dois partir à la recherche de son histoire.

S'il est difficile de déterminer la part de l'inné dans chaque être, il est évident qu'il est décisif.

Je me mets en quête de mes origines, de mes racines. L'Alsace est toujours présente en moi.

Mon grand-père, Robert, parlait de Westhoffen, le berceau de la famille, avec un amour particulier que j'ai également perçu chez mon père. Je me rappelle, lorsque je suis devenu ministre de l'Intérieur, qu'il m'a recommandé de répondre toujours positivement aux demandes du maire et de la municipalité de Westhoffen.

Simon, mon arrière-grand-père, que je n'ai naturellement pas connu, était resté lui aussi toute sa vie très attaché à ce petit village du canton de Wasselonne, dans l'arrondissement de Molsheim, entre Saverne à l'ouest et Strasbourg à l'est. La défaite de Sedan, et l'insoutenable annexion de son Alsace à l'Allemagne, fut à l'origine de sa rupture physique mais non sentimentale avec Westhoffen. Déchirement personnel, ces bourgs de la basse Alsace étaient pour lui et sa famille le meilleur symbole de ce qui rassemble la France de la Révolution et celle de l'émancipation des Juifs. Ils prenaient maintenant le visage de l'humiliation, qui appelait aussi à conserver allumée la flamme de l'espérance jusqu'à la revanche.

Le 14 septembre 1872, pour demeurer fidèle aux valeurs de liberté et d'égalité qu'incarnent alors à ses yeux la France et la République, Simon, avec l'accord de Jacques, son père – car il avait dix-huit ans et était encore mineur –, prit le train à Strasbourg en direction de Paris.

Remontant plus avant dans mes origines, au-delà de mon arrière-grand-père, je retrouve la trace d'Anschel Moïse qui s'est fait inscrire en octobre 1808 sur les registres officiels sous le nom d'Anselme Debré. Il serait né dans les années 1760 ou 1785, à Ischehausen en Bavière. C'est lui qui, en 1803, s'installa avec son épouse Amélie-Babette Schwartz à Westhoffen où il serait mort le 29 mai 1821.

Westhoffen était alors un petit bourg d'à peine plus de deux mille habitants. Les protestants étaient les plus nombreux, venaient ensuite les catholiques, et la communauté israélite comprenait cent quatre-vingt-seize fidèles. Les rites et les calendriers des trois communautés rythmaient la vie de tous au village. Les familles, quelle que fût leur religion, vivaient en bonne entente. Le dialecte alsacien était la langue commune et le français, la langue administrative.

Jacques, le père de Simon, naquit à Traenheim le 30 décembre 1800. Ce nouveau siècle fut, pour les Juifs de France, celui de leur émancipation. S'il y avait beaucoup de commerçants dans sa lignée, d'autres, aussi nombreux, étaient voués à l'étude et au culte : instituteurs communautaires, chantres, ministres officiants et rabbins.

Tous les préjugés n'avaient pas disparu avec la Révolution française, mais le champ des possibles s'était considérablement élargi. La reconnaissance d'un corps électoral sans distinction de religion fit des Juifs des citoyens au même titre que les catholiques ou les protestants et leur permit d'être élus. Ainsi Jacques Debré participa activement à la vie publique de Westhoffen. À cinq reprises, il fut élu au conseil municipal, seul Juif présent dans cette instance. Il y siégea vingt-cinq ans.

À ce titre, il prit part à d'importantes délibérations, concernant la pratique des cultes, adoptées par la commune de Westhoffen.

À l'origine, l'église du village, construite entre 1260 et 1300, était destinée au culte catholique. Avec l'arrivée des protestants, elle fut utilisée par les fidèles des deux religions. Lorsque les protestants devinrent majoritaires dans la population, les élus décidèrent de l'affecter au culte protestant et de construire une église réservée aux catholiques et une synagogue pour les juifs. C'est sur ce même principe de tolérance et de bonne entente que fut décidée la construction de trois écoles, une catholique, une protestante et une juive. Pour les financer, le conseil municipal procéda à la vente d'une partie de la forêt de chênes qui entourait la commune.

Jacques décéda le 12 mai 1884 à Westhoffen.

J'ai tenté sans succès de retrouver sa tombe dans le cimetière juif du village, pour y déposer trois cailloux et témoigner de ma fidélité à sa mémoire.

Son fils Simon, né dans cet univers tout à la fois religieux, pieux, érudit et patriote dont il ne s'extraira jamais, fit donc en 1872 le choix de la France, de la République et opta pour la nationalité française.

Simon avait passé son enfance auprès de son grand-père maternel déjà âgé, rabbin de la communauté de Westhoffen, qui lui avait transmis l'amour du judaïsme.

Après avoir obtenu son diplôme du deuxième degré rabbinique, et satisfait à l'épreuve orale de sélection devant le consistoire de Lille, il devint à vingt-six ans, le 22 avril 1880, rabbin de Sedan. Il apprit son métier dans cette petite ville de garnison, tout près de la frontière imposée par la défaite. Très vite, il s'imposa comme un rabbin « réformateur », tout en restant fidèle à l'orthodoxie religieuse.

Au bout de quelques années, il eut l'ambition de rejoindre une ville plus importante, susceptible de faciliter les études de ses enfants – Robert, Jacques et Claire – comme son propre travail de recherche sur le judaïsme. C'est ainsi que, après avoir été candidat en vain à Bordeaux, Lille et Versailles, il finit par être choisi pour occuper le poste créé par le consistoire à Neuilly-sur-Seine où s'était rassemblée une petite communauté d'Alsaciens.

Naturellement, Simon Debré a été confronté pendant toute sa vie à l'antisémitisme. Il a combattu de toutes ses forces ce « sentiment barbare » au nom des valeurs de la civilisation et de la République. Son combat fut d'abord religieux, tout en s'inscrivant dans la conception républicaine de la nation française, telle que Renan l'a théorisée.

À Westhoffen, chez les Debré, durant l'enfance de Simon, on ne parlait pas de ces époques où les Juifs étaient méprisés, maltraités parfois, vilipendés souvent et parqués dans des villages ou des quartiers, dans des « ghettos » professionnels, sociaux ou culturels. On préférait se réjouir de la décision prise par l'Assemblée constituante, le 27 septembre 1791, de conférer aux Juifs les mêmes droits qu'à tout autre citoyen.

Simon avait reçu une éducation imprégnée de l'esprit des Lumières et des promesses heureuses de la Révolution. Il avait hérité de son père Jacques un sentiment puissant de fidélité patriotique à la France républicaine.

Cette reconnaissance de la citoyenneté fut essentielle pour Simon comme elle l'était déjà pour son père. Ce dernier était unanimement estimé à Westhoffen. Lors de ses obsèques, le 13 mai 1884, il fut accompagné au cimetière par une foule où se mêlaient dans un même hommage les membres de la communauté juive, l'ensemble du conseil municipal et des instituteurs des trois religions. L'antisémitisme pour Simon sévissait avant tout de l'autre côté du Rhin. C'est lors de son séjour à la yeshiva de Wurtzbourg, à la fin des années 1860, qu'il en avait fait l'expérience dans ces régions toutes proches de l'Alsace où les Juifs n'avaient toujours pas les mêmes droits que les chrétiens. Toute sa vie, Simon, qui parlait parfaitement l'allemand, associa l'antisémitisme à la rive droite du Rhin, au point de ne pas percevoir l'exacte réalité de ce qui se passait en France.

La défense de la République se confondant avec le rejet de l'antisémitisme, Simon écrit ainsi dans un article publié pour le centenaire de l'« émancipation » : « On serait presque justifié à dire que l'antisémitisme n'existe pas en France. » Pour Simon, ce fléau était étranger à la France et à la République en tant que telle.

Il ne voyait dans les thèses de Drumont, l'auteur de *La France juive* et le créateur de la Ligue nationale antisémitique de France, que des vociférations et gesticulations politiques dont il ne fallait pas exagérer l'importance. C'est pourtant dans la ville où Simon était rabbin, à Neuilly, que Drumont participa en 1889, comme il le relate dans *La Dernière Bataille*, à une réunion où il s'adressa en ces termes à la jeunesse de France : « Les pères sont les premiers à dire à leurs fils : "Nous avons vécu avec les Juifs, cela ne nous a pas réussi et nous nous sommes déconsidérés comme à plaisir." Vous avez la chance d'entrer dans la vie, libres de tout engagement avec la juiverie, tant mieux pour vous… »

Malgré de tels propos et une telle propagande, Simon niait publiquement cette réalité, ou ne voulait pas la voir car ce n'était pas un antisémitisme d'État. Son amour de la République était si fort qu'il ne pouvait croire à la montée de ce fléau en France. Pour lui, le seul fait d'évoquer la « question juive » relevait d'une ineptie qui le révulsait au plus profond de lui-même : « […] chaque fois qu'on me parle de la question juive, de l'antisémitisme, je me demande si je ne suis pas victime d'une hallucination. Car j'ai beau descendre au fond de mon âme d'israélite, je ne trouve rien qui la distingue de celle de mes contemporains chrétiens », écrit-il en 1893.

Simon ne cesse alors de rappeler aux chrétiens, quelle que soit la violence du moment et de certaines de leurs attaques, leur dette cardinale vis-à-vis du judaïsme. Il leur rappelle, ainsi qu'aux juifs, qu'ils honorent le même Dieu et une même Loi.

L'affaire Dreyfus va pourtant marquer profondément l'histoire des miens.

La femme du capitaine Dreyfus était issue d'une vieille famille de Metz qui était aussi celle de Jacques Hadamard, lequel était apparenté, par son mariage, avec la femme de Simon Debré.

Ce dernier était, bien sûr, convaincu de l'innocence de Dreyfus. Comme tous les rabbins, personnages publics dont la plupart sont des fonctionnaires, Simon évita de s'exprimer publiquement sur l'affaire elle-même en tant que responsable communautaire, mais il ne resta pas inactif. Il soutint tout de suite le grand rabbin Zadoc Kahn dont il était très proche et qui s'exprimait au nom de la communauté. Simon cherchait avant tout à faire œuvre de péda-gogie auprès des chrétiens et des notables de Neuilly afin de les convaincre que l'antisémitisme cache la haine qui « détruit tout et n'édifie rien », et que cette haine conduit à tuer, à massacrer, à une folie meurtrière qui peut devenir incontrôlable.

L'antisémitisme et sa progression en France finirent par inquiéter Simon, ce qui l'amena à soutenir l'engagement de son fils Robert dans les cercles péguystes.

Si l'affaire Dreyfus et l'hostilité envers les Juifs ont probable-ment mis fin au rêve immaculé qu'il se faisait de son pays, Simon demeura toute sa vie fidèle à ses choix de 1872 : la France était sa patrie et la République son idéal politique. Il rejettera toujours le nationalisme du sol, de la religion ou de la race qui détourne la France de sa mission universelle.

En 1914, alors que ses trois fils – Robert, Jacques et Germain – sont mobilisés, Simon reprit à soixante ans le chemin du séminaire pour suppléer les enseignants partis au front.

L'espoir de retrouver « les terres d'Alsace et de Lorraine arra-chées à la France » restait depuis 1870 ancré en lui. Mais il avait conscience de ce que la guerre entraîne de haines, de souffrances et de morts.

En décembre 1914, comme le grand rabbin de France, celui de Paris et d'autres, il écrit une lettre « À nos chers soldats de France », quelle que soit leur religion. Mais en ces temps de la fête de Hanoukka, il adresse des mots particuliers aux soldats de confession israélite. Il leur dit comme Français et comme juif qu'ils participent à une guerre juste. Dieu aurait choisi les jeunes Français, selon Simon, pour être les combattants de la liberté et de la fraternité. Pour souligner cette mission spirituelle, il exalte leur courage avec les mots du psaume bien connu : « que votre œuvre est belle ».

Sa mort, en mars 1939, lui épargnera l'humiliation d'une « déclaration » au commissariat de son quartier à l'automne 1940 et celle de devoir porter l'étoile jaune.

Simon ne verra pas non plus son fils Robert contraint de cacher sa mère dans le couvent de Grisolles tenu par des sœurs dans la région de Montauban. La veuve de Simon, parce qu'elle est juive, fille et femme de rabbin, ne peut plus vivre en sécurité dans la France de Pétain.

Simon aurait alors hélas constaté que l'antisémitisme est une réalité qui traverse les époques, même en France, même en république.

30 mai

Curieux, le destin. Alors que je me promène à bicyclette, rue de Rivoli, en fin de matinée, un vieux monsieur s'approche de moi à un feu rouge. Il me dit m'avoir reconnu et ajoute : « En vous voyant, j'ai eu une idée. Je suis âgé et, en mettant de l'ordre dans mes affaires, j'ai retrouvé les ouvrages de votre arrière-grand-père, je tiens beaucoup à ces livres, mais je vais vous les donner. Je suis certain que vous en prendrez soin. »

Deux jours plus tard, il dépose au Conseil un paquet avec plusieurs livres de Simon. Mais il ne me laisse ni son nom ni son adresse, si bien que je n'ai jamais pu lui exprimer ma reconnaissance, ma joie pour son geste qui m'a naturellement beaucoup ému.

Je me rappelle, alors que j'étais ministre de l'Intérieur et donc chargé des cultes, que le président du Consistoire de Paris, Moïse Cohen, m'avait offert le 11 février 1996 un petit recueil intitulé *Considération sur les principales étapes de la vie cultuelle israélite*, rédigé par Simon. Moïse Cohen avait inscrit sur la page de garde : « Ce livre de famille – il appartenait à ma grand-mère – vous revient de droit, car des étincelles de spiritualité du grand rabbin Simon Debré sont en vous. Avec toute mon amitié. » J'ai toujours conservé près de moi cet hommage à mon arrière-grand-père.

Philologue engagé toute sa vie, Simon poursuivit ses études et sa réflexion sur le langage et sur les liens entre les langues anciennes, la culture des hommes et la trace de Dieu. Son œuvre ne fut pas vaine, elle laisse un matériau dans lequel les générations futures peuvent puiser.

Simon souhaitait mieux comprendre ce que véhiculent, dans le monde des croyances et des rites, les écrits qui fondent le judaïsme et le christianisme. Mais il voulait aussi sauver de l'oubli « les traditions juives et les mœurs » d'un monde en train de disparaître devant un exode poussant les Juifs comme tous les Alsaciens à quitter les bourgades rurales pour les grandes villes et à se fondre dans une autre culture.

Simon avait le sentiment douloureux qu'en ce début de siècle, une culture était elle-même en train de s'effacer. Ces migrations allaient très rapidement entraîner, en effet, une perte de la connaissance et de la compréhension de l'hébreu.

Pour ce travail de linguiste et de philologue commencé dès le début du XXᵉ siècle, Simon a puisé dans ses souvenirs d'enfance et aussi dans ceux de son père Jacques, décédé en 1884. L'hébreu, le yiddish, l'alsacien et le français s'y mêlaient avec harmonie.

Si l'hébreu est la langue de l'étude et de la prière, le yiddish est celle de la vie. Traduire du judéo-alsacien, c'est-à-dire du yiddish mélangé à des tournures de phrases, des expressions et des mots alsaciens et français, c'était tenter de préserver le souvenir d'une communauté singulière, de son histoire singulière, de sa part sacrée dans l'histoire universelle qui, selon la tradition juive puis chrétienne, a un sens divin.

Simon a publié le résultat de ses recherches dans *La Revue des études juives*, puis en 1925 et 1926 dans *L'Univers israélite*. En 1933, l'ensemble de ses travaux fut repris par les éditions Rieder qui lui assurèrent une diffusion et une reconnaissance plus importantes et une place éminente dans un mouvement intellectuel qui marqua après la guerre le renouveau de la culture juive en France.

On se rendra compte plus tard que Simon Debré a ainsi contribué et réussi à protéger des fragments d'une langue et d'une culture condamnées à mort par les nazis.

Après la guerre et l'extermination des Juifs de langue yiddish, ses travaux ont beaucoup aidé à la renaissance de cette langue et à une meilleure appréhension d'une « véritable âme juive ». Ce souci de les préserver l'une et l'autre était chez lui d'autant plus émouvant qu'il craignait de les voir s'effondrer au sein de sa propre famille. Simon vécut non seulement comme un drame le fait de voir son fils Robert épouser, en 1908, une catholique, mais il fut aussi intimement bouleversé par la rupture de Robert avec le judaïsme et toute foi religieuse. Cet événement familial eut pour conséquence de fragiliser sa place au sein des institutions consistoriales. Il lui fit également comprendre que le judaïsme risquait de disparaître à force de se dissoudre dans la société. Dès l'avant-guerre, son regard si optimiste sur le monde moderne s'assombrit. Il ne cessa d'appeler à retrouver le sens de la tradition et à défendre l'apprentissage de l'hébreu, l'étude et la pratique des rites.

C'est un autre héritage que Robert reçut de Simon : son goût de l'engagement public. « On s'intéressait beaucoup à la politique dans mon milieu, c'est extraordinaire mais c'est ainsi, souligne-t-il dans ses Mémoires, *L'Honneur de vivre*. Et les conversations avec mon père étaient très fréquentes. Mon père s'était beaucoup intéressé à la fondation de la République, aux hommes d'État républicains, et tout ceci le passionnait et me passionnait quand j'étais jeune. »

Mon grand-père, Robert Debré, partagea le combat de Péguy pour la justice, la République, le socialisme et le patriotisme, qui se confondaient à ses yeux. Il adhéra profondément à sa philosophie de l'histoire qui se résume en deux idées fortes. La France a une vocation et une mission, comme son père le lui avait enseigné. Mais notre histoire nationale est aussi faite d'une alternance de temps de médiocrité et de temps héroïques, de « périodes basses » et de « périodes hautes », comme Robert l'écrit dans *Ce que je crois*.

Comme Jaurès, il estimait que le Parlement était la seule voie possible, en dépit de ses pesanteurs, pour lutter contre les injustices sociales. Alors que pour Péguy, la vie parlementaire et les combinaisons partisanes étaient autant de trahisons de l'idéal républicain.

La volonté de mon père, Michel Debré, d'instaurer en 1958 un parlementarisme rationalisé pour sauver la République s'inspirait de cette même vision. En dépit de leurs propres convictions, ni Robert Debré ni son fils après lui n'ont suivi Péguy dans son exaltation de la mystique républicaine, même s'ils voulurent l'un et l'autre donner un sens moral et spirituel à la politique.

3 juin

Entretien dans mon bureau avec Jacques Chirac et Jean-Luc Barré qui l'assiste dans la rédaction de ses Mémoires.

Jean-Luc Barré désirait m'interroger notamment sur l'élection présidentielle de 1995 et l'affrontement avec Balladur. Chirac en était d'accord. Mais, pour éviter de fournir une version qui ne soit totalement exacte, je souhaitais qu'il fût présent de manière à ce qu'il puisse, si nécessaire, corriger ou préciser mes réponses. Il écoute attentivement le récit que je livre des débuts de sa campagne présidentielle.

« Le 1er juin 1993, je ne sais pas si vous vous en souvenez, Philippe Séguin, qui était alors président de l'Assemblée nationale, avait fait une grande sortie contre la politique de Balladur, dénonçant une sorte de "Munich social", et proposant une autre politique. À ce moment-là, il y avait eu une première réaction du gouvernement. Balladur vous reprochait, dis-je en regardant Chirac, de ne pas avoir automatiquement et rapidement condamné les propos de Séguin. Vous vous souvenez de ça ?

— Non, pas très bien, me répond Jacques Chirac. Mais si tu le dis, c'est que c'est vrai.

— Il y avait eu quelque temps plus tard un congrès à Versailles, ce devait être le 19 juillet, vous aviez fait quelques petites déclarations selon lesquelles vous souhaitiez qu'en matière de politique de l'Éducation nationale il y ait, c'est votre mot, une "politique de rupture" par rapport à ce qui était fait. Vous aviez réclamé une accélération et un approfondissement des réformes… Vos relations avec Balladur ne sont plus très bonnes à ce moment-là et, quand Balladur est interviewé à la télévision le 12 août 1993, il est naturellement interrogé sur les perspectives électorales. On lui demande si c'est vous qui serez candidat. Le journaliste pose nettement la question : "Est-ce que Jacques Chirac est le candidat naturel pour l'Élysée ?" Balladur ne veut pas répondre, il considère que c'est trop tôt. Alors les relations entre vous et Balladur s'échauffent tout au long de la rentrée, septembre, octobre… »

Chirac continue de m'écouter attentivement, opine de la tête, ne m'interrompt pas, me laissant poursuivre le récit des événements tels que je les ai observés.

« Le 19 décembre 1993, Balladur passe à une vitesse supérieure et envoie au front François Léotard et Simone Veil qui l'appellent simultanément à être candidat à la présidence de la République. Vous ne faites pas de commentaires, mais ceux qui vous sont proches ont "recommandation" de réagir et de dire que les ministres doivent s'occuper de leur boulot et éviter toute agitation déplacée. »

Jean-Luc Barré demande alors à Jacques Chirac s'il se souvient de cet épisode. Il répond de la même façon : « Non, pas très bien. »

Je continue, le regard rivé sur lui, assis en face de moi, en évoquant la tournée des fédérations RPR que j'entreprends à partir du mois de février 1994. Je lui rappelle qu'il m'avait demandé de dire, notamment aux militants et aux journalistes locaux qui m'interrogeraient, que la politique du gouvernement était « bonne, mais qu'il pourrait mieux faire ». Jean-Luc Barré se tourne alors vers Jacques Chirac et lui demande : « Ça se fait avec votre accord, monsieur le président ? » et celui-ci répond par l'affirmative.

J'en arrive au déjeuner de la majorité organisé le 22 février 1994 à Matignon, qui se déroula dans un climat tendu. Chirac et Balladur sont face à face. J'assiste à la scène en bout de table. On parle de l'homosexualité de Julien Green, du bœuf de Kobé, bref on évite tout sujet qui pourrait fâcher. Surréaliste.

J'évoque devant Jacques Chirac et Jean-Luc Barré l'après-déjeuner. En quittant Matignon, je monte dans la voiture de Chirac, Nous découvrons, en ouvrant *Le Monde*, un entretien avec Balladur où celui-ci en fait se met sur les rangs dans la course à l'Élysée.

Chirac écoute mon récit en silence sans me contredire. Je lui rappelle qu'il m'a alors demandé de préparer un communiqué précisant que le RPR « est choqué » par ces déclarations et qu'il convient de « rester uni, de ne pas se diviser ».

Jean-Luc Barré interroge Jacques Chirac sur l'attitude d'Alain Juppé pendant toute cette période.

« Vous a-t-il été fidèle ? »

Chirac reste silencieux. Il a très bien compris la question. Il n'a pas envie d'aborder ce sujet. Il me regarde.

« Je ne l'ai pas pris en flagrant délit d'infidélité », répond Chirac.

Jean-Luc Barré insiste et précise sa question.

« Quel fut son engagement ? A-t-il fait un choix immédiat entre vous et Balladur ? Est-il demeuré totalement neutre ? »

Chirac me regarde. Il ne dit toujours rien. Je sens bien qu'il souhaite que je lui évite de répondre. Je raconte ce dont j'ai été alors le témoin direct et qu'à l'époque je lui avais naturellement relaté. Je regarde Chirac et m'adresse à lui.

« Nous étions en décembre 1994, avant votre déplacement à La Réunion, Alain Juppé m'invite, c'est la première fois, à déjeuner au Quai d'Orsay. Il me dit que vous allez être battu, et j'ai noté ses paroles : "Balladur, lui, sera élu. Chirac finira isolé." Il ajoute : "Profite de ce voyage à La Réunion pour inciter Chirac à renoncer et à retirer sa candidature." Je lui ai répondu qu'il devait le faire lui-même. Juppé me demande quelle sera mon attitude. Je lui réponds qu'il n'est absolument pas question pour moi de vous abandonner et de rejoindre Balladur et, si vous êtes battu, je quitterai la politique et reprendrai ma fonction de juge d'instruction. Vous vous souvenez, j'avais même ajouté qu'avec tout ce que j'ai balancé sur Balladur, j'aurais peut-être intérêt à prendre le maquis en Corse, ce qui nous avait fait rire… »

Chirac m'écoute. Toujours sans faire de commentaires.

Jean-Luc Barré l'interroge pour savoir si tout ce que je viens de dire est le reflet de la vérité, il répond : « Si Jean-Louis le dit, c'est donc exact. »

Il ajoute, comme pour se dédouaner : « Je ne m'en souviens plus. »

Peut-être Juppé a-t-il voulu tester à ce moment-là la force de mon engagement au moment où nombre de députés quittaient Chirac sans scrupule. Les sondages sont bons alors pour Balladur, les parlementaires du RPR le rejoignent. Ils y sont incités par Sarkozy qui organise lui-même les trahisons.

Mais Juppé n'a pas trahi comme tant d'autres. Il a peut-être hésité, eu des doutes sur la victoire finale de Chirac, probablement estimé qu'il ne se qualifierait pas pour le second tour de la présidentielle, s'est interrogé sur le chemin politique qu'il devait suivre… Chirac ne peut pas ne pas le savoir, je le lui avais dit à l'époque et n'étais pas le seul. Mais Juppé ne l'a pas abandonné, c'est l'essentiel pour Chirac. Pour lui, c'est avant tout cela qu'il convient de retenir.

Il est aussi vrai que Juppé a toujours eu pour Jacques Chirac une grande affection personnelle, ce qui explique ses réactions de quasi-jalousie quand celui-ci montrait trop d'attention à Philippe Séguin.

10 juin

Giscard profite du décès d'Omar Bongo pour régler des comptes, une fois de plus, avec Chirac. Hier, sur l'antenne d'Europe 1, il a affirmé que Bongo avait soutenu financièrement la campagne présidentielle de son ancien Premier ministre. Chirac m'indique aussitôt qu'il lui répondra au début de la prochaine séance du Conseil. J'ai beau lui dire que le Conseil n'est pas le lieu adapté pour cela, peu lui importe, il veut lui répliquer durement et que cela se sache.

J'appréhendais donc notre réunion de ce jour. Heureusement, hier en fin de soirée Giscard nous a fait savoir que, contrairement à ce qu'il avait prévu, il ne viendrait pas. Quel soulagement. Est-ce le bienfait du hasard ?

Ce matin, Chirac arrive au Conseil très en avance sur l'heure de la séance. Il entre dans mon bureau manifestement énervé.

« Je vais lui répondre », me confirme-t-il.

Je l'informe de l'absence de Giscard.

« Pourquoi ne vient-il pas ? s'étonne-t-il.

— Je ne sais pas, il n'en pas donné les raisons », lui dis-je.

Il extrait de sa serviette une feuille tapée à la machine et me la donne à lire. Il précise, sans le nommer, que les propos de Giscard sont « sans fondement », et, toujours sans mentionner son nom, fait allusion aux relations que Giscard a entretenues de son côté avec Bongo. Il évoque les diamants qu'il aurait reçus d'un autre président africain. Il me demande ce que j'en pense.

« Vous ne pouvez pas dire cela, n'entrez pas dans une polémique avec lui, pas ici et pas en séance. De toute façon, il n'est pas là.

— Je veux lui répondre, insiste-t-il, je n'ai pas de leçon à recevoir de lui. »

Je lui propose une rédaction moins incisive. Nous en discutons, la corrigeons ensemble.

Chirac prend immédiatement la parole dès que les autres membres se sont assis à leur place. Il déclare que « certains propos » qu'il a récemment entendus sont faux et manquent de dignité. Dès que Chirac a terminé, je déclare la séance ouverte – ce qui fait que cette « mise au point » ne figure pas dans le procès-verbal de nos débats – et passe tout de suite à l'ordre du jour, invitant notre rapporteur à s'exprimer.

15 juin

Notre censure d'une partie de la loi HADOPI sur le téléchargement illégal renforce l'hostilité de l'entourage élyséen à mon égard. Avoir osé toucher à cette loi souhaitée, dit-on, par les amis de Carla Bruni est jugé intolérable pour le président. C'est un crime de lèse-majesté dont les coupables doivent être dénoncés. Les affidés qui peuplent les antichambres du pouvoir ne se privent pas de déverser leur bile sur moi. Je me souviens de cette phrase attribuée à Nietzsche : « Ce qui ne tue pas rend plus fort. » Je me sens en pleine forme et plutôt ragaillardi par toutes ces attaques.

L'essentiel est que le Conseil continue d'affirmer en toute circonstance et vis-à-vis de tous les pouvoirs son autorité et son indépendance.

14 octobre

Avant la séance, Chirac entre dans mon bureau. Il a un petit sourire aux lèvres, ce qui est mauvais signe. Je me méfie. Il prépare quelque chose qui l'amuse par avance.

« Tu crois ce que raconte Giscard ?

— Quoi ?

— Sa liaison avec Lady Diana ?

— Aucune idée.

— J'ai envie de l'interroger…

— Il n'en est pas question. Vous n'allez quand même pas en séance…

— Pourquoi pas ?

— Je vous l'interdis, je vous empêcherai de parler. Vous ne pouvez pas. Promettez-moi que vous ne direz rien. .

— Bon, si tu ne veux pas. »

La séance vient à peine de s'ouvrir quand il se penche vers moi pour me parler et, d'une voix suffisamment forte pour être entendu par mon voisin, il me demande : « Tu crois qu'il se l'est faite ? »

Je le regarde, il s'est replongé dans la lecture de son dossier, mais il a toujours le même petit sourire aux lèvres. J'observe discrètement Giscard, qui ne bronche pas.

Pendant toute la suite de la séance, je ne cesse de me tenir sur mes gardes. Mais l'un et l'autre restent imperturbables.

Après la réunion, je dis à Chirac : « Je vous l'avais interdit. »

Il me répond : « J'ai fait comme tu m'as dit… Je ne lui ai rien demandé… »

4 décembre

J'écoute Michèle Alliot-Marie. La garde des Sceaux s'adresse aux avocats du barreau de Paris. J'ai de l'amitié pour elle et reconnais son sens de l'État. Il est cependant curieux que cette femme intelligente arrive si mal à communiquer. Son allure raide, voire distante, ses gestes souvent automatiques, saccadés, ne facilitent pas le contact.

D'une manière générale, et pas spécialement aujourd'hui lors de cette séance de rentrée du barreau de Paris, elle ne peut s'extraire d'une certaine « langue de bois » qui caractérise trop souvent ses interventions publiques. Cela finit par être exaspérant de l'entendre trop souvent se cacher derrière des mots ou des phrases. Elle donne l'impression de ne jamais chercher à dire les choses clairement, de demeurer dans le descriptif, pour éviter de prendre parti. Sa prudence et son penchant à vouloir ménager tout le monde à la fois s'expliquent peut-être par sa volonté de ne pas mettre en péril sa puissante ambition.

Déjà, lors de la campagne présidentielle de 1995, elle avait navigué entre Balladur et Chirac, en cherchant à apparaître comme une « passerelle » – le surnom qu'on avait fini par lui donner – entre balladuriens et chiraquiens afin de préserver son avenir. Et pourtant sa sympathie pour Chirac n'est pas feinte.

29 décembre

J'apprends que l'Élysée a « consulté » un professeur de droit afin de savoir si l'on pouvait « débarquer » le président du Conseil d'une façon ou d'une autre, et l'obliger à remettre en cause son mandat de président au bout de trois ans.

2010

Début janvier

Lors du Conseil des ministres, Nicolas Sarkozy critique ouvertement le Conseil constitutionnel, comme la presse le rapporte. Il nous reproche d'avoir fait perdre à l'État plus de deux milliards d'euros par notre annulation de la taxe carbone. Il m'est aussi indiqué par nombre de journalistes qu'il s'en est pris tout particulièrement à moi.

7 janvier

Il est tôt. Je m'apprête à aller présenter mon dernier livre sur ITV, quand je reçois un coup de téléphone d'un journaliste de RTL. « Une rumeur court dans les rédactions selon laquelle Philippe Séguin serait mort », m'annonce-t-il en me demandant si je suis au courant de « quelque chose ». Je ne suis informé de rien, mais la triste confirmation viendra peu après.

Philippe restera comme l'un des personnages les plus forts de la Ve République. Mais le destin politique auquel il pouvait prétendre lui a échappé, en grande partie de son fait.

Pour lui, la politique c'était d'abord le verbe, le verbe qui précède l'action, le verbe au service d'une passion pour la France, de convictions républicaines et gaullistes.

Député et maire d'Épinal, ministre des Affaires sociales et de l'Emploi, avant d'être président de l'Assemblée nationale puis premier président de la Cour des comptes, il s'est imposé sur la scène politique à partir de 1992 comme chef de file des opposants au traité de Maastricht, pourfendeur de la bureaucratie bruxelloise, procureur du fédéralisme européen. Autour de lui se sont alors rassemblés les souverainistes, les défenseurs d'une Europe respectueuse des nations et de la souveraineté des États.

Ses relations avec Chirac furent difficiles, comme on le sait. Séguin n'a rien fait pour qu'il en aille autrement, même s'il avait pour lui une très profonde affection. Mais ce n'était pas un homme de compromis.

13 janvier

Je mesure, lors de la traditionnelle cérémonie des vœux à l'Élysée, combien Nicolas Sarkozy m'en veut de cette décision sur la taxe carbone. Ostensiblement il m'évite, salue le premier président de la Cour de cassation, le vice-président du Conseil d'État. Tout le monde, sauf moi.

Plusieurs participants à cette petite et restreinte cérémonie des vœux me le font insidieusement remarquer. Le microcosme politique, comme toujours, se régale de ces querelles. L'attitude de Sarkozy ne me surprend pas. Il n'a jamais accepté qu'on s'oppose à lui et résume tout à des questions d'affrontements de personnes. À aucun moment il ne semble s'être posé la question des fondements juridiques de notre décision.

21 janvier

L'Élysée s'énerve un peu plus à mon égard. Dans *L'Express* de ce jour, je viens de déclarer à propos de l'affaire qui nous oppose : « Il y a de justes polémiques, celle-ci est injuste. Toutes les inconstitutionnalités que nous avons soulevées figurent dans les débats parlementaires ou dans le rapport Rocard à la page 28. Nous n'avons rien inventé. » Je rappelle aussi que le Conseil constitutionnel ne se limite pas à une personne, que la décision sur la taxe carbone a été prise, compte tenu de l'absence de Jacques Chirac, par l'ensemble des membres.

Sarkozy et ceux qui l'idolâtrent ne supportent pas qu'on les contredise, leur résiste et surtout leur réponde. Je sais très bien que l'on va me reprocher de sortir de mon devoir de réserve. Un membre du Conseil a d'ailleurs eu, lui, le courage de venir me dire en face qu'il était choqué par mes commentaires. Mais je ne peux pas laisser accréditer l'idée selon laquelle notre annulation serait de nature politique.

1er mars

Ce jour restera comme une date importante, celle de l'entrée en vigueur de la question prioritaire de constitutionnalité qui va conférer à nos concitoyens des droits nouveaux.

J'invite Nicolas Sarkozy au Conseil pour souligner l'importance de cette réforme et aussi lui exprimer publiquement ma reconnaissance. Sans son engagement personnel pour vaincre habitudes, conformismes ou pesanteurs, la QPC n'aurait jamais vu le jour.

Dans le grand salon, en présence de Valéry Giscard d'Estaing et de Jacques Chirac, devant de nombreuses personnalités du monde du droit, de la justice et de la politique, le chef de l'État insiste sur la « révolution juridique » que marque l'introduction de la QPC dans notre architecture constitutionnelle. Mais il affirme aussi que le Conseil « n'a pas vocation à devenir une Cour suprême coiffant toutes les juridictions et instaurant un contre-pouvoir judiciaire concurrent du législatif et de l'exécutif ».

Brève rencontre ensuite entre lui et ses deux prédécesseurs. Sarkozy leur dit en plaisantant, et en me regardant, que s'ils ont encore leur place au Conseil c'est grâce à lui, car il refusé de mettre un terme à la présence des membres de droit et donc à la leur, comme je le lui avais demandé dans la réforme constitutionnelle.

29 mars

Le bâtonnier de l'ordre des avocats de Nîmes m'invite à inaugurer la plaque à la mémoire de l'un de ses lointains prédécesseurs, Charles Bedos. J'ai naturellement accepté, pour rendre hommage à ces personnalités qui, tout au long de ces années de guerre, de règlements de comptes, de délations, d'humiliations, de haines et de trahisons, qui furent aussi des années de tortures, d'assassinats, de déportations et d'extermination, se sont élevées pour défendre la liberté et la dignité de l'homme. Des voix qui n'ont pas accepté l'inacceptable.

Tout au long de l'Occupation, notre justice a été rendue dans des palais ceinturés par des militaires allemands ou surveillés par des policiers français à leurs ordres. Des avocats se sont alors dressés face à des juges qui ressemblaient plus à des commissaires politiques qu'à des magistrats. Ils ont osé dénoncer des procédures qui n'avaient de judiciaires que le nom et pas même l'apparence. Ces consciences exemplaires ne doivent pas être oubliées.

Le bâtonnier Charles Bedos, en mars 1943, avec son confrère Maurice Derlan, a défendu deux jeunes, Jean Robert et Vincent Faïta, qui croyaient en la liberté, espéraient en l'égalité, cherchaient les chemins de la fraternité et n'acceptaient pas la présence ennemie sur notre sol, et encore moins qu'on puisse collaborer avec lui.

Revêtu de sa robe d'avocat, il s'opposa à leur condamnation à mort, pas encore prononcée, mais déjà décidée. Le 23 mars 1943, face à des juges qui n'en étaient pas, placés là pour rendre des services et non la justice, il donna une leçon d'honneur et de dignité.

Peu après, il fut lui-même arrêté et expédié à Mauthausen pour avoir fustigé le régime de Vichy.

En préparant cet hommage, je pense à ces hommes et femmes de tous âges qui, dans la France occupée, se faufilaient dans l'obscurité. Compagnons de la nuit, soldats de la clandestinité, armée des ombres, ils ont incarné, avec pour seule arme leur courage et leur amour de la patrie, le meilleur de notre histoire nationale. Beaucoup ont été fusillés ou sont morts sous la torture pour avoir pris le parti de ceux qui n'avaient plus le droit d'exister parce qu'ils aimaient la France, parce qu'ils étaient juifs, chérissaient la liberté, et combattaient les sinistres « idéaux » de l'occupant et des dirigeants de Vichy.

7 mai

Avec les membres du Conseil nous visitons la Cour européenne des droits de l'homme. Nous sommes reçus par le président Jean-Paul Costa, dans l'impressionnant palais de Strasbourg. Quel luxe de moyens ! La Cour condamne parfois les États lorsque les juridictions nationales ne rendent pas assez vite leurs décisions, oubliant le temps qu'elle met à rendre les siennes. Cela ne la trouble pas de ne pas être toujours prompte à statuer sur les recours dont elle est saisie.

Pendant notre discussion avec les juges, un membre du Conseil sombre progressivement dans un profond sommeil. Preuve du peu d'intérêt qu'il porte à la cour de Strasbourg. Ce que je savais.

28 mai

Dès la première QPC, nous montrons notre capacité à résister au ministère des Finances. En censurant des dispositions législatives anciennes sur le régime des pensions civiles et militaires applicables aux ressortissants des pays et territoires autrefois sous souveraineté française, nous avons estimé que la différence du montant des pensions fondée sur la nationalité était injustifiée au regard du principe de l'égalité.

Le ministère des Finances n'avait pas manqué de faire savoir que si nous prenions une telle décision, celle-ci entraînerait pour le budget de la France des conséquences très graves. Attitude profondément injuste qui nous a scandalisés.

11 juin

Décès d'Henri Cuq, mon seul véritable ami en politique. Il était profondément attaché à Jacques Chirac, envers qui il a démontré une loyauté absolue, ce qui n'est pas fréquent dans le monde politique. Il fut ministre des Relations avec le Parlement alors que j'étais président de l'Assemblée nationale. Ce fut un bonheur et une chance de travailler avec Henri. J'ai tenu à être auprès de lui jusqu'au dernier instant. Pendant ces tristes jours, Jacques Chirac est venu plusieurs fois à l'hôpital Cochin pour tenir la main de Cuq et l'accompagner vers la mort.

14 juin

En sortant de l'église d'Houdan et après le départ de la famille d'Henri, Jacques Chirac souhaite se désaltérer. Il a remarqué un café juste en face du parvis. Compte tenu du monde présent, qui l'observe, le suit, je lui suggère de remonter en voiture et d'aller prendre un verre ailleurs.

Nous nous arrêtons dans une petite auberge trouvée par hasard. Il fait chaud, nous nous faisons servir autour d'une table dans la courette intérieure. Bernadette est là, elle ne me semble pas de bonne humeur.

Chirac est fatigué physiquement et moralement. Il est triste. Il parle d'Henri. Je ressens combien sa disparition le plonge dans une peine infinie.

Il engloutit une première bière, en commande une seconde « bien fraîche ». Je crois déceler chez cet homme, qui pourtant dissimule toujours ses sentiments personnels, cache ses émotions, comme un désarroi, un profond chagrin. Je n'ose rien dire et surtout pas l'interrompre. Il a besoin de s'exprimer. Il avoue à quel point le départ d'Henri est pour lui une épreuve. Il avait en lui une confiance totale. Il sait que je partage sa tristesse. Instants d'émotions communes, impossibles à décrire tellement ils sont intenses et pénétrants.

Après un silence, il se met à parler de Sarkozy en termes peu aimables. Bernadette tente de lui couper la parole, il ne l'écoute pas, je ne sais même pas s'il l'entend. Il me regarde et continue. Jamais il ne se sera livré devant moi à un tel réquisitoire. Bernadette est de plus en plus agacée. Elle dit « On s'en va », il poursuit, commande une autre bière fraîche. J'ai l'impression qu'il veut que je sache tout ce qu'il a à dire sur son successeur.

À la fin, il se lève, m'embrasse, serre la main du patron de l'auberge, regagne sa voiture, suivi de Bernadette manifestement très contrariée. Elle en oublie de me dire au revoir. Quand sa voiture s'éloigne, il me fait un petit signe amical et complice.

Je demeure un bon moment enfermé dans une grande solitude. Je ne pense à rien, mais j'éprouve une sorte de satisfaction que Chirac m'ait ainsi fait partager ce qu'il porte en lui de tristesse et de ressentiment.

4 juillet

Le secrétaire d'État à la Coopération et à la Francophonie, Alain Joyandet, démissionne du gouvernement. C'est une bonne chose. Il s'est autorisé quelques mois plus tôt à louer un avion privé pour assurer un déplacement à Haïti, et on le suspecte d'avoir obtenu un permis de construire illégal pour agrandir sa maison sur la Côte d'Azur. Tout cela dénote un comportement pour le moins scandaleux.

Un autre secrétaire d'État est « viré » au motif qu'il a fait acheter aux frais de l'État pour 12 000 euros de cigares. Preuve supplémentaire que certains politiciens perdent tout scrupule quand ils accèdent à des responsabilités ministérielles et que leur prétention, leur ego n'ont plus de limites, tant ils sont aveuglés par un sentiment d'immunité, voire d'impunité.

30 juillet

Appelés à statuer sur la loi qui ne prévoit pas la présence d'un avocat dès la première heure de garde à vue, nous rendons notre décision à ce sujet.

Au cours des derniers jours, on a tenté de savoir au ministère de la Justice ce qu'allait faire le Conseil. Les syndicats de policiers et le ministère de l'Intérieur ont laissé entendre que si nous décidions de rendre obligatoire la présence de l'avocat durant la totalité d'une garde à vue, ce serait un mauvais coup porté à l'efficacité de la police.

L'audience, qui en raison de la participation d'un nombre important d'avocats se déroule dans le grand salon du Conseil, a été un succès… Retransmise sur notre site internet, elle aura été visionnée par près de quarante mille personnes.

Une dizaine d'avocats plaident. Marc Guillaume, notre secrétaire général, leur a donné comme consigne impérative de ne pas dépasser dix minutes.

Notre décision laisse un an au gouvernement pour réformer la procédure de garde à vue et assurer une place à l'avocat dès son déclenchement. La presse salue notre initiative, les avocats louent le courage du Conseil.

Mon sentiment est que la QPC et la procédure contradictoire, que certains au sein même de notre assemblée persistent à contester, marquent une évolution décisive du Conseil et le font cheminer vers une véritable juridiction. Ne devrait-on pas modifier notre dénomination et devenir la « Cour constitutionnelle » ?

Je le dis publiquement. Cela ne plaît pas. On me le fait savoir. Plusieurs membres me le diront. Peu m'importe de heurter des esprits que je trouve beaucoup trop conservateurs, enfermés dans leur immobilisme, auxquels tout changement donne le vertige.

Août

Début dans *Le Monde* du « Procès de Jacques Chirac », un feuilleton signé « Cassiopée », pseudonyme qui permet d'entourer les auteurs de cette publication d'un certain mystère.

Dès les premiers épisodes – dix-sept sont prévus –, je reçois des mails ou des messages d'amis ou de journalistes pour me demander si je suis « Cassiopée ». Ils croient me reconnaître derrière ce récit très bien documenté. « Il n'y a que vous qui pouviez donner tant de détails vrais », insiste l'un d'entre eux. Je ne réponds pas.

Au Bouchon, le restaurant de Cap-Ferret, une dame vient me féliciter pour « ce récit » qui l'intéresse. Tout juste si elle ne me demande pas comment il se termine. Je lui adresse un sourire en guise de réponse. Elle est persuadée, elle aussi, que j'en suis l'auteur.

Ce feuilleton est l'idée et l'œuvre des deux journalistes du *Monde*, Pascale Robert-Diard et Françoise Fressoz. Il est vrai que nous avons passé de longues soirées à travailler ensemble dans mon bureau du Conseil. Tous les trois, nous nous amusions à imaginer des répliques, des scènes où je décrivais des instants passés dans le sillage de Chirac.

C'est avant tout le talent des deux journalistes qui a fait, avec celui de l'illustrateur Jean-Marc Pau, le succès de ce feuilleton.

Mes fils Charles et Guillaume ont très rapidement pensé que j'y étais mêlé. « Cassiopée » est, en effet, une constellation que citait souvent leur grand-père, qui connaissait parfaitement les étoiles et le soir, en été, leur décrivait le ciel. Quand Pascale et Françoise ont cherché un pseudonyme susceptible d'intriguer les lecteurs, j'ai proposé « Cassiopée ».

Le fondateur du *Monde*, Hubert Beuve-Méry, signait ses éditoriaux du nom de « Sirius », l'étoile la plus étincelante du ciel. « Cassiopée » s'inscrit dans cette lignée. C'est l'une des quatre-vingt-huit constellations visibles dans l'hémisphère Nord. Reconnaissable par sa forme en W ou en M suivant les époques. Située à l'opposé de la Grande Ourse par rapport à la Petite Ourse, c'est en partant d'elle que l'on retrouve l'étoile Polaire. Elle est un point de repère essentiel pour se situer. Une référence.

7 octobre

Sur saisine des présidents de l'Assemblée nationale et du Sénat, ce qui est une première, le Conseil valide la loi interdisant le port du voile dans l'espace public.

Face à l'importance de cette loi et des débats politiques auxquels elle a donné lieu, j'ai souhaité que les deux anciens présidents de la République participent au délibéré. Je sais que les membres du Conseil ne la censureront pas, mais pour donner une plus grande autorité à notre décision, la présence de Giscard et de Chirac m'a paru nécessaire.

Je préfère, il est vrai, qu'ils ne participent pas ensemble à nos séances. Leur comportement l'un vis-à-vis de l'autre lorsqu'ils sont présents tous les deux est souvent pathétique. Quand Giscard prend la parole, ostensiblement Chirac montre qu'il n'écoute pas. Il fouille sans discrétion dans son cartable, lit un article ou m'écrit des petits mots pour me demander des nouvelles de ma fille. Ce qui naturellement agace Giscard, même s'il fait comme s'il ne s'en apercevait pas. Et Giscard de son côté donne le sentiment de ne pas lui prêter attention, se faisant servir du thé qu'il boit rarement, ce qui exaspère son voisin...

Au cours de ce délibéré, je pense surtout au combat de Nafissa Sid Cara, première femme musulmane membre d'un gouvernement de la République française, celui constitué en 1959 par mon père.

Au nom de la dignité de la femme et de l'égalité entre hommes et femmes, elle s'est à l'époque adressée à ses sœurs algériennes pour les inciter à cesser de porter le voile. Les extrémistes musulmans s'opposèrent à Nafissa, comme ils contestent aujourd'hui cette loi. Elle incarnait cette génération de jeunes femmes algériennes qui refusa la fatalité d'une société archaïque, immobile où la femme a du mal à exister en tant que telle.

Nafissa Sid Cara symbolisa une ardente volonté de transformation de la société algérienne, notamment en faveur des femmes musulmanes. Elle a toujours œuvré pour leur obtenir un véritable statut à la recherche d'une compatibilité entre la dignité de la femme et le respect de l'islam. Elle voulait ainsi qu'en Algérie les mariages deviennent libres et cessent d'être imposés ou forcés. Aussi a-t-elle préparé et cosigné avec mon père l'ordonnance du 4 février 1959 sur la condition de la femme musulmane stipulant que les unions conjugales ne seraient valables qu'à la suite d'un consentement libre et volontaire des deux époux. Les nationalistes algériens du FLN considérèrent que ces dispositions portaient atteinte aux principes du Coran et violaient les principes de l'islam.

Toute sa vie, cette femme exemplaire et aujourd'hui complètement oubliée a milité pour la promotion d'un islam républicain, un islam compatible avec les lois de la République.

2011

1er janvier

À la promotion du 1er janvier de la Légion d'honneur, je note avec agacement l'élévation au grade de chevalier de Michel Charasse. Je juge inopportun que le pouvoir décore ainsi un membre du Conseil.

Michel Charasse nous a rejoints le 11 mars 2010. Il s'est bien adapté à sa nouvelle fonction, il est bon camarade, généreux, attentif aux autres. Son côté bateleur est parfois irritant et il ne lui reste plus de socialiste que l'étiquette politique. Mais j'estime déplacé qu'il ait pu accepter dans ses nouvelles fonctions d'être ainsi décoré. Cela m'irrite au point que je le fais savoir à Claude Guéant, secrétaire général de l'Élysée.

Quelques jours plus tard, je suis invité à déjeuner à l'Élysée et, en présence de Guéant, Sarkozy m'informe qu'il a l'intention de me promouvoir à mon tour directement au grade d'officier de la Légion d'honneur. Je lui réponds qu'il ne saurait en être question. J'ai déjà dit non à Chirac quand il m'a fait la même proposition après que j'ai quitté la présidence de l'Assemblée nationale. J'en fais une affaire de principe. Je ne veux d'aucune distinction, d'aucune décoration. Sarkozy insiste. Je persiste dans mon refus.

Le soir Claude Guéant m'appelle pour me dire que le président n'a pas renoncé à ma promotion. « Je connais votre réponse mais je me dois de vous reposer la question », me dit-il. Ma réponse est on ne peut plus claire . « Si le président passe outre à mon opposition, je la refuserais publiquement et cela créera un problème politique inutile. » Le débat est clos.

Dommage que la proposition de loi de Léon Mirman, élu député de la Marne en septembre 1893, n'ait pas été adoptée : elle visait à supprimer toutes les décorations officielles. Plus exactement, elle proposait que « le port de décorations, insignes, rubans et médailles » devienne totalement libre, chacun pouvant accrocher au revers de son veston la médaille de son choix. Mirman dénonçait déjà la course aux honneurs. Il voyait dans ce goût obsessionnel des Français « une monnaie de corruption, un procédé d'asservissement civique ».

« Quand dans un royaume il y a plus d'avantage à faire sa cour qu'à faire son devoir, tout est perdu », écrivait Montesquieu. Sarkozy est persuadé que tout s'achète.

L'article 12 de l'ordonnance du 17 novembre 1958 qui dispose que les parlementaires « ne peuvent être nommés ou promus dans l'ordre national de la Légion d'honneur ni recevoir la médaille militaire ou toute autre décoration » devrait être étendu aux membres du Conseil constitutionnel, peut-être aussi aux magistrats et membres du Conseil d'État... durant l'exercice de leur activité professionnelle.

3 janvier

Dans la grande salle du palais des Congrès de Paris, j'assiste à la rentrée solennelle de la promotion de l'école de formation du barreau de Paris qui porte mon nom.

Ils n'ont pas attendu ma mort pour l'attribuer à une promotion. Finalement c'est plutôt sympathique d'entendre dire du bien de soi de son vivant. Quand on est décédé cela ne vous fait rien, puisque c'est trop tard !

28 janvier

Première QPC sur le mariage homosexuel. Le Conseil estime que c'est au Parlement de fixer les règles régissant le mariage. Il considère qu'en maintenant le principe selon lequel le mariage est l'union d'un homme et d'une femme, le législateur a, dans l'exercice de sa compétence, affirmé que la différence de situation entre les couples de même sexe et les couples composés d'un homme et d'une femme peut justifier une différence de traitement quant aux règles du droit de la famille. Et qu'il ne lui n'appartient pas, en cette matière, de substituer son appréciation à la sienne.

C'est donc au législateur de poser les règles du mariage, à lui de se prononcer sur la possibilité d'une union homosexuelle et pas à nous. Il ne s'agit pas d'une dérobade, mais de rester fidèle à la jurisprudence selon laquelle il revient au Parlement de légiférer sur ces questions.

La question du mariage des homosexuels, j'en suis persuadé, reviendra sur le devant de l'actualité politique, et le Conseil sera naturellement appelé de nouveau à se prononcer pour savoir s'il est juridiquement possible à des homosexuels de se marier civilement. Nous devrons nous souvenir de la sage recommandation d'un de nos prédécesseurs, François Goguel, qui, à l'occasion de l'examen en 1975 de la loi sur l'interruption volontaire de grossesse, avait indiqué que les membres du Conseil devaient juger le droit et faire abstraction de toute opinion personnelle. J'espère que le moment venu – mais serai-je encore au Conseil ? – les membres feront preuve d'autant de sagesse qu'à cette époque.

28 février

À l'issue de notre entretien, dans son bureau de la rue de Lille, Jacques Chirac signe devant moi et me remet la lettre qui m'est destinée et que nous avons préparée ensemble. Elle indique ceci : « Dans les circonstances actuelles et jusqu'à nouvel ordre, je vous informe de ma décision de ne pas siéger au Conseil constitutionnel. Je vous remercie de bien vouloir en prendre acte, et, en conséquence, de suspendre le versement des indemnités… »

Comme il en a été convenu entre nous, je rends publics les termes de cette lettre, consécutive à la proximité de son procès qui doit avoir lieu devant le tribunal de Paris. J'ai estimé utile pour lui comme pour la République de lui suggérer d'agir ainsi. Il l'a très bien compris.

1er mars

La question prioritaire de constitutionnalité fête son premier anniversaire, en présence du garde des Sceaux Michel Mercier, de nombreux universitaires dont deux cents étudiants, avocats et personnalités du monde de la justice, ainsi que du vice-président du Conseil d'État et du procureur général de la Cour de cassation.

Le premier président Vincent Lamanda se signale par son absence. Manifestement il persiste dans son hostilité à l'égard du Conseil. Son attitude manque de dignité. Je n'en suis pas étonné.

Je présente le premier bilan de notre nouvelle procédure. En un an, elle n'a pas seulement gagné un acronyme, QPC, connu de tous, mais aussi sa place dans la protection des libertés républicaines.

Certains nous promettaient l'insécurité juridique. D'autres redoutaient de confier un droit nouveau aux justiciables. D'autres encore justifiaient l'immobilisme par le contrôle de conventionnalité. Ils se sont tous trompés.

En un an, le Conseil d'État et la Cour de cassation ont rendu cinq cent vingt-sept décisions en matière de QPC. Ils ont décidé du renvoi au Conseil constitutionnel de cent vingt-quatre d'entre elles, et du non-renvoi des quatre cent trois autres questions. Le taux est donc légèrement inférieur à une sur quatre. Sur la base des chiffres avancés par le vice-président du Conseil d'État devant l'Assemblée nationale, et en conservant cette proportion, cela indique que plus de deux mille QPC ont été posées devant les juges de première instance et d'appel.

Ainsi un premier constat s'impose : la QPC a été comprise et adoptée partout et par tous. Les juges judiciaires et administratifs se sont parfaitement approprié cette réforme. Comment pouvait-on d'ailleurs en douter, alors que la QPC renforce la protection des droits et libertés et que chez tous nos voisins, depuis longtemps, ces juges sont compétents pour examiner les moyens de constitutionnalité et les transmettre à leur propre cour ?

Deuxième constat de l'année écoulée : ces QPC ont été traitées selon la procédure rapide voulue par le Parlement. Le juge saisi doit statuer « sans délai ». Puis le Conseil d'État et la Cour de cassation ont trois mois pour se prononcer. Il en va de même pour notre Conseil. Ce dispositif a très bien fonctionné, conduisant notamment le Conseil d'État à nous saisir le 14 avril 2010, soit six semaines seulement après l'entrée en vigueur du nouveau dispositif. Depuis un an, le Conseil d'État et la Cour de cassation ont toujours statué en moins de trois mois.

Autre constat : ces nombreuses QPC et leur bon fonctionnement procédural ont permis au Conseil de remplir sa nouvelle mission dans de bonnes conditions. En un an, nous avons jugé cent deux des cent vingt-quatre questions qui nous ont été renvoyées. Les vingt-deux affaires en instance sont en cours d'instruction et seront jugées dans le délai moyen de deux mois qui est le nôtre sur l'année écoulée.

Le Conseil s'est radicalement transformé. J'ai fait adopter un règlement de procédure.

Je me souviens combien il fut difficile de faire admettre certaines dispositions. Il m'a fallu deux séances spéciales pour y arriver. J'avais décidé d'introduire dans le texte la possibilité pour un avocat de demander la récusation d'un membre. Giscard, présent à la séance où nous avions examiné ce point particulier, me fit part de sa totale opposition. Il me demanda de préciser si les anciens présidents de la République seraient soumis à la même règle. Je lui répondis par l'affirmative. Il s'agissait de faire en sorte qu'aucun membre ne puisse être suspecté de partialité. Il m'interrompit : « Mais c'est très déplaisant. Nous avons été présidents de la République. J'y suis très opposé. »

Je lui rétorquai qu'avec la QPC nous allions probablement juger des lois votées et qu'il avait promulguées alors qu'il était en fonction. Il semblait normal que, dans ces cas-là, sa présence dans les débats puisse être récusée.

Giscard prit son air offusqué et me regarda durement, ainsi que les autres membres. Il s'aperçut que ma proposition recevrait l'accord de tout le monde, mais s'obstina dans son refus : « Tout cela est très choquant, très déplaisant et j'y suis opposé. »

Naturellement, je n'ai tenu aucun compte du choc que je lui ai occasionné. Dans notre règlement, le principe de la récusation existe.

5 mars

Toute la matinée de ce samedi, Jacques Chirac a préparé avec ses avocats l'audience du tribunal correctionnel de Paris. Il m'a demandé de venir le chercher pour déjeuner avec moi. Je l'emmène au Récamier, chez mon ami Gérard Idoux que j'ai mis dans la confidence peu avant que nous arrivions. Chirac est suivi par un photographe d'agence qui ne le lâche pas. Quand nous approchons du restaurant, je vais le voir et lui demande de prendre une photo, puis de bien vouloir laisser Chirac tranquille. Ce qu'il fait.

Chirac est fatigué. « Tu vois ce qu'ils me font, me dit-il. Je ne comprends pas ce qu'ils veulent. » La rencontre avec ses avocats l'a éprouvé. Mais visiblement tout s'emmêle dans sa tête.

Je m'efforce simplement de le divertir, de lui changer les idées. J'évoque des souvenirs, lui rappelle des anecdotes vécues à ses côtés. Celle où, s'étant assis, sciemment ou par inadvertance, à la place de Giscard autour de la table du Conseil, il s'exclama en s'adressant à moi : « Tu vois, quand on est assis dans ce fauteuil, on sent l'intelligence monter en soi ! » Il sourit par automatisme. Mais il est ailleurs, étranger, me semble-t-il, à ce que je lui raconte.

À la fin du déjeuner, il me confie : « Je crois que je suis bien préparé à tout cela, même si je ne comprends pas ce qu'ils cherchent vraiment. Mais c'est ainsi. » Il ajoute : « J'aime bien quand tu es là. »

Il m'embrasse avec affection, salue le chef, le remercie, monte dans sa voiture. Il me fait un signe de la main quand son véhicule s'éloigne.

Jacques Chirac n'est pas familier de ce genre d'effusions, rarement je l'ai senti aussi ému. Il l'était à la fin de ce déjeuner pas comme les autres.

27 avril

Déjeuner au pavillon de musique de Matignon avec François Fillon en compagnie de Marc Guillaume et de Jean-Paul Faugère. En nous raccompagnant, il me demande comment je vois la situation politique. Je ne peux lui cacher mon sentiment que Nicolas Sarkozy est mal parti pour sa réélection. Je le sens lui-même assez critique sur le président de la République.

Chaque semaine ou presque depuis plus d'un an, je me rends en province pour parler du Conseil constitutionnel aux étudiants ou présenter la QPC aux avocats. Le samedi et le dimanche, je participe à de nombreux salons du livre pour présenter mes romans policiers ou mes livres d'histoire. Chaque fois, je sens s'exprimer de toutes parts un besoin d'alternance politique et un rejet de la personnalité de Sarkozy.

Au fil de ces rencontres et du temps qui nous rapproche de l'échéance présidentielle, il m'apparaît patent que le divorce est de plus en plus fort entre les Français et lui. Son caractère agité, toujours en mouvement, anxiogène, est devenu insupportable à un nombre grandissant de nos concitoyens qui s'interrogent sur l'avenir.

C'est dans un climat politique, économique et social délicat que s'engage la campagne présidentielle. Tous les sondages d'opinion ne cessent de prédire sa défaite au second tour.

J'ai l'impression que Sarkozy et surtout son entourage ne se rendent pas compte que le pouvoir est en train de leur échapper et de s'éloigner, quoi qu'ils fassent ou puissent entreprendre. La relation entre le chef de l'État et les Français est brisée. Curieux destin que celui de Nicolas Sarkozy. Toute sa vie il a voulu le pouvoir. Et à peine l'a-t-il conquis, il a commencé de le perdre en partie de sa propre faute.

1er juin

Dîner en l'honneur de Cheikh Tidiane Diakhaté, président du Conseil constitutionnel du Sénégal. Nous évoquons la mémoire de Senghor.

J'ai eu la chance de déjeuner avec lui à Dakar quand j'étais étudiant, il avait appris par mon père que je visitais son pays et m'avait invité au palais présidentiel. Il m'avait parlé de la francophonie et dédicacé l'un de ses ouvrages.

Poète d'exception, député de la République française et premier président de la République du Sénégal, il gommait déjà les frontières étroites de la France en chantant les avantages d'une alliance de tous les peuples d'outre-mer, d'une harmonie culturelle et politique qui dessinerait autour du globe un bel arc-en-ciel de frères de toutes les couleurs. C'est bien une vision poétique et idéaliste que Senghor tenta de transposer en politique.

Ceux qui ont voulu s'opposer à la défense de la négritude et à l'attachement de Senghor à la culture française ont abîmé la richesse d'une pensée plurielle et florissante, partisane du « métissage culturel ». Pour que la « greffe » miraculeuse des civilisations ait lieu, pour que l'Afrique soit en mesure d'adopter et d'apprécier la civilisation française, il fallait au préalable qu'elle puisse offrir, elle aussi, une culture à échanger. Ainsi, Senghor n'établit aucune contradiction mais tout au contraire une sorte d'équivalence entre ses deux combats.

Alors que l'institution de la francophonie n'avait pas vu le jour, l'idée d'un grand rassemblement germait dans son esprit fertile. La lutte que Senghor mena en faveur d'une union française flexible annonçait déjà le mariage entre les multitudes humaines autour de l'héritage culturel des Lumières et de la langue française.

Pour Senghor, l'Union française avait une mission, celle de construire une fraternité mondiale scellée par la langue française. Il a clairement exprimé cette idée lors de la séance du 13 février 1958 en déclarant à la tribune de l'Assemblée nationale : « La France ne peut se contenter d'être heureuse mais petite, limitée spirituellement à l'Hexagone, car elle trahirait sa vocation vraie qui est de libérer tous les hommes aliénés de leurs vertus d'hommes. »

L'opiniâtreté dont il fit preuve pour arracher à la métropole les droits attendus par l'outre-mer fut souvent incomprise. L'indécision de Paris face au statut des peuples d'outre-mer ne convenait pas à cet homme entier et sincère : car enfin, disait-il, « il faut qu'une porte soit ouverte ou fermée. Il faut que nous soyons dans la République ou hors de la République ».

La pensée que Senghor construisit peu à peu durant ses années parlementaires fut un humanisme adapté aux réalités africaines, au droit coutumier, aux problèmes agricoles, aux défaillances pédagogiques. Cette réalité du terrain, méprisée par les partis de la métropole, fut largement utilisée par Senghor qui en fit la source même des programmes politiques du bloc démocratique sénégalais.

Ce n'est pas parce que Senghor délaissait la France qu'il se dévoua entièrement aux difficultés du peuple sénégalais, mais bien parce qu'il croyait en une France où tout ne serait qu'harmonie qu'il s'engagea à revendiquer plus de droits pour ceux qui l'avaient choisi pour parler en leur nom.

En 1945 et 1946, il influença la rédaction du projet de Constitution en prônant avec émotion une réforme totale du statut des indigènes, de ceux qui avaient successivement, lors des deux guerres mondiales, versé leur sang pour un pays réticent à reconnaître leurs droits. Malgré les réformes inscrites dans la Constitution de la IVe République, l'égalité telle que l'a souhaitée Senghor a peiné à éclore, existant à peine dans une forme théorique.

Plus de justice pour les territoires revenait à concrétiser l'équité indispensable à la réalisation d'une « union française » composée de citoyens égaux et solidaires.

L'œuvre d'unification qu'il entreprit, en travaillant pour revaloriser les statuts des employés sénégalais ou multiplier le personnel éducatif en Afrique, ne peut se comprendre qu'au regard de la tradition quasi mythique qu'il avait faite sienne : celle de la France terre d'égalité et patrie des droits de l'homme.

11 juin

Jacques Chirac a profité d'une inauguration dans son musée de Corrèze pour lancer, devant les journalistes qui filmaient et enregistraient, ces propos : « Sauf si Juppé se présente, je voterai Hollande », les réitérant quelques instants plus tard : « Je voterai Hollande. » Naturellement, ces déclarations ont aussitôt fait la une des informations télévisées et alimenté de nombreux commentaires.

Claude Chirac m'appelle vers vingt-deux heures et me demande ce que j'en pense. Je n'avais pas suivi les informations, elle me raconte ce qui s'est passé. J'allume la télévision et, tout en entendant les commentaires des journalistes de BFM, j'écoute Claude : « Cela a déchaîné une tempête terrible à l'Élysée, qui demande un démenti. » Elle me lit un projet de communiqué. Je lui indique qu'à sa place je ne ferais rien et que cette affaire finira par se calmer.

« De toute façon c'est ce que pense votre père. Est-il d'accord avec ce communiqué ?

— Il dort, il faut faire quelque chose tout de suite pour apaiser l'Élysée, me répond-elle. Sarkozy est furieux. »

Nous en restons là de notre conversation. Un communiqué sera bel et bien diffusé, minimisant les propos de Chirac et parlant d'« humour corrézien ».

Je suis heurté et peiné par tout ce qui se trame sans l'accord de Chirac.

Quelques jours plus tard, lui rendant visite à son bureau comme je le fais régulièrement, je l'interroge sur ses propos. Il me confirme qu'il a bien l'intention de voter pour Hollande. La tempête médiatique qu'il a déclenchée l'amuse. Il feint d'en être surpris.

Il y a bien longtemps que je me suis rendu compte que Jacques Chirac était blessé par l'attitude de dénigrement systématique de Sarkozy vis-à-vis de lui.

Lors de nos promenades dans Paris au cours des deux années qui suivirent son départ de l'Élysée, il m'a d'abord indiqué qu'il souhaitait que Villepin se présente en 2012. Mais je percevais combien petit à petit il était devenu sceptique sur la capacité de son ancien Premier ministre à aller jusqu'au bout en dépit de ses déclarations et de ce qu'il laissait entendre à ses quelques partisans.

L'attitude ambiguë de Dominique de Villepin illustre parfaitement la remarque de Machiavel qui conseille au prince : « Interrogez beaucoup sur le parti que vous devez prendre, ne confiez qu'à très peu d'amis le parti que vous avez pris. »

Souvent, lors de nos entretiens réguliers dans son bureau, Jacques Chirac m'avoue qu'il n'imagine pas que Nicolas Sarkozy soit réélu. « Le président doit rassembler et non diviser les Français », me dit-il.

Sa moue lorsqu'il évoque les propos agressifs envers lui de son successeur lors de sa visite au Salon de l'agriculture est significative. « Cela ne lui rapporte rien et c'est absurde. »

Lorsque je lui ai dit avoir déjeuné à côté de François Hollande à la Foire du livre de Brive en novembre 2011 et qu'il avait eu sur lui des propos agréables à entendre, il en a été satisfait. « Il est sympathique », m'avoue-t-il, et il me confirme qu'il votera bien pour lui.

21 juin

À l'occasion de la fête de la Musique, j'invite quelques amis et des habitants du Palais-Royal à venir écouter depuis la terrasse du Conseil le concert donné dans les jardins. Pour le dîner, je m'amuse à composer un menu que je veux original, ainsi rédigé : « Sur une partition originale du chef : Sonate de tomates et de langoustines, concerto de rougets et fleurs de courgettes, symphonie de sorbets. » Un peu d'humour dans un palais de la République peut faire du bien.

29 juin

À Bruno Le Maire, toujours dépité que ni le président de la République ni le Premier ministre n'aient tenu leurs promesses de le nommer ministre de l'Économie, je conseille de ne pas montrer sa déception, de poursuivre son travail comme ministre de l'Agriculture, de tenir bon et de sourire. Bruno m'a succédé comme député de l'Eure. C'est avec satisfaction que je constate chaque jour qu'il s'implante bien. Il sait écouter. À la différence de nombreux énarques, il ne donne pas de leçons à tout propos. Et au surplus, il ne critique pas son prédécesseur. Il lui arrive même et souvent d'en dire du bien. Ce qui est, ma foi, toujours agréable et comme c'est rare, c'est bon.

11 juillet

Jacques Barrot est promu au grade d'officier de la Légion d'honneur. Cela m'irrite tout autant que pour Charasse. Mais que faire devant l'orgueil des uns et la volonté du pouvoir d'« acheter » tout le monde ?

17 septembre

Je débute à la Comédie-Française ! Sur une idée de Muriel Mayette, son administratrice générale, l'unique représentation de *Si le Palais-Royal m'était conté* se déroule dans la salle Richelieu. Je retrace l'histoire de ce lieu et récite des poèmes. Frédéric Mitterrand relate l'histoire de son ministère ; Jean-Marc Sauvé, vice-président du Conseil d'État, celle de sa propre institution. Les sociétaires de la Comédie-Française Thierry Hancisse et Clotilde de Bayser évoquent avec moi l'histoire du palais.

Ce Palais-Royal que j'aime tant, où j'habite depuis quarante ans, où mes parents ont vécu, où mon grand-oncle, Jacques Debré, a demeuré pratiquement toute sa vie, où il faisait fleurir régulièrement l'appartement de Colette pour laquelle il avait une grande admiration et dont elle a évoqué la silhouette dans *Trois six neuf*, me relie en permanence non seulement à l'histoire de la France mais aussi à ceux et celles qui l'ont façonnée. Combien de fois, en passant devant l'ancien café Corraza, je crois entendre la voix de Bonaparte qui va bientôt devenir la voix de la France, mais aussi celle d'Olympe de Gouges qui s'est tant battue pour faire prévaloir l'égalité entre hommes et femmes.

Je retrouve ici autant d'ombres restées vivantes, celle de Colette encore dont je conserve précieusement la photo prise par ma mère… En me promenant dans les jardins, je la vois en train de houspiller depuis son balcon les enfants qui font exploser des pétards dans le bac à sable sous ses fenêtres. Rien n'a changé, les enfants continuent à jouer bruyamment dans le même bac à sable.

J'imagine Jean Cocteau et Jean Marais à leur fenêtre, Louise de Vilmorin écoutant Malraux, Mireille fredonnant une chanson pour Emmanuel Berl, et le rire de Louis de Funès…

Naturellement Frédéric Mitterrand est en retard et nous commençons sans lui, en espérant terminer en sa présence. Il arrive en cours de représentation, lit de sa voix si particulière un texte qui lui a été préparé sur Malraux et le ministère de la Culture.

Je termine le spectacle en récitant « Une soirée perdue » de Musset : « J'étais seul l'autre soir au Théâtre-Français… »

Expérience inoubliable de se retrouver sur cette scène prestigieuse aux côtés de Muriel Mayette et de comédiens-français.

23 septembre

À la demande d'Alain Trampoglieri et sur l'invitation de Roger Ciais, le maire de Touët-sur-Var, j'inaugure dans cette commune des Alpes-Maritimes la « galerie des Présidents de la République ». La municipalité a retrouvé tous les portraits officiels de nos chefs d'État depuis la IIIe République. Un banquet « républicain » doit suivre cette cérémonie. J'avais pris soin de demander que soient invités les élus de toutes tendances politiques.

Le maire a parfaitement respecté mon vœu et Trampoglieri a concocté un menu républicain qui débute par une « tête de veau dans la tradition de la confrérie de Corrèze » – ce qui plairait à Chirac –, se poursuit avec une « charlotte d'agneau de Pierlas, façon Vieux Morvan » – en hommage à Mitterrand – puis des « fromages de la ferme d'Ascros comme en Auvergne » – Giscard n'est pas oublié –, et se termine par une « crème Nicolas aux fraises de Carros » – que Sarkozy aurait appréciée…

La chaleur du temps et l'humour du menu font de ce banquet un grand moment de convivialité républicaine.

Éric Ciotti, député et président du conseil général des Alpes-Maritimes, assiste brièvement à cette manifestation. Nous parlons ensemble quelques minutes. Je dis à ce défenseur acharné de Sarkozy que je ne vois pas son favori réélu.

25 septembre

À l'invitation de Daniel Boisserie, député-maire de Saint-Yrieix-la-Perche, je visite l'entreprise L.S. Art et Création, qui a pris l'initiative de produire un nouveau buste en porcelaine de notre Marianne.

Daniel Boisserie et le chef de cette entreprise, Jean-Paul Tarrade, entendent ainsi relancer la tradition de la production de porcelaine dans cette région. C'est l'occasion pour moi de féliciter les auteurs de cette nouvelle Marianne, Christian Hoyos et Cécile Gautier.

À la mairie je prononce un discours très républicain. Dans l'assistance, de nombreux élus ne partagent pas les options politiques du maire. Mais je prends plaisir à célébrer la République au milieu d'élus de droite et de gauche.

Astreint à un devoir de réserve, j'affirme cependant que depuis longtemps, « j'ai pris parti… pour la République par amour pour Marianne », et récite ce passage d'un poème de 1851 :

Sur un mur que le temps lézarde,
Je possède un portrait vivant.
Le portrait de celle que j'aime
À son front aux nobles contours,
Sans diadème,
Rayonne la grandeur suprême
C'est Marianne mes amours.

Je rappelle aussi que depuis un décret de 1792 le sceau de l'État représente l'image de « la France sous les traits d'une femme vêtue à l'antique, debout, surmontée du bonnet phrygien ou bonnet de la liberté ».

Cette jeune femme, symbole de la République, est rapidement surnommée Marianne, prénom couramment utilisé à la fin du XVIIIe siècle.

Cette allégorie républicaine a inspiré de nombreux peintres, sculpteurs, dessinateurs, d'Antoine Gros qui la représente entourée des symboles de la République romaine à Honoré Daumier qui la dessine chassant les ministres de Charles X en 1830, ou Eugène Delacroix qui la peint en une sorte d'icône romantique et exaltée sous les traits de *la Liberté guidant le peuple*. Marianne est tout aussi présente grâce aux sculpteurs dans les mairies de France et, pour honorer les valeurs du courage et de l'abnégation, s'est installée sur de nombreux monuments aux morts de nos villages et de nos villes.

L'intention des révolutionnaires de 1792 s'est parfaitement réalisée : fédérer, sous l'égide symbolique de Marianne, l'ensemble des Français, quelles que soient leurs origines, leurs croyances ou religions, autour du culte de la République.

La nouvelle Marianne, fabriquée non loin de la mairie, prend place à l'hôtel de ville à côté de celle datant de 1871 et due à Angelo Francia, dont la tête n'est pas comme aujourd'hui couverte d'un bonnet phrygien mais d'une couronne de laurier.

10-12 octobre

Je participe à Bogotá à la conférence mondiale sur la justice constitutionnelle. Le programme officiel indique que « Michel Debré » s'exprimera pour la France. Je fais simplement remarquer que « Michel Debré » ne viendra pas, étant décédé depuis de nombreuses années, et sera remplacé par « Jean-Louis Debré ». Se rendant compte de leur erreur, les organisateurs sont consternés. Aucune importance. Je leur réponds : « Grâce à vous mon père n'est pas oublié. Là où il est, cela l'a fait sourire, j'en suis certain. »

Je m'exprime en français devant un grand nombre de professeurs et de juristes colombiens. Une bonne partie d'entre eux n'a pas besoin d'une traduction simultanée, ils comprennent le français. Au cours du dîner je me trouve à côté du président de la République et de son prédécesseur, qui eux aussi s'expriment dans notre langue.

Chacun me dit qu'il regrette le manque de volonté de Paris pour développer l'enseignement du français. Certes le lycée français que je visite est d'une grande valeur et l'Alliance française aussi, mais les autorités colombiennes attendent plus de nous. C'est le message qu'ils me chargent de transmettre.

Il est émouvant d'être, à des milliers de kilomètres de la France, sur un autre continent, le témoin de cette passion pour notre culture et notre langue.

2012

10 janvier

Reçu ce matin une lettre de Jacques Chirac : « À la veille de la commémoration du centième anniversaire de la naissance de ton père, je tenais à te dire mes fidèles et affectueuses pensées. Tu sais l'admiration et la haute estime que j'avais pour Michel Debré. Au-delà même de nos institutions constitutionnelles qu'il mit en forme sur les directives du général de Gaulle en 1958, dira-t-on jamais assez combien il fut un acteur infatigable et inspiré, à Matignon, au ministère de l'Économie et des Finances, à la Défense, aux Affaires étrangères, d'une adaptation continue de notre appareil de l'État au service de la Nation ? À mes yeux, il fut de ceux, rares, que leur passion intransigeante pour la France, l'État, la République conduisit au plus haut point de l'esprit de grandeur, de service et d'abnégation... »

Compliquées, les relations entre Michel Debré et Jacques Chirac. Deux personnalités et tempéraments bien différents.

Je me souviens de leur opposition en 1981. Mon père avait décidé de se présenter à la présidentielle avant que Chirac n'annonce lui aussi sa candidature. J'avais à l'époque tenté de dissuader mon père de se risquer dans cette aventure et il ne m'a pas écouté. Avec la présence de Chirac, il n'avait plus d'espace politique. Je me suis alors opposé à mon frère qui le poussait à maintenir sa candidature. Mon père voulait témoigner de la nécessité de préserver les fondamentaux du gaullisme qui lui paraissaient menacés de toutes parts. Mais l'élection présidentielle n'est pas faite pour seulement témoigner.

Ce que je craignais s'est passé : le résultat a été catastrophique.

Plus tard, lors de la présidentielle de 1995, on a tenté d'obtenir de lui un soutien officiel à Édouard Balladur. Malgré les efforts déployés à nouveau par mon frère, récemment nommé ministre de la Coopération à l'instigation de Sarkozy pour contrer la présence d'un autre Debré auprès de Jacques Chirac, mon père a choisi de rendre public son soutien à ce dernier.

Immédiatement après son élection, alors qu'il n'était pas encore installé à l'Élysée, Jacques Chirac est allé lui rendre visite à son domicile de la rue Jacob et lui a annoncé sa décision de me nommer ministre de l'Intérieur, ce qui était encore un secret entre lui et moi. Je crois que mon père a été très heureux de voir enfin l'un de ses fils prendre une fonction importante au cœur de l'État. Dès ma nomination, je l'ai invité à dîner place Beauvau. Ce fut l'une de ses dernières fois avant de nous quitter.

15 janvier

Sarkozy a décidé, afin de rendre hommage à mon père, de se rendre à Amboise pour y déposer une gerbe sur sa tombe, avant de tenir une réunion publique où il saluera son action.

Je ne suis pas dupe de cette soudaine reconnaissance pour l'œuvre de Michel Debré. Il s'agit en cette période préélectorale de « ratisser le plus large possible », de rassembler les gaullistes et de faire oublier les déclarations de Chirac en faveur de Hollande. L'hommage à mon père est un prétexte.

Sarkozy m'a fait proposer d'arriver avec lui à Amboise. J'ai refusé. J'ai décidé de l'attendre au cimetière et de ne pas participer à la réunion électorale qui suivait le dépôt de la gerbe. Je me retranche derrière mon devoir de réserve, estimant que cette manifestation est d'ordre essentiellement politique.

J'entends les commentaires désobligeants envers moi qui fusent de son entourage. Mais je n'en ai cure. Naturellement, je suis sensible à l'intérêt manifesté vis-à-vis de mon père, mais je refuse de cautionner la tentative de récupération politique.

Au cimetière, Sarkozy serre chaleureusement les mains de Claude, la sœur de mon père, salue mes frères et cousins, mes enfants Charles et Marie-Victoire – Guillaume est aux États-Unis – et mes petits-enfants Camille, Gabrielle et Lila-Marianne. Il passe devant moi en faisant comme s'il ne m'avait pas vu. Il y avait tellement de monde, il est vrai !

Pendant qu'il s'exprime devant des militants UMP sous un chapiteau dressé pour la circonstance, je parcours en famille la rue principale d'Amboise et le marché comme je l'ai fait tant de fois avec mon père. Nous visitons ensuite l'exposition qui lui est consacrée à l'hôtel de ville. Le maire socialiste, en ayant été informé, vient nous y retrouver flanqué, le hasard fait bien les choses, d'un photographe.

En rentrant vers Paris, je me souviens de cette fin d'après-midi du printemps 1994 où mon père, assis dans un fauteuil sur la terrasse de sa maison de Montlouis qui domine la vallée de la Loire, immergé dans ses songes, profitant d'une belle luminosité, contemplait ce paysage incomparable qui incite au recueillement, à l'humilité.

Alchimie des couleurs : le bleu du ciel se mêlant à celui de la Loire tranche sur le jaune du sable et se conjugue au vert des arbres. Des mouettes blanches tournent au-dessus du fleuve, mais de là où nous nous trouvons leurs cris ne troublent pas le silence.

Mon père affectionnait cette terre de Touraine qui a accompagné son enfance, façonné sa personnalité, où il a connu tant de joies et de déceptions, d'espoirs et de tristesses. Il aimait s'y réfugier et se retrouver avec elle.

Ce jour-là, je me suis assis discrètement non loin de lui, ne sachant pas s'il a remarqué ma présence. Je ne veux pas le déranger. Je perçois combien ses pensées sont empreintes d'interrogations, de doutes et de nostalgies, je me contente de savourer avec lui en silence les offrandes de cette nature qui a traversé les siècles, témoin de la grandeur de notre pays.

Au bout d'un moment, il se tourne vers moi, le regard fatigué, miné par la maladie et la souffrance. Il esquisse un petit sourire et me fait part de cette conviction qui l'a toujours habité : « La France a besoin d'un pouvoir et d'un État. » Il ajoute, en me regardant : « Nous venons de loin. »

Je ne sais s'il parle de la France ou de notre famille. Puis il reprend, après un moment de silence : « Ton arrière-grand-père a choisi la France, ton grand-père a honoré la France, je l'ai servie. Nous avons tous eu la passion de la France. » Il s'interrompt, respire lentement...

J'attends, guette, espère d'autres confidences. Ses yeux se sont à demi refermés, son souffle est saccadé. Il se tait. Inoubliables moments de complicité et d'affection.

16 janvier

Inauguration à Bercy par le ministre du Budget, mon ami François Baroin, d'une exposition sur Michel Debré. Baroin a souhaité que je m'exprime à cette occasion devant plusieurs membres de ma famille dont Claude Monod-Broca, la sœur de mon père, et naturellement beaucoup de ses anciens collaborateurs.

J'ai toujours vu en Michel Debré l'un des héritiers à la fois de Richelieu et de Colbert. Une conception élevée du bien public, la conscience des changements à mettre en œuvre pour construire un État moderne, indépendant et adapté aux exigences de son Histoire. Une capacité reconnue à concevoir et décider ces réformes d'envergure, même si elles sont au départ impopulaires.

Il avait toujours près de lui le texte de la conférence prononcée par Renan à la Sorbonne le 11 mai 1882 : « Qu'est-ce qu'une Nation ». Il citait souvent ce passage : une nation c'est « un rêve d'avenir partagé ». Pour accomplir cette espérance commune, il faut des institutions stables, une économie assainie, soutenue par des structures en constante modernisation et des finances publiques maîtrisées.

Après son passage au ministère de la Justice dans le gouvernement de Gaulle de 1958, puis à Matignon, il a occupé les fonctions, de façon plus inattendue, de ministre de l'Économie et des Finances en 1966, succédant à Giscard. À ce poste, il a entrepris avec succès de réorganiser notamment nos structures bancaires, moderniser nos marchés de capitaux, adapter notre fiscalité, mettre en place la formation professionnelle, sans jamais perdre de vue l'objectif de réduction du déficit de nos comptes publics et d'un retour à l'équilibre de nos finances face à la suprématie du dollar.

En août 1966, il a pu annoncer au général de Gaulle que, pour la première fois depuis 1914, la France, qui venait de solder ses dernières créances extérieures, n'avait plus aucune dette en devises vis-à-vis de l'étranger. Et le Général lui a répondu : « La France est enfin indépendante et libre car la grandeur de la France suppose une économie redressée et qu'elle ne dépende pas d'autres puissances pour le remboursement de ses emprunts. »

20 janvier

À la demande du député Philipe Folliot je participe dans un petit village, des environs de Castres, à une causerie sur le rôle du Conseil et sur mes livres. Il me fait visiter le musée du Protestantisme à Ferrières et je découvre à cette occasion une femme totalement inconnue pour moi et, je crois, oubliée de beaucoup : Élisa Lemonnier. Sa personnalité me fascine, je décide aussitôt de lui consacrer un chapitre dans le livre que je prépare avec Valérie Bochenek, *Ces femmes qui ont réveillé la France*. Élisa Lemonnier est à l'origine d'écoles pour jeunes filles destinées à leur apprendre un métier, leur permettre d'acquérir des connaissances en diverses matières : langues étrangères, mathématiques, dessin… et, par là, les aider à se soustraire à la dépendance de leur mari. Elle est là, la véritable révolution féministe. Bien avant Jules Ferry ou Victor Duruy, Élisa Lemonnier a compris que l'égalité entre hommes et femmes passait par l'éducation dispensée aux jeunes filles.

28 février

Le Conseil, résistant aux pressions insistantes des associations d'Arméniens, annule les articles de la loi visant à réprimer toute contestation de l'existence des génocides reconnus par la loi.

Cette décision me vaut les foudres de plusieurs parlementaires et nombre de lettres d'injures. Je me suis toujours opposé aux lois mémorielles et ce ne sont pas les menaces qui me feront changer d'avis. L'idée me choque que le pouvoir politique puisse prétendre imposer une lecture de l'Histoire, a fortiori qui ne concerne pas la France directement, mais les relations entre des communautés ou peuples étrangers. J'y vois une aberration qui aboutit de surcroît à porter atteinte à la liberté de penser. Il n'est naturellement pas question d'admettre les thèmes révisionnistes, ni d'oublier la Shoah, ni de tolérer qu'on veuille en nier l'existence. Mais est-il normal que la loi française doive se prononcer sur des massacres qui se sont produits au XIXe siècle dans l'Empire ottoman ?

C'est une caractéristique des régimes totalitaires que de s'arroger le droit d'exercer un contrôle sur ceux qui enseignent l'histoire. Rien n'est plus logique pour les dictateurs ou représentants des régimes autoritaires que l'instrumentalisation du passé.

Immédiatement après l'annonce de notre décision, Nicolas Sarkozy fait publier par l'Élysée un communiqué indiquant « l'immense déception et la profonde tristesse de tous ceux qui avaient accueilli avec reconnaissance et espoir l'adoption de cette loi destinée à les protéger contre le négationnisme ». Il donne l'ordre au gouvernement de préparer un nouveau texte.

La propagande officielle cherche à faire croire que nous permettons la négation de la Shoah. Les aboyeurs mandatés par le pouvoir se déchaînent à nouveau contre moi, oubliant que la délibération est collective. Bien évidemment j'assume sans problème d'être personnellement pris pour cible. J'ai l'habitude de ces attaques comme de leurs auteurs.

La notion de crime contre l'humanité a été précisée et définie par le tribunal de Nuremberg institué le 8 août 1945 après un accord international signé par la France, les États-Unis, la Grande-Bretagne et l'URSS. La France respecte cet accord.

Il est vrai que nous avons depuis lors reconnu et légitimé le devoir de mémoire. Ne rien oublier ni occulter de l'histoire des peuples est indispensable à l'affirmation de la cohésion nationale. En reconnaissant ses fautes passées, un peuple se grandit. La repentance est utile et juste, elle doit, par sa dimension pédagogique, faire prendre conscience de la nécessité de ne pas être tenté de commettre à nouveau de tels crimes.

Se souvenir est un devoir civique. Nier les conséquences sur l'humanité de la politique du IIIe Reich, nier la Shoah serait une faute inexcusable. Mais il faut à mon sens éviter de légiférer à outrance sur la mémoire collective. C'est la raison pour laquelle, alors président de l'Assemblée nationale, je m'étais déjà opposé à la reconnaissance par la loi du génocide arménien. Non bien sûr pour contester son existence, mais parce que j'estimais que cette tâche n'incombait pas au législateur et encore moins dans le cas présent au législateur français.

Comme l'écrivait en 2006 l'historien René Rémond : « Le législateur tranchait une question sur laquelle les spécialistes n'étaient pas unanimes : si personne ne contestait que les Turcs avaient fait mourir dans des conditions inhumaines des centaines de milliers d'hommes et de femmes, était-ce bien par exécution d'une décision qui visait expressément à exterminer jusqu'au dernier Arménien ? Telle est l'interrogation que ne peut éviter la recherche historique. En outre, à qualifier l'événement de génocide, on banalisait le concept élaboré à propos de la Shoah, dont on diluait la spécificité et le caractère exceptionnel. »

De toute façon cette réflexion n'était pas celle des parlementaires qui ont voté cette loi que nous annulons. Ils n'avaient en tête que le seul espoir de glaner des voix pour leur réélection.

23 mars

À Nans-sous-Sainte-Anne, accueilli par Daniel Menweg, le maire communiste avec qui je sympathise rapidement, pour évoquer Charles Beauquier, dont j'ai retracé l'action dans mon livre *Les Oubliés de la République*.

Élu du Doubs en 1880, Beauquier a été probablement le premier député à déposer des propositions de loi visant à préserver le patrimoine naturel. Il n'a cessé de dénoncer « l'inconscience avec laquelle les ingénieurs, les industriels et les commerçants, dégradent, mutilent ou anéantissent les sites les plus beaux et les plus précieux ». Beauquier aurait été indigné par l'irresponsabilité avec laquelle on a laissé construire le quartier de la Défense à Paris, qui obstrue la perspective allant de la place de la Concorde jusqu'à l'Arc de triomphe, puis vers le ciel. Et qu'aurait-il dit de cette gigantesque verrue qu'on a érigée au-dessus de l'École militaire : la tour Montparnasse ?

Comment peut-on laisser proliférer ces grands panneaux publicitaires qui saccagent tout et notamment l'entrée des villes ? Souvent je pense à la proposition de loi que Beauquier, en 1908, déposa pour lutter contre « les abus de l'affiche réclame » qui déjà défigurait certains de nos paysages. Il stigmatisait « la publicité qui a entrepris de spéculer sur la beauté d'un pays » en abîmant nos plus beaux et majestueux paysages. Il proposait la création de « réserves nationales boisées », des plans d'occupation des sols pour les communes de plus de dix mille habitants...

Il est tard mais pas trop tard pour cesser dans certains endroits de saccager notre patrimoine. Ce n'est pas uniquement sur la Côte d'Azur que les maires laissent, avec la complicité de promoteurs sans scrupule et de l'administration, s'élever des constructions qui mutilent un site.

Dommage que les notables « écolos » en France passent plus de temps à se déchirer en public qu'à faire prévaloir une politique cohérente et moderne de défense de notre environnement. Ils se complaisent dans des jeux politiques stériles et une idéologie archaïque. De son côté, malgré l'engagement précoce de Georges

Pompidou puis celui de Jacques Chirac qui a su prononcer des paroles fortes sur ces sujets, la droite est incapable aujourd'hui de faire entendre un message crédible en ce domaine, tout comme les socialistes qui n'ont comme ambition que de satisfaire à des préoccupations électorales.

20 avril

Le Conseil supérieur de l'audiovisuel nous demande de préciser les règles qui doivent régir le passage des divers candidats dans la campagne présidentielle. Nous répondons que l'égalité doit être la règle. Nicolas Sarkozy me le reproche, comme toujours. Il aurait voulu que nous acceptions le principe de l'« équité » qui aurait permis aux principaux candidats, donc à lui, de bénéficier d'un temps d'antenne plus important.

Mais il faut toujours en permanence un coupable et aux yeux de Sarkozy je suis tout désigné pour ce rôle.

23 avril

Arrivé hier en deuxième position lors du premier tour de scrutin de l'élection présidentielle, le président sortant tente de rassembler, autour de sa candidature, un électorat allant de la droite républicaine à l'extrême droite.

Dès les premières déclarations des partisans de Sarkozy appelant les extrémistes de droite à les rejoindre, j'adresse un mail à Claude Chirac. Je suggère que son père rappelle dans un communiqué quelle a été sa position de toujours vis-à-vis du Front national. Le lendemain, elle me répond que « ce n'est pas possible », même si elle dit me comprendre. Tant d'hypocrisie me révolte. J'ai toujours vu Chirac réprouver ceux qui manifestaient la moindre tentation, même pour des finalités électorales, de complaisance envers le Front national. Sa voix ici n'aurait pas été inutile.

6 mai

Malgré une campagne dynamique, Nicolas Sarkozy est distancé par François Hollande qui emporte l'élection présidentielle avec 51,6 % des suffrages exprimés. François Hollande, à cinquante-sept ans, devient ainsi le deuxième socialiste à accéder à l'Élysée.

Cette élection est l'aboutissement d'un parcours politique particulier. François Hollande n'a exercé aucune fonction ministérielle avant d'être élu président de la République. Il a seulement fait partie du cabinet de François Mitterrand à l'Élysée.

Au parti socialiste, il s'est imposé, après des élections internes, à la suite du forfait de Dominique Strauss-Kahn, comme son unique candidat à l'élection présidentielle de 2012.

J'entends d'éminents représentants de la majorité critiquer les socialistes pour avoir eu recours à des primaires afin de sélectionner leur candidat. Ils oublient ce que proposaient Pasqua et d'autres en 1994 pour départager Chirac et Balladur, en fait pour écarter Chirac de l'élection présidentielle.

Sarkozy étant battu, ils se disputeront tellement et seront si nombreux sur la ligne de départ qu'ils auront besoin de trouver à leur tour le moyen de choisir l'un d'entre eux, puisque la droite n'a plus de chef qui s'impose naturellement ou historiquement. Après moi, disait de Gaulle, ce sera le trop-plein. Je crains la pertinence de sa prédiction.

15 mai

À l'Élysée pour l'intronisation de François Hollande. Je me sens plus à l'aise qu'il y a cinq ans. Certes, dans le grand salon moins de visages me sont familiers, mais j'en reconnais certains qui ont été des adversaires politiques. Et pourtant je ne ressens, cette fois-ci, aucune hostilité. Pas la moindre agressivité. Comme toujours, nombre de courtisans que j'avais plutôt connus proches de l'ancien pouvoir sont déjà là.

Valérie Trierweiler vient me dire bonjour avec un grand sourire et s'installe non loin de moi quand je prends la parole pour déclarer François Hollande élu président de la République.

La cérémonie terminée, je n'ai pas envie de fuir, de quitter rapidement le palais de l'Élysée comme il y a cinq ans. J'ai la conviction que les relations institutionnelles et surtout personnelles avec le nouveau président seront apaisées et respectueuses. Enfin !

Mais je suis bien décidé à continuer à garantir l'indépendance du Conseil à l'égard du pouvoir politique. Les hommes passent, les adversaires d'hier se succèdent au sommet de l'État. C'est aussi cela la République.

François Hollande affirme vouloir être un président « normal », ce fut d'ailleurs son slogan électoral.

Le mot « normal » pour lui, comme en 2007 celui de « rupture » pour Nicolas Sarkozy, ne vise, en réalité, qu'à critiquer, dénigrer et se démarquer de la personnalité, du style et de l'action de son prédécesseur.

François Hollande déclare vouloir en revenir à une lecture plus traditionnelle du rôle et de la place du président de la République dans les institutions. Il affirme qu'il entend respecter l'article 20 de la Constitution selon lequel « le gouvernement détermine et conduit la politique de la nation ». Au chef de l'État, la mission de fixer le cap, de déterminer les grandes orientations de politique nationale, de trancher les questions importantes et non de gouverner à la place du Premier ministre et des ministres.

François Hollande annonce, autre critique implicite du style Sarkozy, ne pas vouloir « surfer » sur les émotions collectives, ni se saisir de tous les événements ou faits divers pour apparaître sur le devant de la scène médiatique. Il estime manifestement que cette surexposition publique rend illisible l'action présidentielle, lui fait perdre de sa crédibilité et de sa cohérence.

La suite du quinquennat montrera s'il est possible pour lui de tenir sur cette position de principe. Le point d'équilibre est difficile à trouver dans nos démocraties d'opinion et d'émotion entre l'exigence de présence médiatique et la nécessité du recul sur les événements.

19 mai

Me voici à la Réunion, à Saint-Denis et au Tampon pour présider la première Diagonale des juristes, organisée par le professeur Mathieu Maisonneuve.

Pendant mon séjour, je prends un soin minutieux à ne pas rencontrer les élus de l'île, les législatives étant proches, Je suis là non pour faire de la politique et soutenir un clan, mais pour contribuer au rayonnement des juristes français de l'océan Indien.

Je ne manque pas cependant de rappeler l'amour que mon père portait à cette île française. Que d'émotion je ressens quand, tandis que je me promène dans les rues de Saint-Denis, des femmes et des hommes viennent respectueusement me saluer et me dire qu'ils n'ont pas oublié « papa Debré ».

7 juin

Lors d'une visite dans une école de l'Oise, François Hollande a précisé le sens qu'il veut donner à son ambition d'une présidence dite normale : « Une exemplarité. Pas simplement une simplicité. J'essaie d'être le plus proche possible des Français. »

Si je comprends le slogan politique, il comporte un risque : celui d'abaisser la fonction éminente qui est désormais la sienne. Elle impose une position publique qui ne peut être banale. Le président n'est plus un citoyen comme un autre. Il ne doit pas confondre simplicité et normalité.

Dès son entrée en fonction, comme il s'y était engagé lors de la campagne présidentielle, François Hollande a diminué son traitement de 30 %. Alors que Nicolas Sarkozy, cinq ans plus tôt, l'avait augmenté de manière significative. Il exige la même diminution de salaire pour le Premier ministre et les ministres.

Il choisit Jean-Marc Ayrault, député-maire socialiste de Nantes, pour prendre la tête d'un gouvernement de coalition de trente-quatre ministres. Quarante ans après l'union de la gauche qui avait permis à François Mitterrand de devenir en 1981 le premier président socialiste de la Vᵉ République, les communistes en 2012 ont refusé toute intégration dans ce gouvernement. Ils se souviennent que le Programme commun avait contribué à leur progressif déclin électoral au profit des socialistes et favorisé leur asphyxie politique.

L'équipe est essentiellement composée de socialistes, alliés à quelques radicaux de gauche et écologistes. François Hollande, qui n'avait pas encore dix-huit ans au moment de la signature du Programme commun, en 1972, n'a donc pu fédérer toute la gauche française.

Il n'a pas cherché, au demeurant, à composer un ministère qui déborde les frontières traditionnelles de la gauche parlementaire. Certains imaginaient que, face à la gravité de la situation économique nationale et européenne, il aurait pu tenter de former un gouvernement d'« union nationale » ou de « salut public ». En fait il lui aurait fallu du caractère et de la force politique pour se détacher des contraintes partisanes. Mais François Hollande m'apparaît avant tout comme un homme de parti. Nous verrons s'il a la capacité ou non de s'élever au-dessus des clans politiques. La fonction façonne son titulaire. Nous verrons.

Toujours dans le souci d'afficher une véritable rupture, le service de presse de la présidence de la République a publié, le 17 mai, une « charte de déontologie des membres du gouvernement » signée par chaque ministre, laissant entendre ainsi que le comportement de ceux de son prédécesseur n'aurait pas été totalement vertueux.

En choisissant d'effectuer sa première intervention télévisée le 29 mai dans le studio de France 2 ct non depuis son bureau de l'Élysée, François Hollande a voulu montrer, là encore, sa différence avec la pratique de Nicolas Sarkozy. C'est pour la même raison qu'il s'est engagé à ne pas nommer de hauts fonctionnaires qui soient des « intimes » ou des « obligés ». Cette mise en scène ou ces exigences réelles relèvent-elles d'une pure stratégie de communication politique ? Ou préfigurent-elles au contraire une méthode de gouvernement capable de résister à l'épreuve des faits et aux logiques du pouvoir ?

15 juin

Notre première rencontre, à l'Élysée en fin de matinée, dure un peu plus de trois quarts d'heure. Elle se déroule dans un climat chaleureux. François Hollande s'enquiert de la santé de Chirac, me confie l'estime qu'il lui porte, me précise qu'il l'a eu au téléphone et qu'il ira lui rendre visite. Il me dit combien il a été sensible aux signes de soutien donné par son entourage et chagriné par l'« ingratitude » de madame Chirac.

Son antisarkozysme transparaît à tout instant dans notre entretien. « Tu n'es pas revenu ici depuis quand ? » me demande-t-il d'emblée. Il doit penser, sachant ce qu'il en était de mes relations avec son prédécesseur, que je n'ai pas dû beaucoup fréquenter ce palais au cours des dernières années.

Je lui fais part des remarques du Conseil sur l'élection présidentielle. Concernant la question des parrainages, je lui indique que le système en vigueur ne m'apparaît pas le plus mauvais. Il a permis à dix candidats de se présenter et à des représentants des principaux courants d'opinion de participer à l'élection. Je lui fais remarquer que tout autre système, notamment une présentation par plusieurs milliers de Français, permettrait à des régionalistes ou des corporatistes et à des démagogues de tout poil d'être candidats, ce qui serait une mauvaise chose pour la France et son unité.

François Hollande me confirme qu'il souhaite instaurer une dose de proportionnelle pour les élections législatives. Face à mes craintes, il me précise que ce sera une « petite » dose.

Il est d'accord avec moi pour ne rien changer à la composition actuelle du Conseil constitutionnel. Simplement il se demande s'il ne faudrait pas « sortir les anciens présidents de la République ». Je lui réponds que je n'y suis pas hostile, bien au contraire. Et j'ajoute : « Ils ne jouent aucun rôle, n'ont aucune influence. »

Jacques Chirac n'y vient plus pour raisons de santé. En 2011, Valéry Giscard d'Estaing n'a participé qu'à treize séances sur cent cinquante. Nicolas Sarkozy ne pourra siéger pour les lois promulguées lors de son quinquennat et naturellement pour les lois votées lors du mandat de son successeur qui l'a battu. Son rôle s'en trouvera par conséquent très restreint.

Je lui dis préférer néanmoins qu'une telle mesure s'applique plus tard, sous peine d'apparaître comme une mauvaise manière vis-à-vis de Sarkozy. Bien que j'aie plaidé auprès de ce dernier dans le même sens lorsqu'il préparait sa propre réforme constitutionnelle...

J'explique sans fard à François Hollande que moins on touchera au Conseil et mieux cela sera si l'on veut éviter au gouvernement d'être débordé par des propositions qui rouvriraient une guerre avec la Cour de cassation et le Conseil d'État et provoqueraient une nouvelle agitation dans le monde judiciaire. Il me répond ne pas vouloir modifier la Constitution pour y inscrire les prescriptions du Pacte budgétaire européen signé par Nicolas Sarkozy sur la stabilité, la coordination et la gouvernance au sein de l'Union économique et monétaire.

17 juin

La campagne pour les élections législatives est terminée. Ses résultats ont été en tous points identiques à ceux qui, depuis l'avènement du quinquennat en 2000, ont suivi chaque élection présidentielle.

Les arguments échangés par les camps adverses sont toujours semblables eux aussi : essentiellement ceux de la cohérence politique ou de la peur d'un pouvoir trop fort. On a entendu en 2012 le même slogan qu'en 2007 : la nécessité de donner au nouveau président une majorité pour réaliser les réformes promises.

Ces premières élections de la présidence de Hollande marquent un profond renouvellement de l'Assemblée nationale. Quarante pour cent des cinq cent soixante-dix-sept députés sont de nouveaux élus. L'hémicycle du Palais-Bourbon n'aura jamais été autant féminisé : cent cinquante-cinq femmes, dont cent trois socialistes ou de gauche, y siègent. Elles représentent un quart du total des députés. La nouvelle Assemblée est notablement rajeunie.

François Hollande, qui dispose à l'Assemblée de la majorité absolue, peut compter également sur une majorité fidèle au Sénat. À Matignon, il a placé un de ses proches comme Premier ministre et contrôle ainsi tous les pouvoirs de l'État. Comme le parti socialiste domine aussi la quasi-totalité des exécutifs régionaux et une grande partie de ceux des départements, rarement dans le passé un président de la République aura concentré autant de puissance politique.

Les séquences électorales terminées, celles des installations présidentielles, ministérielles et parlementaires étant réglées, le temps est venu pour François Hollande, son gouvernement et sa majorité parlementaire de la confrontation des promesses électorales avec les exigences économiques ou les impératifs européens, mais aussi celui de l'action nationale face à la crise économique et sociale.

Le nouveau président, comme ceux qui l'accompagneront dans l'exercice du pouvoir, va se rendre compte qu'il est plus aisé d'être dans l'opposition, de critiquer ou de dénoncer, que d'assumer les responsabilités de l'État. Les difficultés sont là. D'autant plus que la crise que traverse la France est plus profonde que les nouveaux dirigeants ne l'estiment et que les Français eux-mêmes ne le croient. Un changement de majorité et même de politique n'induit pas automatiquement une sortie de crise.

L'impression que François Hollande donnera de lui, de son style, de sa personnalité, de sa façon d'exercer les responsabilités suprêmes durant les premiers mois qui viennent, si ce n'est les premières semaines, est politiquement importante pour la crédibilité de la nouvelle majorité. Et la sienne en particulier.

19 juin

Nicolas Sarkozy siège pour la première fois lors d'une audience publique.

Les déclarations, comme souvent déplacées, de son fidèle « porte-flingue », Brice Hortefeux, caricature du politicien intellectuellement malveillant, laissent entendre que son chef compte prendre en main le Conseil, en réalité m'écarter.

J'accueille Nicolas Sarkozy à l'entrée du Conseil, le conduis à son bureau, comme je l'avais fait quand Jacques Chirac était venu pour siéger la première fois. Il me montre le tableau de Soulages accroché au mur à sa demande. Cette œuvre « m'a toujours accompagné », me dit-il. Nous admirons le tapis de Zao Wou-Ki.

Nous passons dans mon bureau prendre un café et bavarder en attendant le début de nos travaux.

Conversation courtoise et même chaleureuse. Il me dit son intention de venir régulièrement au Conseil, de ne pas prendre parti dans la guerre que se livrent déjà ses anciens ministres pour s'assurer du contrôle de l'UMP – et son souhait de repartir en vacances.

Je lui demande s'il envisage d'écrire ses Mémoires. Il me répond que ce n'est pas son intention, et en tout cas qu'il « ne fera pas comme Chirac qui les a donnés à rédiger ».

J'ai du mal à comprendre cette obsession chez lui à critiquer son prédécesseur et à vouloir faire apparaître ses douze années à l'Élysée comme du temps perdu pour la France. Hargne vengeresse, rancune inexpiable qui tiennent peut-être aux blessures jamais cicatrisées de l'échec de Balladur et donc du sien en 1995...

Il m'indique aussi que les déclarations de certains de ses amis selon lesquelles il se servirait du Conseil pour partir en guerre contre son successeur sont absurdes.

Après que je lui ai, pour la forme, présenté les autres membres du Conseil, qu'il connaît déjà, il écoute en silence pendant le temps de l'audience les plaidoiries des avocats tout en griffonnant quelque chose sur un papier qu'il finit par déchirer.

En le raccompagnant à la porte du Conseil, je pense à son destin politique. Il a tant voulu être président de la République, il a construit toute sa vie politique dans ce sens, il a tissé un réseau de fidèles, évincé tous ses rivaux, dénigré Chirac sans relâche alors même qu'il était son ministre, et le voici après cinq ans seulement de pouvoir renvoyé par les Français. Il ne peut l'accepter ni le comprendre. Certes il rappelle avoir fait un bon score pour un président sortant « alors que tout le monde était contre [lui] », mais il ne peut pas ne pas nourrir un espoir de revanche.

À son âge et après un tel parcours, peut-il demeurer en dehors de la vie politique, se contenter d'être avocat ou de siéger au Conseil constitutionnel comme un président déjà retraité ou sorti du jeu ?

Il a une telle conviction que François Hollande et les socialistes seront incapables de diriger la France qu'il sera forcément tenté de se croire irremplaçable. Mais pourra-t-il revenir ? Je ne le sais pas. Il est probable en tout cas que le spectacle de la lutte de succession que se livrent François Fillon et Jean-François Copé et quelques autres l'incite à retrouver l'arène politique pour rassembler la droite et briguer un nouveau mandat présidentiel.

Ce serait une belle leçon donnée à celles et ceux qui l'ont déjà relégué au rang des hommes du passé et ont commencé sans plus attendre à s'éloigner de lui.

Au milieu du grand escalier, il s'arrête et me dit : « J'ai vu Bernadette, elle est furieuse contre ta décision de ne plus rémunérer Chirac. Tu devrais lui rétablir son traitement. Il suffit que tu lui montres le projet de la décision en allant à son bureau, avant de délibérer et de dire après qu'il a participé à la séance. » Je lui réponds : « Impossible, le délibéré est collectif et pris par les membres présents. Je ne peux accepter cette façon de faire. Chirac a déclaré lors de son procès qu'il n'était pas en état de comparaître ni de répondre aux questions du tribunal. Comment, quand tout est terminé, pourrait-il revenir juger les autres ? Ce serait impensable. Il ne peut plus venir siéger, par conséquent il n'est plus payé. Je ne changerai pas de position. Je l'ai prise avec son accord et dans son intérêt. »

9 juillet

François Hollande me téléphone pour me dire qu'il annoncera le 14 juillet la saisine du Conseil sur le traité européen. Il me redit son souhait que la modification de la Constitution ne soit pas un préalable à sa ratification. Il espère que ce sera aussi notre position.

Je lui laisse entendre qu'une telle solution va être difficile à adopter. En fait, je ne veux pas lui avouer que tout le monde ou presque au Conseil partage son souhait. C'est un secret qu'il n'a pas à connaître. Avant de raccrocher, il m'informe qu'il annoncera aussi sa décision de confier à Lionel Jospin une mission sur la refonte de nos institutions, mais que celle-ci ne concernera pas le Conseil. Je l'en remercie.

15 juillet

Pendant sa campagne électorale, François Hollande a affirmé qu'il entendait rénover le dialogue social, moraliser la vie politique, réformer le statut pénal du chef de l'État, porter à dix ans l'inéligibilité des élus condamnés pour faits de corruption. Ces « réformes phares » devaient tout de suite marquer l'avènement de la « République exemplaire » qu'il appelait de ses vœux. Il avait aussi annoncé une réforme du mode de scrutin pour les élections législatives afin d'y introduire une dose de représentation proportionnelle, la fin du cumul de mandats pour les parlementaires…

S'agissant du dialogue social, une grande conférence a eu lieu au Conseil économique et social les 9 et 10 juillet, où syndicats et patronat ont pu, en présence des membres du gouvernement, se rencontrer. Il en est surtout résulté des images pour la télévision et la constitution de dix commissions, groupes de travail, comités de pilotage !

Quant aux projets de réforme des institutions et du statut des parlementaires, certes Hollande a imposé à ses ministres une charte de déontologie et les a obligés à démissionner de leur mandat de maire, mais dans son allocution du 14 Juillet, il a surtout révélé qu'il confiait à l'ancien Premier ministre Lionel Jospin la présidence d'une commission. « Si vous voulez enterrer un problème, nommez une commission », recommandait Clemenceau, et de Gaulle renchérissait en affirmant que l'essentiel « n'est pas de savoir ce que pensent le comité Gustave, le comité Théodule ou le comité Hippolyte » mais ce qui est « utile au peuple français ».

En ce début de quinquennat, François Hollande apparaît comme frappé du symptôme qui atteint souvent les responsables politiques :

celui, pour éviter de trancher entre des tendances opposées, de la « commissionnite ». Elle consiste à gagner du temps pour se protéger et éviter de porter la responsabilité d'une décision tout en montrant que l'on agit. Faire croire, semer l'illusion est hélas une tactique bien connue.

Pourtant tout a été écrit sur le statut pénal du chef de l'État, la modification du mode de scrutin pour les parlementaires. Les propositions sont multiples… Il ne s'agit plus que de rédiger un projet de loi et de décider.

En visite dans la région parisienne, à Rueil-Malmaison dans un centre d'accueil pour personnes en fin de vie, Hollande n'hésite pas à relancer le débat sur l'euthanasie et à annoncer là encore la création d'une « mission » qui devra réfléchir à cette délicate question. Pourtant des propositions de lois existent sur ce sujet et lui-même n'avait-il pas proposé d'établir pendant la campagne électorale, sous certaines conditions, une « assistance médicalisée pour terminer sa vie dans la dignité » ?

Pour François Hollande qui voudrait tant être l'homme du « changement », comme il l'a promis, c'est une période difficile qui s'ouvre. Depuis qu'il a accédé à l'Élysée, licenciements, plans sociaux et fermetures d'entreprises se multiplient. On vient d'enregistrer le quatorzième mois de hausse pour le nombre de demandeurs d'emploi. Avec 2 045 800 personnes inscrites au chômage, c'est un niveau jamais enregistré depuis 1999. Le président et ses ministres ont beau accuser le précédent gouvernement d'avoir tout fait pour qu'il en soit ainsi, ils sont désormais seuls responsables des affaires de l'État. Lui et son gouvernement doivent trouver des solutions pour éviter de subir une crise sociale et être tenus pour responsables de la hausse du chômage. Cela est d'autant plus difficile que la réalité des finances publiques semble plus grave que prévu, l'héritage de Sarkozy plus catastrophique qu'annoncé.

Les projets de réforme de la fiscalité, qui se concrétisent dans la loi de finances rectificative et se préciseront encore plus à l'automne avec le budget, vont à l'évidence ouvrir une période de tensions entre le pouvoir et le Conseil. Ceux qui hier saluaient notre indépendance et notre courage quand nous censurions des lois voulues par le pouvoir auront à l'évidence tendance à fustiger ce « Conseil de droite » qui empêche la gauche de mettre en œuvre ses propres projets. Ils contesteront notre légitimité, proposeront une modification du mode de désignation de ses membres. Refrain bien connu...

C'est en début de mandat que se scelle une image politique. Sarkozy en faisant adopter la loi du 21 août 2007 dite loi TEPA (loi sur le travail, l'emploi et le pouvoir d'achat), en d'autres termes le bouclier fiscal, n'a pas pu empêcher d'être taxé de « président des riches » et cette étiquette n'a cessé par la suite de lui coller à la peau. Hollande, en décidant d'une contribution exceptionnelle que devront acquitter les ménages les plus fortunés, en alourdissant l'impôt sur les grandes fortunes, les droits de succession..., ne risque pas en tout cas d'être désigné comme le président des plus fortunés.

Le Conseil constitutionnel sera forcément contraint de mettre une ligne jaune à ne pas dépasser pour éviter l'injustice fiscale. Trop d'impôts finit par tuer l'impôt et peut s'avérer économiquement préjudiciable. Certes le Conseil n'a pas le même pouvoir d'appréciation que le Parlement, nous le rappelons assez souvent dans nos décisions, mais la fiscalité doit être le plus possible juste et ne pas devenir un instrument de haine sociale. C'est notre rôle d'y veiller.

19 juillet

Jean-Marc Ayrault me demande en fin de matinée quand le Conseil statuera sur le Pacte européen. Je lui réponds avant la mi-août, puisque nous avons un mois pour nous prononcer. Je ne lui donne aucune date précise. Il m'interroge sur le sens probable de notre décision. Je lui indique que je l'ignore, que cela dépendra de l'audition du secrétaire général du gouvernement et du directeur des affaires juridiques de l'Union européenne que nous devons entendre prochainement. Je lui recommande d'éviter toute intervention auprès des membres. Il m'assure que telle n'est pas son intention.

Je perçois l'inquiétude du Premier ministre. J'ai toujours apprécié à l'Assemblée sa loyauté à mon égard. J'éprouve de la sympathie pour lui.

La question qui le préoccupe et que je devine, même s'il ne me l'avoue pas, est de savoir comment éviter une révision de la Constitution comme préalable à la ratification du traité signé par Nicolas Sarkozy.

Si le Conseil décide qu'une telle révision n'est pas nécessaire, le traité sera naturellement ratifié. La gauche se divisera probablement, mais ce sera sur une simple loi organique et non sur une réforme constitutionnelle. Ce sera moins visible politiquement. Et le gouvernement socialiste pourra faire remarquer que lui, à la différence du précédent, n'a pas cédé à la chancelière allemande.

Ce 19 juillet, c'est Nicolas Sarkozy qui m'appelle à son tour en fin de journée. Il me précise qu'ayant signé le Pacte, il est évident qu'il ne pourra pas siéger au Conseil pour en débattre. J'approuve sa position. Il me demande mon sentiment sur ce que nous allons décider. Je lui précise que rien n'est fait, mais qu'il sera probablement admis qu'une référence au traité dans la loi organique sera suffisante.

« Cela ne fera pas plaisir à Merkel et Hollande sera satisfait, me dit-il. Mais peu importe, plus fondamental pour le Conseil sera, lors de l'examen de la loi de finances rectificative et de la loi de finances pour 2013, de ne pas laisser passer ce qui se prépare au niveau de la fiscalité. C'est à ce moment-là que le Conseil devra apparaître comme le défenseur des libertés. Sinon, les contribuables finiront par se révolter. »

Quand on est au pouvoir, il est toujours difficile d'admettre que le contrôle exercé par le Conseil puisse contrecarrer la volonté du politique. Dans l'opposition c'est naturellement le sentiment inverse. Il est bien vu que le Conseil s'oppose aux projets gouvernementaux. Ce qu'il ne supportait pas hier quand il était président de la République, Nicolas Sarkozy l'admet, le préconise, le recommande et même le réclame avec force aujourd'hui. Éternelle loi de la politique.

23 juillet

Pour préparer notre décision sur le Pacte européen le Conseil auditionne le secrétaire général du gouvernement. Il est flanqué d'une importante délégation qui comprend notamment le représentant permanent de la France auprès de l'Union européenne, le directeur général du Trésor et celui du Budget. Les voici plaidant devant nous afin que l'inscription dans notre Constitution des dispositions du traité ne soit pas rendue obligatoire. Je pense qu'il n'y a pas longtemps, ils devaient défendre la thèse inverse. Ainsi évoluent les certitudes des hauts fonctionnaires en cas d'alternance politique. Le moins qu'on puisse dire est que certaines de leurs affirmations me semblent manquer de conviction.

10 août

Après notre séance d'hier, où nous avons estimé que le Pacte pouvait être adopté sans réforme préalable de la Constitution, nous voici taxés par la droite d'avoir rendu une décision essentiellement politique. Les socialistes dans leur majorité se réjouissent et nous félicitent, alors que dans l'opposition ils auraient eu une réaction évidemment contraire. Les uns et les autres oublient ou feignent d'oublier que nous avons fondé nos conclusions sur un examen juridique et rien d'autre. En lisant les déclarations de plusieurs dirigeants politiques, je me rends compte qu'ils n'ont pas lu notre décision, ni pour certains le traité lui-même.

Nous jugeons aussi la loi de finances rectificative. Nous rendons une décision importante pour l'avenir, qui m'apparaît comme une mise en garde adressée au gouvernement. L'impôt, au terme de la Déclaration des droits de l'homme et du citoyen, est une contribution aux charges de l'État. Si les sommes exigées à ce titre dépassent un certain niveau, on ne peut plus parler de contribution, mais de confiscation. Pour calculer si l'impôt est confiscatoire, notre rôle est de regarder la somme des prélèvements demandés au contribuable. Nous sommes tenus dès lors de dire que l'absence de plafonnement est inconstitutionnelle.

6 septembre

Difficile rentrée pour Hollande. L'été n'a pas été bon pour son image. Nombre d'éditorialistes qui l'avaient encensé au moment de l'élection présidentielle pour mieux détruire Sarkozy se déchaînent maintenant contre lui.

Les principaux meneurs de la presse française sont ainsi fabriqués qu'ils sont toujours maîtres dans l'art de la démolition du pouvoir quel qu'il soit. Ils sont systématiquement pour tout ce qui est contre et contre tout ce qui est pour.

Il faut reconnaître que le spectacle affligeant et peu professionnel donné par certains ministres n'est pas fait pour renforcer l'impression de compétence et de solidarité gouvernementales. Gouverner ne s'improvise pas. L'État n'est pas une officine du parti socialiste. Pourquoi Ayrault ou Hollande ne font-ils pas preuve de plus d'autorité ?

Je reçois Lionel Jospin. Missionné par François Hollande pour réfléchir à des réformes institutionnelles visant à moraliser la vie politique, il vient m'interroger.

Un article publié par *Le Monde* quelques jours auparavant relatant une visite du président de la République à Châlons-en-Champagne indique qu'une femme a crié au passage du chef de l'État : « Surtout, ne nous faites pas regretter le 6 mai. »

En écoutant Jospin évoquer la mission du groupe qu'il dirige, je me dis que cette femme a probablement raison. En quatre mois, il ne s'est pas passé grand-chose, alors que l'attente des Français était forte, même s'ils voulaient d'abord tourner la page sarkozyste. Pourquoi les socialistes, durant toutes les années qu'ils ont passées dans l'opposition, n'ont-ils pas davantage réfléchi aux questions qu'ils ont aujourd'hui en charge de régler ?

« Il faut donner du temps au temps », répétait Jacques Chirac au début de son premier septennat en reprenant une formule bien connue de François Mitterrand. À chaque fois cette formule m'agaçait. Le temps politique obéit à un rythme rapide. Hollande semble reprendre cette idée qu'il est nécessaire d'attendre que les réformes mûrissent pour les décider ou les imposer. Le temps en politique est pourtant compté, les états de grâce ne durent pas et en France nous sommes désormais en campagne électorale permanente, de municipales en cantonales, de régionales en sénatoriales, à un rythme qui freine ou paralyse toute possibilité de réformes.

En 1958, le gouvernement du général de Gaulle n'a pas perdu une minute pour imposer une nouvelle Constitution et promulguer de nombreuses réformes administratives édictées par voie d'ordonnances. Le gouvernement en 1959 a su profondément et rapidement réformer nos structures. On n'a jamais fait mieux depuis.

Mitterrand, fin politique, avait d'abord bien compris lui aussi qu'il devait aller vite. En 1981, quatre mois après son arrivée au pouvoir, l'Assemblée nationale avait déjà voté les lois sur la décentralisation et s'apprêtait à abolir la peine de mort. Le gouvernement Mauroy avait augmenté le SMIC de 10 %, créé des milliers d'emplois publics, élaboré un plan d'insertion professionnelle pour les jeunes et les femmes, relancé la construction de logements… Le Conseil des ministres du 26 août 1981 avait arrêté un plan de nationalisation, une loi sur les radios libres et le futur statut de la Corse, décidé d'un impôt sur les grandes fortunes, adopté un texte sur l'abaissement de l'âge de la retraite… Bref, il avait agi, avant de prendre son temps jusqu'à l'inertie dans les années suivantes.

Avec Hollande, il y a bien eu une session parlementaire mais elle a été décevante. Pendant tout l'été nous avons eu droit à la démonstration d'une incapacité flagrante de certains ministres à éviter les chamailleries entre membres du gouvernement. Le Premier ministre a donné l'image d'une impuissance à imposer le simple principe de solidarité ministérielle. Les socialistes ont du mal à oublier qu'ils ne sont plus dans l'opposition. Même si la conjoncture politique en 2012 ne peut être comparée à celles de 1959 ou de 1981, que de temps inutilement gâché !

Me voilà donc face à Lionel Jospin que j'ai combattu lorsque j'étais président du groupe RPR à l'Assemblée nationale et naturellement pas ménagé lors de l'élection présidentielle de 1995, puis 2002. Mais j'ai de l'estime pour lui. À la différence d'autres, à droite comme à gauche, il a des convictions.

Nous évoquons les réformes à apporter à la procédure de parrainage des candidats à l'élection présidentielle, à la campagne audiovisuelle, au contrôle des financements, à la règle du cumul entre fonction parlementaire et mandats locaux.

Lorsqu'en 2001 Chirac, fortement poussé en ce sens par Juppé et Villepin, voulait passer du septennat au quinquennat, je lui avais fait part de mes doutes sur l'intérêt d'une telle réforme. Il m'avait rétorqué que c'était une idée moderne qui allait dans le sens de la rénovation de nos institutions. Il n'était pas arrivé à me convaincre.

La règle du non-cumul procède de la même idée. Cela fait « moderne » d'interdire la détention de plusieurs « mandats ». Les théoriciens imaginent qu'une telle réforme suffira à rénover notre vie politique, à restituer au Parlement un rôle primordial. Je suis persuadé du contraire.

Cette règle n'annonce ni plus ni moins que le retour de la proportionnelle pour l'élection des députés.

Jospin est, à l'évidence, partisan du non-cumul. J'insiste sur la difficulté d'édicter des règles différentes pour les députés et les sénateurs. Certains prônent, le Sénat étant le grand conseil des communes de France, que les sénateurs puissent rester à la tête de leur mairie ou de leur département. Mais c'est oublier que les parlementaires sont tous régis par le même statut. Par ailleurs, si un député ou un sénateur ne peut être que parlementaire, comment justifier qu'ils puissent cumuler leur mandat et leur métier ? Cette règle du non-cumul a été imaginée pour lutter contre l'absentéisme. Ne serait-il pas plus utile de réfléchir à la manière de moins légiférer, revoir les règles du fonctionnement du Parlement et peut-être même limiter le nombre de députés ?

22 septembre

Brève plongée dans un monde que je ne connais pas : celui de la franc-maçonnerie. J'ai été convié par le grand maître de la grande Loge de France à présider, en compagnie de Régis Debray, le dîner annuel de cette obédience. J'ai hésité à accepter cette invitation inhabituelle. Je ne suis pas franc-maçon, mais le goût de la découverte a eu raison de mes hésitations.

Me voici rue de Puteaux, dans le 17e arrondissement, discourant devant un auditoire au sein duquel j'ai reconnu, surprise, des visages familiers et amis. J'ai choisi comme thème : « Le Conseil constitutionnel et la défense des libertés ». Je rappelle qu'il n'y a pas de nation sans « un rêve d'avenir partagé » et celui-ci ne peut devenir une réalité que si règnent la liberté et l'égalité pour permettre la fraternité.

« La petite dernière de la République », comme la qualifie Régis Debray, la « fraternité », est venue tardivement, en 1848, compléter dans notre devise républicaine les mots de « liberté » et d'« égalité » issus de la Déclaration des droits de l'homme et du citoyen de 1789.

Quand la « fraternité » s'efface ou disparaît, cela donne le second Empire avec « Liberté, ordre public » ou le régime de Vichy avec « Travail, famille, patrie ».

La République de 1848, que l'on évoque trop peu, a en quatre ans promu le suffrage universel masculin, aboli l'esclavage, supprimé la peine de mort pour les crimes politiques, proclamé le droit au travail et introduit la fraternité dans notre devise. Un bilan que beaucoup de nos dirigeants actuels pourraient lui envier.

25 septembre

Pour la séance de 9 h 30, Nicolas Sarkozy arrive une demi-heure en avance. Nous prenons un café dans mon bureau. Je lui demande s'il a l'intention de voyager, de faire des conférences. Il me répond qu'il a prévu d'aller à New York, puis de rencontrer Lula « qui est un ami » et de se rendre ensuite à Moscou pour voir Poutine… Il ajoute : « Dans quinze jours Hollande ne pourra plus sortir en France. Quel spectacle il donne. » Et, en me regardant, il dit : « J'espère au moins que Chirac regrette ce qu'il a fait pour lui. Tout cela est dramatique, les Français en ont déjà assez de Hollande. La colère gronde, ils vont se révolter contre ce matraquage fiscal. Tu t'en rends compte au moins ? » Puis, sans me laisser le temps de répondre, il me parle du *Monde* qui vient de lui consacrer un supplément. « *Le Monde* ne m'a jamais supporté, il m'a toujours combattu. Et ça continue. »

27 septembre

Venu prendre part à nos délibérations, Nicolas Sarkozy, comme à son habitude, débarque avant tout le monde. Je lui demande comment il voit la situation de la France. Je n'ai pas besoin d'insister tant il a envie d'en parler – et de m'en parler.

« Ça va très mal, déclare-t-il, et Hollande est mal parti. Les mouvements sociaux, moi, ils ne me faisaient pas peur. Les syndicats savaient que je ne céderais pas. Ce n'étaient pas des moments faciles mais tout le monde savait que je ne changerais pas de position, on l'a bien vu pour les retraites. Hollande, lui, cédera, plus il cédera et plus il se trouvera dans une situation impossible. D'ailleurs il est obligé de céder à ceux qui manifestent puisque c'est son électorat. Il en est prisonnier. »

Il continue, sans me laisser le temps de m'exprimer, sur la politique européenne.

« L'Europe n'existe plus, affirme-t-il de manière péremptoire. Quand j'étais là, on ironisait sur une bonne entente avec la chancelière en parlant de "Merkozy". Mais Merkel et moi nous dirigions l'Europe. Ça n'a pas toujours été facile avec elle, mais nous avons fini par nous entendre et nous imposions nos décisions. Ça rassurait les marchés. L'Allemagne seule fait peur, la France seule ne fait plus peur, l'alliance de la France et de l'Allemagne inspire le respect. Hollande ne l'a pas compris et donc plus personne ne fixe de cap à l'Europe. J'ai eu Merkel au téléphone, elle est affligée par Hollande.

— Chercheras-tu à revenir au pouvoir ?

— Je ne veux plus faire de politique, c'est fini, je l'ai dit à Carla. J'ai une fille. Je veux faire autre chose… J'ai eu beaucoup de chance, c'est terminé…

— Tu seras peut-être obligé de revenir, lui dis-je un peu pour le provoquer. Le spectacle donné par l'UMP est pathétique, la droite est en décomposition…

— Nous en avons parlé hier soir avec Carla. Peut-être malgré moi, dans deux ou trois ans, mais je n'ai pas envie. Ceci dit, je ne me déroberais pas. Les Français auront besoin d'une politique volontariste. Le Front national, si ça continue, sera devant l'UMP. Fillon n'est pas un chef… »

Je ne sais s'il en a vraiment parlé à sa femme, mais je reste persuadé qu'il a en réalité très envie de briguer un nouveau mandat à l'Élysée. Il est bien trop orgueilleux pour accepter de quitter la politique sur un échec. Plus il m'affirme que la politique « c'est terminé » et moins je le crois. C'est évident qu'il ne rêve que de prendre sa revanche…

« Pourquoi n'avoir pas changé de Premier ministre et avoir gardé cinq ans Fillon ?

— Pour le remplacer par qui ? Fillon à Matignon ne me gênait pas, il n'est pas capable de courage. De toute façon avec le quinquennat, le Premier ministre n'existe plus…

— Alliot-Marie ?

— Impossible, elle est nulle.

— Baroin ?

— C'était pas imaginable.

— Borloo ?

— Tu me voyais avec Borloo ? Je l'aime bien, mais il est dingue.

— Chatel ?

— Il est transparent… Et puis il avait des problèmes personnels…

— Tu aurais pu prendre Bruno Le Maire ? Il est intelligent, il fut un bon ministre de l'Agriculture…

— Il a été loyal à mon égard, c'est vrai. Mais il est trop jeune, il n'a pas assez d'expérience et je me serais mis à dos les centristes, Fillon aurait joué contre moi… Il en aurait profité pour me compliquer les choses et ça n'aurait pas été bon pour moi. À Matignon, tous les matins, il avait des états d'âme, ça m'a fait perdre du temps. Mais ce n'était pas grave… J'ai préféré le garder. »

Il marque un temps d'arrêt, ne peut pas s'empêcher d'envoyer une flèche contre Chirac : « Si je l'ai combattu, c'est qu'en dehors de Juppé, il ne voulait personne d'autre. C'était mon problème et celui de Séguin, alors je me suis opposé à lui. » Je ne comprends pas très bien ce que Chirac vient faire dans ce raisonnement. Malheureusement notre dialogue s'arrête là, nous devons aller travailler.

Je demeure convaincu que l'une des erreurs de Nicolas Sarkozy fut de ne pas changer de Premier ministre. Nommer un nouveau chef du gouvernement lui aurait permis de solder les fautes commises lors de la première partie de son mandat, de modifier ses équipes, de se relancer politiquement.

23 octobre

Nicolas Sarkozy nous fait savoir par lettre son « intention de reprendre à compter du 1er novembre » son activité d'avocat. En conséquence et conformément aux dispositions prévues, ses indemnités sont réduites de moitié à compter de cette date.

Situation unique : trois anciens présidents de la République sont désormais membres de droit du Conseil. Ils n'auront cependant jamais siégé ensemble.

Dommage : les avoir tous réunis autour de la même table aurait été certainement cocasse. J'ai eu le privilège d'avoir Giscard à ma droite et Chirac à ma gauche, ce fut une expérience. Ils s'appréciaient tout autant que Coty et Auriol qui siégèrent ensemble dans les premières années du Conseil.

Je passe ma soirée à relire le recueil des « grandes délibérations du Conseil ». Vincent Auriol et René Coty y figuraient, en tant qu'anciens présidents de la République, et donc membres de droit. Je suis curieux de savoir quels furent leurs rôles et leurs relations.

René Coty suivait les séances avec attention, il y intervint souvent et longuement. Il n'oubliait pas qu'il avait été avocat. À plusieurs reprises, il affirma que la nouvelle Constitution était « un chef-d'œuvre de précision et de clarté ». Mais il se transforma parfois en procureur, contestant le recours au référendum en 1962 pour réviser cette même Constitution. Parlementaire dans l'âme, il se méfiait de l'évolution institutionnelle de la Ve République. Il s'est toujours opposé à ce que le Conseil devienne une Cour constitutionnelle, changement qu'il jugeait incompatible avec la démocratie.

Vincent Auriol, à la différence de son successeur à l'Élysée, se montrait beaucoup plus politique, se servant du Conseil pour s'opposer au régime et à la politique du général de Gaulle. En désaccord avec ses collègues, il décida, le 25 mai 1960, à défaut de pouvoir démissionner, de ne plus siéger. Mais il revint au Conseil en novembre 1962 afin d'apporter son aide à ceux qui s'efforçaient de déclarer inconstitutionnel le recours au référendum pour l'élection du président de la République au suffrage universel.

24 octobre

La loi sur le logement permet de constater une nouvelle fois combien le gouvernement se montre peu expérimenté. Le Premier ministre annonce que le Conseil a annulé cette loi avant même qu'il ait statué. En fin de matinée Jean-Marc Ayrault m'appelle pour reconnaître qu'il a fait « une boulette ». On ne lui aurait pas dit que nous n'avions pas encore délibéré. Depuis Édith Cresson on n'avait pas assisté à des dysfonctionnements gouvernementaux aussi navrants. Ayrault, comme pour s'excuser, me demande s'il ne serait pas nécessaire, dans ces conditions, qu'il invite à déjeuner les membres du Conseil. Je lui réponds que sur le principe, je n'y vois aucun inconvénient, mais que rien ne presse. En tout cas pas avant la fin de nos travaux sur la loi de finances.

27 octobre

À Westhoffen pour inaugurer la bibliothèque municipale et la nouvelle école primaire. Le maire Pierre Geist, qui m'a invité à revenir sur la terre de mes ancêtres, me fait à cette occasion citoyen d'honneur de la commune. Moi qui n'aime pas les distinctions, j'accepte celle-ci parce qu'elle est sans médaille. Et que rien ne pouvait me faire plus plaisir.

Je profite du déjeuner avec les élus pour leur dire ce que je pense du prochain référendum qui doit décider de la fusion du Haut-Rhin et du Bas-Rhin au sein d'une même région. J'y vois l'amorce d'un retour aux féodalités de l'Ancien Régime.

20 novembre

Nicolas Sarkozy commentant devant moi l'échec de François Fillon pour la présidence de l'UMP : « Fillon a perdu à cause de lui seul, il n'a pas fait campagne et en plus il s'est démarqué de moi. Ton frère a été égal à lui-même : dire qu'il fallait tourner la page du sarkozysme alors que les militants n'ont jamais été aussi sarkozystes, c'était d'une maladresse effrayante. Nous sommes habitués avec lui à ce genre de retournement. Lorsqu'il voulait devenir mon ministre il était moins critique à mon égard. Tu verras qu'il sera battu à la mairie du 17ᵉ. Même si je ne me fais aucune illusion sur la sincérité de son sarkozysme, poursuit-il, Copé a été plus habile et intelligent que Fillon. C'est la raison pour laquelle mon fils Jean l'a soutenu. Fillon n'avait rien à dire, il a fait du Hollande. »

L'échange que nous avons eu a été rapide, d'autant que je n'ai pratiquement rien dit. Comme toujours, lui seul a parlé. Lorsque je le raccompagne, il ajoute :

« Je me tiens éloigné de tout ça, mais on m'y replonge malgré moi. »

Déjeuner avec Manuel Valls, le ministre de l'Intérieur. Je veux lui dire combien les propositions du rapport Jospin m'inquiètent. Modifier comme il le préconise le nombre et la qualité de présentateurs à l'élection présidentielle, c'est s'engouffrer dans une voie absurde qui peut permettre à n'importe qui de se présenter à l'élection présidentielle. Au surplus le Conseil n'aura plus les moyens de vérifier la réalité de ces présentations.

Il me répond qu'il partage mon opinion et a le sentiment que c'est également ce que pense François Hollande.

Je lui indique aussi que je suis hostile aux incompatibilités entre le mandat parlementaire et des fonctions municipales, cantonales ou régionales.

Enfin je le mets en garde contre le risque d'accroître les divisions s'il est décidé que les étrangers pourront voter aux élections. « La question n'est plus d'actualité, tranche-t-il. Le président est sur cette position qui est aussi la mienne. »

Je ne lui cache pas à quel point je suis effaré de l'amateurisme de certains ministres et de leurs collaborateurs. Valls me répond que « dix ans d'opposition c'est long », que son parti « attendait un autre candidat en s'en remettant par avance à celui-ci ». Il ajoute : « Nous n'avons pas assez travaillé. Les débuts de Hollande n'ont pas été bons, après Sarkozy il convenait certes de donner une autre image, non celle d'un président en train de se baigner tranquillement à Brégançon. Mais cela va mieux maintenant. »

Il me parle enfin de son ministère qu'il a trouvé désorganisé. Les policiers ont le sentiment d'avoir été lâchés par Sarkozy, qui s'est empressé d'oublier ses promesses vis-à-vis d'eux lorsqu'il est devenu président de la République.

Après le déjeuner, je rejoins Jacques Chirac aux obsèques de Maurice Ulrich. La mort de celui qui a toujours été auprès de lui un ami et collaborateur, écouté et reconnu pour la sagesse de ses réflexions et de ses conseils, l'a profondément bouleversé. Maurice faisait partie du petit nombre de ceux qui après son départ de l'Élysée ne l'ont jamais abandonné. J'appréciais son calme et la justesse de ses remarques. Souvent, avant de m'entretenir avec

Chirac je sollicitais son point de vue pour conforter mon analyse ou la modérer. Je trouve Chirac triste et fatigué. Il a de plus en plus de mal à marcher. Quelques jours auparavant, lors d'une de mes visites régulières, il m'était déjà apparu très absent.

20 novembre

Avant la séance, Nicolas Sarkozy fait de nouveau irruption dans mon bureau. Nous évoquons les problèmes de l'UMP et le duel Copé-Fillon. « J'ai dit à François de ne pas saisir la justice, je ne sais pas ce qu'il fera, mais c'est absurde. Je lui conseille aussi de ne pas constituer un groupe à part à l'Assemblée. J'ai recommandé à Copé de gagner du temps. S'il faut refaire des élections on verra après Noël. On n'a pas intérêt à ce que l'UMP éclate, ce n'est pas bon pour moi. »

Puis il me parle de son audition par les juges : « Je suis allé à Bordeaux et j'ai été entendu par trois juges. »

Je lui demande s'ils se sont bien conduits vis-à-vis de lui.

« Non, ça a duré treize heures, me répond-il, avec trois arrêts de dix minutes. Ils ne disaient pas "monsieur le président", mais "monsieur Sarkozy"... Mais enfin ils ont reconnu que j'étais étranger à cette affaire, ils ne m'ont pas mis en examen. Ils avaient quand même, en mon absence, procédé à des perquisitions à mon bureau et à mon domicile où ils ont débarqué à quatorze. »

22 novembre

Ma surprise a été grande quand, il y a quelques jours, j'ai reçu une lettre du chef de cabinet d'un ministre. Il me demandait de prendre sur mon « contingent » de Légions d'honneur un ami de son patron habitant le département dont il est l'élu.

J'appelle le ministre en question, que je ne connais pas. Même si je ne suis pas très formaliste, je lui dis qu'il est inhabituel qu'un chef de cabinet s'adresse directement au président du Conseil, a fortiori pour lui demander un service.

Je ne lui laisse pas le temps de se confondre en excuses et lui demande de bien vouloir, de ma part, informer son collaborateur que notre institution n'a à sa disposition aucun contingent de décorations et l'appeler à la prudence. J'ajoute qu'il doit également lui recommander de faire attention à ce qu'il écrit : « Habitant le département de mon ministre, celui-ci ne peut intégrer son ami dans la promotion attribuée à son ministère. » Je lui précise que naturellement je vais détruire cette lettre, mais que si j'avais mauvais esprit j'aurais très bien pu la communiquer au *Canard enchaîné* qui en aurait probablement fait son miel.

« Que dois-je faire ? » m'interroge-t-il. Je lui réponds : « Vous devriez le virer, c'est une faute grave. » Un peu plus tard, j'ai discrètement vérifié ce qu'était devenu ce collaborateur. Il est toujours en place, dans la même fonction. Je pense qu'il ne m'écrira plus jamais.

Le pouvoir, ça s'apprend.

29 novembre

« Ils sont en train de se tuer, me raconte Nicolas Sarkozy venu délibérer sur une QPC. Fillon ne veut rien entendre. Quand je me suis opposé à Chirac, j'ai été sifflé par les militants, mais je n'ai pas commis la faute de partir en dissidence. Fillon commet cette erreur fatale. Pasqua, lorsqu'il a voulu s'écarter de Chirac, a créé son propre mouvement. Ce faux pas a été fatal à son influence.

« Je déjeune aujourd'hui avec Copé, poursuit-il. Je souhaite qu'il puisse se maintenir à la tête de l'UMP, mais pour réussir, il devra faire preuve d'habileté. »

En quittant la séance, il croise pour la première fois au Conseil Valéry Giscard d'Estaing, qu'il salue sans chaleur. Giscard est venu participer à notre débat sur la loi fixant au 19 mars la commémoration de la fin de la guerre d'Algérie.

Comme chaque année à cette date, nous nous retrouvons autour de Jacques Chirac pour fêter son anniversaire. La soirée se passe chez sa fille Claude. Les Pinault, Renaud Donnedieu de Vabres, François Baroin, Line Renaud et deux autres amis des Chirac sont là. Il est en forme, apprécie choucroute, bière et château-latour. Le grand rabbin Korsia et sa femme arrivent à la fin du repas. Après le dîner, signe qu'il est bien, Chirac fume devant nous.

Il est heureux de me dire que ce matin il a reçu un petit mot de François Hollande lui souhaitant un bon anniversaire. Malicieusement je lui demande si Sarkozy a fait de même ou l'a appelé. Il me répond que non et s'ensuit un long commentaire peu amène sur son successeur. Il y prend un plaisir d'autant plus visible que Bernadette n'apprécie pas et tente de l'interrompre à plusieurs reprises. Sans succès.

3 décembre

Plusieurs journalistes m'interpellent en vain depuis plusieurs jours afin de me demander si je vais rappeler à Nicolas Sarkozy le devoir de réserve auquel il est astreint comme chaque membre du Conseil, alors qu'il s'implique dans les affaires de son parti.

Deux parlementaires socialistes, selon une dépêche de l'Agence France-Presse, ont demandé par lettre au président de l'Assemblée nationale qu'il me saisisse sur ce « cas » selon eux « préjudiciable au fonctionnement de nos institutions ». Situation effectivement délicate qui pose une fois de plus la question de la présence des anciens présidents au sein de notre institution.

L'obligation de « s'abstenir de tout ce qui pourrait compromettre l'indépendance et la dignité de leurs fonctions » s'applique à tous les membres du Conseil sans exception.

Cette question s'était déjà posée en avril 2007. Lors d'un entretien avec un journaliste du *Parisien*, Giscard avait publiquement apporté son soutien à Sarkozy pour l'élection présidentielle. Cela m'avait indigné et je le lui avais dit.

Le 18 avril, il me répondit ceci par lettre :

« La Constitution de 1958 a établi le fait que les anciens présidents de la République étaient membres de droit du Conseil constitutionnel. Cette indication, qui n'est complétée par aucune autre dans le texte même de la Constitution, laisse planer une ambiguïté sur leur règle de conduite.

« En effet, personne n'aurait imaginé lorsque cette Constitution a été approuvée en 1958 que le général de Gaulle se verrait retirer le droit de s'exprimer durant le reste de sa vie sur les grands choix de la France. J'imagine que l'interprétation correcte est de considérer que les anciens présidents de la République sont soumis aux règles de réserve du Conseil constitutionnel lorsqu'ils participent à ses travaux, et que pour le reste, il leur revient de s'exprimer en accord avec la conscience qu'ils ont tirée de la fonction qu'ils ont exercée.

« C'est ainsi qu'à l'heure actuelle, il me paraît difficile d'affirmer qu'en tant qu'ancien président de la République, je serais dans l'impossibilité de répondre aux interrogations des Français sur les choix qu'ils ont à prononcer, et de me désintéresser moi-même des conséquences de ces choix. Aussi, je vous demande de considérer qu'à partir d'aujourd'hui jusqu'à la proclamation du résultat de l'élection présidentielle, je me propose de suspendre ma participation aux travaux du Conseil constitutionnel concernant cette élection, bien que j'en demeure toujours, par la force des textes, membre de droit. »

Après leur avoir communiqué cette lettre au cours d'une séance, le 19 avril, j'informai Valéry Giscard d'Estaing que l'ensemble des membres avaient estimé, « à l'unanimité, qu'une telle position était contraire aux textes régissant le Conseil et de nature à porter atteinte à l'autorité de l'institution ».

J'entendais bien lui montrer que son interprétation du devoir de réserve n'est pas celle de ses « collègues » et qu'il n'avait pas à décider seul de ce qui lui convenait.

Pendant un certain temps nos relations ne furent guère chaleureuses. Il est vrai qu'elles ne l'avaient jamais vraiment été jusque-là. Ce qui n'avait d'ailleurs aucune conséquence sur le fonctionnement du Conseil, Giscard étant rarement présent.

Il a récidivé lors de l'élection présidentielle de 2012, si bien que j'ai dû le rappeler à l'ordre une nouvelle fois dans une lettre approuvée par tous, soulignant que « les membres de droit sont soumis aux mêmes obligations que les autres membres », personne ne peut y déroger.

Dans le cas de Nicolas Sarkozy, il m'apparaît inutile de réagir. Pour l'instant, dans le duel opposant Copé à Fillon, il s'est abstenu de toute déclaration publique directe. On a seulement rapporté ses propos tenus en privé.

En fin de journée, je reçois au Conseil les anciens collaborateurs de l'Élysée et proches de Chirac à l'occasion de son quatre-vingtième anniversaire. J'appréhende ce moment. Certains ne l'ont pas revu depuis longtemps. Je vais l'accueillir à sa sortie de l'ascenseur. Il paraît fatigué, marche difficilement, s'appuie sur moi. Je le sens tendu. Bernadette maugrée comme toujours. Quand Chirac entre dans le grand salon, il se redresse. Les applaudissements sont sincères, amicaux, émouvants.

Je prononce quelques mots pour lui exprimer, au nom de tous, notre bonheur de nous retrouver à ses côtés. Pendant plus de deux heures, il ne manifeste aucun signe de fatigue ou d'absence. Presque tous les invités viennent près de lui, certains l'embrassent, d'autres évoquent des souvenirs ou se font prendre en photo à ses côtés.

Étrange spectacle que ce général un genou à terre pour parler à Chirac assis dans un grand fauteuil rouge.

Alain Juppé, qui ne s'est pas souvent déplacé depuis cinq ans pour lui rendre visite à son bureau de la rue de Lille, lui manifeste aujourd'hui son émotion, – elle n'est pas feinte – et sa satisfaction de le revoir. Quel sentiment éprouve-t-il à l'égard de Chirac ? Je l'ignore. Chirac, lui, n'a jamais manqué une occasion de faire l'éloge de son ancien Premier ministre. Juppé, de son côté, ne doit jamais rien à personne.

Quand il m'a téléphoné pour me dire qu'il souhaitait être invité à cette réception, il avait appelé Claude auparavant. Elle lui avait précisé qu'étaient conviés d'abord celles et ceux qui depuis le départ de l'Élysée étaient venus voir son père.

« Si je ne viens pas souvent, m'a-t-il dit pour se justifier, c'est que cela me fait mal de le voir dans l'état où il est maintenant. »

Cette réflexion résume bien Juppé, qui ne s'est manifestement pas demandé si cela aurait fait du bien à Chirac qu'il lui accorde un peu de temps...

Cette rencontre n'a rien de mondain. Domine le bonheur de revoir Jacques Chirac, de l'approcher, de pouvoir lui parler. Ce soir il apparaît comme le patriarche respecté, aimé d'une grande famille qui sait que l'occasion de se retrouver près de lui, vraisemblablement, ne se renouvellera plus. Ils veulent tous le remercier, lui témoigner leur reconnaissance, lui manifester leur amitié et pour certains leur affection.

Ne le perdant pas longtemps du regard, je le sens heureux. Au bout de deux heures, s'appuyant sur ses officiers de sécurité, il repart tranquillement. Ce fut pour moi une belle soirée.

Cette famille unie autour de son vieux chef contraste avec le spectacle donné par Copé, Fillon et les leurs qui s'entredéchirent en direct à la télévision et expriment leur animosité réciproque trop longtemps contenue. Mauvais feuilleton politique.

Sarkozy a tenté en coulisse de remettre de l'ordre à l'UMP, il n'y est pas arrivé. Il a perdu la main. De toute façon Copé et Fillon s'accordent sur une seule chose : leur antipathie à son égard et le refus de lui laisser la possibilité d'un retour en politique et d'une nouvelle candidature à l'Élysée. Ils ne veulent plus de lui et considèrent tous deux que leur heure est arrivée de postuler à la magistrature suprême. Ce jeu de haines me fascine.

Il est vrai que la politique n'est pas le royaume des amitiés sincères et durables. La lutte pour le pouvoir et les ambitions les rendent précaires voire inexistantes. Elles sont possibles surtout dans l'opposition et s'effritent dès que le pouvoir approche.

Plus on s'élève dans la hiérarchie politique, plus les fonctions intéressantes se raréfient et plus le choc des ambitions est évident. C'est ce que j'avais pris soin de dire à Bruno Le Maire quand il avait fondé avec Copé, Baroin et Jacob un groupe ayant choisi comme règle... « fraternité et solidarité ». Ils n'ont pas tardé à vérifier que l'amitié en politique résiste rarement à la lutte pour le pouvoir et à la confrontation des ego. Lorsque Fillon a remanié son gouvernement, Le Maire a affronté Baroin pour le poste de ministre des Finances et ils ne se sont pas ménagés.

Le duel Fillon-Copé n'est qu'un épisode dans la série des combats qui dans le passé ont opposé les représentants de la droite et du centre.

Lecanuet a participé à la mise en ballottage du général de Gaulle lors de la présidentielle de 1965. Giscard porte une responsabilité décisive dans l'échec du référendum de 1969 qui entraîna le départ du Général. Chirac contribua à l'élimination de Chaban face à Giscard en 1974. Et le duel Chirac-Giscard facilita l'arrivée à l'Élysée de François Mitterrand.

Ces affrontements personnels ont parfois pour origines de profondes divergences idéologiques. Tel est le cas aujourd'hui entre ceux comme Sarkozy qui croient nécessaire de se situer toujours plus à droite pour assécher le Front national et incarner tout ce qui n'est pas à gauche, et ceux pour qui il ne sert à rien de s'épuiser à courir après l'extrême droite pour contrer son ascension et qui pensent que la meilleure solution pour y arriver est de rester fidèle à ses propres valeurs. La ligne Chirac de 2002.

6 décembre

Nicolas Sarkozy vient prendre part à un délibéré. Nous bavardons un moment avant la séance. Il m'affirme n'avoir aucune intention de faire la moindre déclaration sur le duel Copé-Fillon. « Ça évitera que tu me rappelles à l'ordre », me dit-il avec un sourire moqueur.

Il est convaincu qu'ils n'arriveront pas à trouver un accord.

« Fillon se retranche dans la morale. Je lui ai dit qu'il avait tort de s'acharner. Même si Copé lui a piqué des voix, de toute façon Fillon a fait une mauvaise campagne. Il croit qu'il parviendra à créer un nouveau parti autour de lui, il se trompe. Copé joue la montre. En réalité, les militants ne veulent ni de l'un ni de l'autre. »

J'évoque ce que l'on appelle les « non-alignés », Bruno Le Maire et consorts. Il hausse les épaules.

« Puisque Fillon et Copé se sont disqualifiés, lui dis-je, qui va assumer la relève ?

— Attendons les élections partielles… », me répond-il.

J'ai dit et répété que les anciens présidents de la République n'avaient plus leur place au Conseil, mais je dois avouer après le délibéré auquel Sarkozy vient de participer que je m'interroge sur le bien-fondé de cette affirmation. Ses interventions dans l'affaire que nous examinions ont été pertinentes et le reflet d'une réelle expérience.

7 décembre

L'Association française de droit constitutionnel tient une journée d'études au Conseil sur l'élection présidentielle.

Je me permets de rappeler aux professeurs et juristes présents que la Constitution n'est pas un Meccano ou un Lego indéfiniment démontable. Je leur recommande la prudence dans les modifications qu'ils veulent proposer. En ce domaine, il n'y a pas de tâtonnement législatif possible. S'agissant de l'élection présidentielle, on ne peut essayer des règles pour l'élection et en changer pour la suivante. Surtout pour choisir des systèmes qui n'ont cours dans aucun pays comparable à la France.

Le système des parrainages pour l'élection présidentielle, qui naturellement pourrait être amélioré et complété, a finalement permis à tous les courants de pensée qui marquent notre vie politique d'être représentés et c'est l'essentiel.

Mais alors que dans d'autres pays les règles sont stables, notre fâcheuse tendance à modifier la Constitution au gré des alternances politiques ne semble pas préoccuper nos experts.

18 décembre

Avant même d'être saisi du projet de loi de finances, j'organise une séance informelle pour que nous réfléchissions ensemble au « caractère confiscatoire de l'impôt » et à la « rétroactivité fiscale ».

Après avoir entendu celui qui sera le rapporteur de ce projet de loi lorsqu'il nous sera déféré, Giscard demande tout de suite à s'exprimer.

Il a tenu à être présent à cette réunion. Au vu des nombreuses pages écrites de sa main qu'il a posées devant lui, il est manifeste qu'il a préparé, pour une fois, son intervention, étudié la note de notre service juridique. Il se montre clair et pertinent, même si certains membres, en désaccord avec son analyse, m'indiquent qu'il n'a pas tenu selon eux un raisonnement vraiment juridique. Il n'en reste pas moins que tout le monde a compris ce qu'il disait. Son propos était réaliste et devait amener nos juristes à plus de modestie.

Si j'ai souhaité cet échange, c'était pour savoir jusqu'où étaient capables d'aller les membres du Conseil dans la censure du budget voulu par le nouveau président de la République, présenté par le gouvernement et voté par la majorité.

20 décembre

Le président Logerot nous informe que la Commission de vérification des comptes de campagne a rejeté celui de Nicolas Sarkozy pour avoir dépassé le plafond autorisé. La décision de la Commission réintègre des dépenses antérieures au 15 février, date de la déclaration officielle de candidature du président sortant.

Ce dernier a un mois pour contester le bien-fondé de cette décision et nous saisir. Auparavant seul le Conseil jugeait ces comptes. Aujourd'hui, la loi ayant été modifiée, il n'examine que les appels contestant les décisions de la commission compétente.

Dans le passé le Conseil avait rejeté ceux de candidats mineurs, Jacques Cheminade et Bruno Mégret. Pour celui de Balladur en 1995, les manœuvres de mon prédécesseur de l'époque, Roland Dumas, avaient permis que son compte soit validé malgré ses nombreuses irrégularités. Son attitude n'a pas servi, c'est le moins qu'on puisse dire, l'image du Conseil.

Si Nicolas Sarkozy ne fait pas appel, mais j'en serais étonné, la facture à sa charge, d'après ce que l'on me dit, sera de 11 millions d'euros. En cas d'appel, nous serons de toute façon au cœur d'une contestation et pris à partie. Soit nous validons les comptes et immédiatement notre indépendance sera mise en cause. J'imagine déjà le fiel qui sera répandu sur nous par la gauche. *Libération* titrera : « Le Conseil de droite aux ordres de Sarkozy » et le journaliste expliquera sans doute que « le téléphone a chauffé » entre l'UMP, Sarkozy et les principaux membres du Conseil pour éviter le naufrage financier du parti.

Si, à l'inverse, nous confirmons la décision de la commission, la droite nous tombera dessus avec jubilation. Je vois déjà, en gros titres, la une du *Figaro* : « Debré règle ses comptes avec Sarkozy », et le journaliste réquisitionné pour la circonstance expliquant que nous avons cédé aux pressions du pouvoir. Il y verra la main de l'Élysée et j'aurai droit aux habituelles déclarations haineuses de l'ancien président et de son entourage.

Aucun délai, après notre saisine par l'intéressé, n'est prévu pour que nous rendions notre décision. S'il y a appel, il est clair que je n'accepterai pas que le président Giscard d'Estaing siège ce jour-là pour en juger ni, cela va de soi, Nicolas Sarkozy. Jacques Chirac ne venant plus, la question ne se pose pas pour lui.

Mais en attendant, je m'interroge sur la présence de Sarkozy au Conseil pour toutes les autres séances. Faut-il lui demander de suspendre sa participation jusqu'à ce que la question le concernant soit tranchée ?

21 décembre

En fin d'après-midi, coup de téléphone de Nicolas Sarkozy.

« J'ai un conseil à te demander. Après la scandaleuse décision de la commission, vois-tu un inconvénient à ce que je vienne à la prochaine cérémonie des vœux ?

— Aux vœux, non...

— Tu comprends, je ne veux pas te gêner. Je respecte le Conseil. Cette décision est quand même scandaleuse. J'étais seul contre neuf et, qui plus est, président de la République sortant... Que veux-tu que je fasse ? Je suis prêt à annoncer que tant que le Conseil n'a pas statué, je ne viendrai plus siéger et suis d'accord pour ne plus être payé. La décision de la commission est politique. Que souhaites-tu ? Réfléchis-y et on en reparle très vite ; je ne veux surtout pas te gêner », me répète-t-il.

À l'évidence ulcéré par cette affaire, il raccroche.

La meilleure solution pour nous et même pour lui serait qu'il suspende effectivement sa participation au Conseil. Mais il faut attendre qu'il nous adresse son recours. Il a un mois pour cela.

22 décembre

En écoutant, ce samedi matin, les fonctionnaires du secrétariat général du gouvernement et ceux du ministère des Finances répondre à nos questions, lors de la présentation des dispositions de la loi de finances, je me souviens de cette formule d'un député socialiste : « Vous avez juridiquement raison mais politiquement tort. »

Certains de ceux qui s'expriment, convaincus que la détention d'un pouvoir justifie tout, laissent percer à travers leurs réponses une volonté de revanche, une conception punitive de la fiscalité. Ils ne se préoccupent à aucun moment des répercussions sur notre économie de ce matraquage fiscal qu'ils ont imaginé.

Un membre du Conseil se permet de les traiter à plusieurs reprises de « trotskistes ». Ils ne réagissent même pas.

Médiocres dans leur argumentation juridique, ils démontrent qu'ils sont dans l'incapacité d'admettre non seulement qu'ils peuvent se tromper mais aussi que les dispositifs qu'ils ont conçus et « vendus » aux responsables politiques sont d'une complexité telle que la loi devient souvent incompréhensible. D'ailleurs leurs réponses parfois approximatives, hésitantes prouvent qu'eux-mêmes en arrivent à se perdre dans la complexité de la réglementation.

Aveuglés par leur idéologie, ils ne mesurent pas toutes les conséquences de ce qu'ils ont fabriqué. Qu'ils s'en prennent aux plus grosses fortunes ne me paraît pas très grave en soi. Je ne suis pas contrarié outre mesure par le fait que les très riches deviennent un peu moins riches. Mais qu'on s'attaque à ce que l'on appelle la classe moyenne est plus préoccupant pour l'avenir.

Il y a longtemps que je n'avais pas quitté ce genre de réunion avec un tel sentiment de tristesse. Le Conseil va devoir montrer s'il est capable de faire preuve de courage. Nous avons comme allié le droit et comme ennemi la politique.

28 décembre

Le plus long délibéré depuis que je préside le Conseil. Pendant près de sept heures d'affilée nous avons examiné le projet de loi de finances 2013. Ni Giscard ni Sarkozy n'ont assisté à notre séance. J'ai conscience de l'importance de la décision que nous devons rendre. C'est le premier budget de la présidence Hollande. La situation de nos finances publiques est catastrophique. Le chômage ne cesse de progresser depuis dix mois, la croissance économique est pratiquement nulle, la presse bruisse du nom d'entrepreneurs et personnalités diverses qui désirent s'expatrier. Par cette longue décision de plus de cinquante pages, le Conseil montre, pour la première fois, qu'il lui revient la mission de contrôler le caractère excessif de l'impôt et qu'il entend bien la remplir.

2013

7 janvier

En fin de matinée, Sarkozy m'appelle pour me dire tout le bien qu'il pense de notre décision sur la loi de finances. Il est satisfait que nous ayons infligé un cinglant revers à son successeur. Il me demande ensuite mon avis sur sa présence le lendemain à l'audience publique et lors de notre cérémonie des vœux. Pour cette dernière, je lui confirme ne voir aucun inconvénient à sa venue et au déjeuner du personnel qui suivra. S'agissant de la première, j'y suis opposé dans la mesure où nous délibérerons sur ce dossier alors même qu'il aura déposé son recours contre la décision de la commission des comptes.

Il déclare approuver « tout à fait » ma position. C'est d'ailleurs lui qui me l'avait suggérée. Il en profite néanmoins pour dénoncer à nouveau la décision « politique » de la commission. Le président Logerot lui aurait avoué que les rapporteurs étaient des « gauchistes » qui voulaient absolument le sanctionner.

« D'ailleurs, ajoute-t-il, ils veulent tous m'abattre. Tu sais, je n'ai pas envie de me représenter en 2017, mais il n'est pas impossible que j'y sois contraint. Les Français commencent même à me trouver sympathique. La nullité de Hollande et la situation à l'UMP feront que mon devoir sera peut-être d'y aller. »

En fin de journée, première cérémonie des vœux à l'Élysée du quinquennat de Hollande, qui marque le retour à une tradition interrompue depuis cinq ans. Le Conseil est reçu seul et non pas avec le Conseil d'État, la Cour de cassation, la Cour des comptes ou le Conseil supérieur de la magistrature. Le président, avant de s'exprimer, écoute les vœux que je lui adresse. Autrefois, Nicolas Sarkozy était le seul à s'exprimer, et je n'avais qu'un droit : celui de me taire.

Avec malice, Hollande, se tournant vers moi au début de son propos, déclarera : « Je renoue avec une tradition, je ne sais pas pourquoi on l'avait supprimée. »

À l'époque on m'avait expliqué – était-ce la véritable raison ? – que le chef de l'État refusait de perdre son temps à écouter ce que j'avais à dire.

Les membres du Conseil sont assis en arc de cercle face à François Hollande, flanqué à sa gauche de la garde des Sceaux, Christiane Taubira, et de moi à sa droite. Après ma petite allocution où je rappelle l'indépendance du Conseil et notre volonté de nous tenir éloignés des passions partisanes et politiques, Hollande rend hommage à notre travail, à l'autorité de nos décisions et au respect qui est le nôtre de la séparation des pouvoirs.

Quel changement par rapport aux cérémonies du quinquennat précédent ! Je me souviens de l'attitude de Nicolas Sarkozy en 2010 lors des vœux à l'Élysée après l'annulation de la taxe carbone, évitant de me serrer la main. Rien de tel, cette fois-ci, même après notre décision d'annuler la taxe des 75 %. Aucune animosité de la part de Hollande et la conversation qui suit l'échange de vœux est courtoise, intéressante même.

Conciliant, le président de la République nous informe qu'il n'a pas l'intention de modifier les règles du parrainage pour être candidat à la présidentielle. Il entend poser des règles précises pour le non-cumul des mandats concernant les parlementaires et la responsabilité pénale du chef de l'État, renforcer l'indépendance de la justice par une réforme du Conseil supérieur de la magistrature. Il fait même, avec un petit sourire, allusion à la réglementation sur les comptes de campagne !

Hollande a l'amabilité de nous raccompagner jusqu'au perron de l'Élysée, alors que son prédécesseur, à peine son discours terminé, tournait les talons, pressé de nous quitter.

8 janvier

Sarkozy assiste aux vœux au Conseil. Avant la cérémonie, nous nous retrouvons un instant dans mon bureau. Il est détendu, plaisante, évoque un sondage qui doit être prochainement publié où les Français le trouveraient « sympathique ». Il me redit qu'il n'a pas l'intention de briguer un nouveau mandat présidentiel, mais sera peut-être dans l'obligation de le faire. « Si je suis réélu, ajoute-t-il, je ferai appel à toi pour présider de nouveau le Conseil constitutionnel car rien n'empêche après un temps d'absence que tu reviennes. »

Une manière à peine voilée de m'inciter à faire en sorte que le Conseil réfléchisse bien avant de statuer sur la décision concernant ses comptes de campagne. Du pur Sarkozy !

Son interprétation de la Constitution est plus que discutable, mais peu lui importe.

Il est de bonne humeur et surprend tout le monde par son amabilité, sa disponibilité à se laisser prendre en photo avec les gardes républicains, secrétaires, chauffeurs... Il déjeune avec nous alors que Giscard, qui est naturellement arrivé en retard – mais j'avais commencé la cérémonie sans l'attendre –, ne reste que quelques instants.

Avant de s'en aller, Nicolas Sarkozy m'indique que son recours sera déposé très prochainement. Il m'affirme à nouveau que l'annulation de ses comptes est non fondée, de nature uniquement politique et contient des erreurs grossières. Je lui réponds simplement que nous n'avons pas encore le dossier pour en juger... puisque le recours n'est pas déposé.

9 janvier

Depuis la décision que nous avons rendue sur la loi de finances la presse est positive pour le Conseil, ses commentaires sont parfois même élogieux.

Un député socialiste se permet cependant d'affirmer que cette décision s'explique par le fait que notre institution ne serait, selon lui, composée que de personnalités de droite. Ce même parlementaire hier ne trouvait rien à redire quand, avec la même composition, nous annulions des lois voulues par la présidence précédente.

Avant de s'exprimer, il aurait dû lire l'éditorial publié dans *Libération* du 1er janvier. Dans ce quotidien qu'on ne peut qualifier de conservateur, Sylvain Bourmeau, un journaliste dont j'ignorais le nom jusque-là, souligne : « Il faut bien en l'espèce reconnaître l'objectivité technique de cette décision : l'unité de base de l'impôt sur le revenu étant le foyer, la taxe ne saurait s'appliquer à une personne. Point besoin d'être fiscaliste chevronné pour le comprendre. » Il ajoute : « Ce qui demeure mystérieux, en revanche, c'est qu'une telle erreur puisse être produite par la machine politico-administrative. »

Ce député aurait dû lui aussi s'interroger sur l'incompétence de ceux qu'il admire et soutient.

Un commentateur à la radio estime, de son côté, que nous serions entrés dans l'ère du gouvernement des juges. Il oublie de mentionner que ce sont des députés et des sénateurs qui ont saisi le Conseil de l'inconstitutionnalité des mesures contenues dans la loi de finances.

Le président de la République, les principaux ministres et des députés socialistes laissent entendre qu'ils reprendront sous une autre forme et d'autres modalités cette taxe des 75 %. Il ne pouvait être question pour eux de paraître abdiquer. Mais ils devront faire preuve d'imagination. La décision du Conseil ne se résume pas à l'annulation de la taxe. Pour estimer si un niveau de taxation est ou non excessif, il faudra aussi prendre en compte l'impôt sur le revenu, le montant des prélèvements sociaux…

10 janvier

À l'occasion de la rentrée de la Cour des comptes, le ministre délégué au Budget, Jérôme Cahuzac, me confesse que la censure de la taxe des 75 % ne l'a pas surpris et ce d'autant moins qu'il avait prévenu Matignon et l'Élysée de l'évidence de celle-ci. Il ajoute que cette annulation ne l'a pas chagriné, même si aujourd'hui on lui fait porter la responsabilité d'une taxe à laquelle il n'était pas favorable, « mais, ajoute-t-il, c'est normal dans ma fonction ».

En fin d'après-midi, je préside à la faculté d'Assas la soirée des majors. Belle cérémonie dans le grand amphithéâtre en présence des professeurs tous revêtus de leur robe rouge.

17 janvier

J'informe les membres du Conseil de la procédure que nous mettons en place pour instruire l'appel formulé par Nicolas Sarkozy. Je veux qu'elle ne puisse engendrer aucune contestation sérieuse. Il nous faut éviter de renouveler les embrouilles de Roland Dumas avec les comptes de Balladur.

Je leur confirme que le compte du candidat UMP a bien été rejeté et que la commission a décidé qu'il n'avait pas droit au remboursement forfaitaire de ses dépenses électorales. L'intéressé est, en outre, tenu de restituer à l'État l'avance forfaitaire de 153 000 euros dont il a bénéficié ainsi que de lui verser la somme de 363 615 euros, égale au montant du dépassement du plafond des dépenses électorales. Nicolas Sarkozy ayant déposé le 10 janvier son recours, le Conseil est donc régulièrement saisi.

Je leur précise aussi que j'ai décidé de désigner deux rapporteurs adjoints venus du Conseil d'État pour instruire ce recours, après avoir écarté ceux ayant appartenu à un cabinet ministériel dans un gouvernement de droite ou de gauche.

En ce qui concerne le calendrier d'examen de ce recours, il ne me semble pas possible d'envisager une séance pour rendre notre décision avant le mois de mars au mieux. Le président de la commission nous a informés qu'il nous transmettait une quarantaine de cassettes de documents. C'est donc au Conseil partiellement renouvelé qu'il appartiendra de juger ce recours. J'indique ce que sera notre méthode de travail. Les rapporteurs adjoints devront régulièrement rendre compte de leurs investigations et nous pourrons alors, si c'est nécessaire, ordonner telle ou telle recherche supplémentaire. Mais cela sera la tâche du prochain Conseil. En attendant la formation actuelle n'aura à trancher que les éventuels problèmes de procédure.

Enfin je leur redis que de toute façon nous serons l'objet de critiques : par conséquent notre travail devra être exemplaire de transparence.

21 janvier

Quand je suis allé le saluer lors de l'audience de rentrée de la Cour de cassation le 18 janvier, je lui ai dit que je souhaitais le rencontrer. Il m'a appelé l'après-midi même et fixé rendez-vous ce jour à 10 h 30.

Je tiens à évoquer avec lui les prochaines nominations au Conseil. Trois membres sont à remplacer. Notre intérêt comme celui de l'Élysée est que trois femmes soient désignées.

François Hollande en est convaincu, mais il m'avoue que la seule résistance vient du président du Sénat qui veut recaser un vieux sénateur. Il m'affirme s'employer à le convaincre de choisir dans le sens qui nous paraît le plus judicieux.

15 février

Jean-François Copé tente de retrouver une image positive. Après l'épisode pour le moins fâcheux des primaires à l'UMP, il a conscience, nous en parlons au cours du déjeuner, d'apparaître comme un politicien sans scrupule. Il a mesuré aussi les limites de l'amitié dans le combat politique. Pendant cette période, il me raconte combien Juppé lui est apparu absent et Raffarin habile dans sa recherche d'une solution qu'il imposerait à Fillon.

Copé cherche à récupérer les faveurs des journalistes et de l'opinion pour devenir président de la République, une ambition dont il ne se cache pas. Il ne croit pas à la possibilité de Sarkozy d'être présent au rendez-vous de 2017.

Contrairement à ce qu'il veut laisser croire, j'ai le sentiment que Copé aura beaucoup de mal à améliorer son image de politicien prêt à tout pour accéder au sommet de l'État. Le psychodrame des élections pour la présidence de l'UMP a ruiné ses espérances et probablement aussi celles de Fillon. Les militants et, plus grave, les Français ne veulent plus ni de l'un ni de l'autre.

La nouvelle génération des hommes politiques de droite n'a pas encore acquis la moindre crédibilité. La plupart d'entre eux s'avèrent incapables de séduire et de rassembler les Français autour d'une espérance commune. Ils cherchent à faire carrière et à gravir les échelons, comme on dit, sans offrir une alternance crédible à la gauche qui, après neuf mois de pouvoir, donne pourtant un spectacle dramatique d'incompétence et d'incohérence.

En fait, tant que Nicolas Sarkozy se complaira à laisser entendre qu'il pourrait se présenter en 2017, aucun renouvellement ne se fera, sinon dans la douleur et peut-être au prix de l'éclatement de l'UMP.

20 février

Comme je le fais très régulièrement depuis son départ de l'Élysée, je passe un long moment, en fin de journée, avec Jacques Chirac dans son bureau rue de Lille.

Ce sont des rencontres difficiles pour moi. Sa pudeur est telle s'agissant de lui-même qu'il ne dit rien sur sa santé, mais je ressens sa souffrance et sais qu'il est malheureux.

Il m'est évident qu'il se rend compte de son état physique. Claude nous rejoint, nous parlons du livre que je prépare sur les grands discours politiques. J'en sélectionne cinq avec lui qui sont véritablement l'expression de ses convictions. Il me raconte sa visite de ce matin à Jérôme Monod. « Je ne l'ai pas trouvé bien. Tu devrais aller le voir, cela lui ferait sûrement plaisir », me glisse-t-il.

Au moment où je vais le quitter, comme toujours, il me raccompagne jusqu'à la porte de son bureau. Ce soir il est particulièrement chaleureux, m'embrasse avec affection. « J'aime bien te voir », m'avoue-t-il avant que je prenne l'ascenseur.

21 février

Nous délibérons sur une QPC plaidée devant nous le 12 février, portant sur la prise en charge par l'État du traitement des pasteurs des églises consistoriales.

Sujet ô combien sensible qui mobilise les défenseurs intransigeants de la laïcité de l'État et les partisans du maintien d'un droit particulier en Alsace-Lorraine.

La loi du 9 décembre 1905 sur la séparation des Églises et de l'État a abrogé le Concordat de France, sauf pour les départements du Bas-Rhin, du Haut-Rhin et de la Moselle. En 1918 leur retour au sein de la France n'a pas remis en cause cette spécificité de leur droit cultuel. La loi du 1er juin 1924 l'a expressément pérennisée.

En vain, le gouvernement radical d'Édouard Herriot a tenté de mettre un terme à ce particularisme. Mais l'ordonnance du 15 septembre 1944 rétablissant la légalité républicaine l'a maintenu. Il ne sera plus remis en cause à l'exception d'une vaine tentative entre 1952 et 1957, destinée à régler définitivement la question de l'école privée sur l'ensemble du territoire.

Quatre cultes sont ainsi reconnus en Alsace-Moselle : les cultes catholique et protestant, correspondant pour ces derniers d'une part à l'Église luthérienne et de l'autre à l'Église réformée, ainsi que le culte israélite. Les autres religions, non reconnues, n'ont pas de liens institutionnels avec l'État et naturellement ses représentants ne sont pas rémunérés par lui.

Je me souviens que la question avait été posée lors d'un déplacement à Strasbourg quand j'étais ministre de l'Intérieur. J'étais accompagné par l'ancien maire de Versailles, mon ami André Damien, chargé à mon cabinet de la question des cultes. Cet entretien à la préfecture avec les représentants des religions avait un objet précis mais non avoué : savoir si le ministre aussi en charge des cultes allait ou non faire bénéficier les musulmans de l'aide de l'État. Ma réponse avait été très claire : seul le législateur peut modifier la loi. Après la réunion et pour bien manifester que je n'étais hostile à aucune religion, j'avais invité les représentants du culte musulman à venir me rencontrer.

La QPC dont nous sommes aujourd'hui saisis porte sur les dispositions de la loi du 8 avril 1802 qui prévoient qu'« il sera pourvu au traitement des pasteurs des églises consistoriales ».

La prise en charge par l'État des cultes protestants déroge à l'article 2 de la loi du 9 décembre 1905 sur la séparation des Églises et de l'État aux termes duquel « la République ne reconnaît, ne salarie ni ne subventionne aucun culte ». Les requérants qui s'expriment devant nous soutiennent que cet article est contraire au principe de laïcité.

Le 22 janvier 2012, alors qu'il était candidat à l'Élysée, François Hollande, lors d'une réunion publique au Bourget, avait pris l'engagement, s'il était élu, d'inscrire cette loi dans la Constitution. Mais il n'avait pas indiqué ce qu'il adviendrait alors du régime spécifique prévalant en Alsace-Moselle.

Le Premier ministre Jean-Marc Ayrault à l'Assemblée nationale, le 24 janvier 2012, avait ensuite précisé que la promesse du candidat Hollande ne remettrait pas en cause cette exception.

Lors de notre rencontre le 21 janvier 2013 à l'Élysée, j'ai informé François Hollande des termes de la QPC. Je voulais savoir quelle était sa position aujourd'hui et si elle était différente de celle du candidat. Je lui ai donc suggéré de donner des instructions précises au secrétariat général du gouvernement, pour que celui-ci, lors de l'audience publique, indique clairement ce qu'il comptait faire et mesure les conséquences de la position qu'il allait développer. Il m'a alors précisé qu'il ne pourrait en définitive, malgré ses engagements de campagne, inclure dans la réforme de la Constitution la loi de 1905.

Le Conseil décide sur cette question de se référer au principe de laïcité résultant de l'article 1er de la Constitution de 1958 tout en respectant la volonté des constituants : ceux de 1946 comme ceux de 1958 n'ont pas souhaité modifier le régime en vigueur en Alsace-Moselle. Autrement dit, non seulement interdire toute extension à de nouveaux cultes de ce régime particulier, mais accepter la préservation d'un droit local existant qui ne peut être ni étendu ni complété.

Le principe de laïcité fait partie de notre patrimoine. Après avoir suscité les plus vives querelles politiques, il a peu à peu conquis le caractère d'une évidence. Chaque Français se l'est approprié, à sa manière, au point que sa définition et les réalités qu'il recouvre sont devenues multiples jusqu'à s'éloigner parfois des contours juridiques du concept.

Par ailleurs, la perception de la laïcité engendre des fantasmes de tous ordres, aussi bien de la part de ses adeptes qui l'imaginent en permanence bafouée que de ceux qui voient en elle une menace perpétuelle pour l'expression de leur foi religieuse.

La « laïcité à la française » s'est construite au cours d'un long cheminement. Entre l'expression du principe et sa traduction dans les normes juridiques, plusieurs siècles se sont écoulés. Étendard ambigu de la Révolution française, valeur de combat chez les républicains au cours du XIXe siècle, la laïcité, si elle divise moins, interpelle encore. Sa pérennité dépend moins de son renouvellement que de sa capacité à appréhender des situations nouvelles liées à l'arrivée en force de l'islam et à un certain déclin des religions traditionnelles.

Le Conseil est dans sa mission lorsqu'il défend ce principe républicain. À ceux qui pensent le contraire, il faut sans cesse rappeler que la liberté religieuse et la laïcité ont des fondements constitutionnels solides. L'article 10 de la Déclaration de 1789 dispose que « nul ne doit être inquiété pour ses opinions, même religieuses, pourvu que leur manifestation ne trouble pas l'ordre public ». Le préambule de la Constitution en 1946 est sans ambiguïté : « Le peuple français proclame [...] que tout être humain, sans distinction [...] de religion ni de croyance, possède des droits inaliénables et sacrés [...]. Nul ne peut être lésé, dans son travail ou son emploi, en raison de ses croyances. » Il stipule aussi que « l'organisation de l'enseignement public [...] laïque [...] est un devoir de l'État ».

Notre actuelle Constitution proclame que « la France est une République [...] laïque » qui « assure l'égalité devant la loi de tous les citoyens sans distinction [...] de religion » et « respecte toutes les croyances ».

Enfin, pour assurer une réalité juridique au principe de laïcité et en préciser son contenu, le Conseil peut s'appuyer sur la loi du 9 décembre 1905 qui met fin au système des « cultes reconnus ». Désormais « la République ne reconnaît, ne salarie ni ne subventionne aucun culte, mais elle assure la liberté de conscience et garantit le libre exercice des cultes ».

Ainsi le Conseil constitutionnel a validé en 1977 les dispositions législatives faisant obligation à la Société nationale de diffusion de programmer sur sa chaîne de télévision, le dimanche matin, des émissions à caractère religieux, dans la mesure où elles permettent d'assurer le respect du pluralisme dans le secteur audiovisuel public.

Plus récemment, en 2009, il a considéré que le principe de laïcité n'empêchait pas le législateur de prévoir la participation des collectivités publiques au financement des établissements d'enseignement privés sous contrat d'association avec l'État.

Le développement de l'islam et de sa pratique en France, les provocations des intégristes musulmans et les débats politiques qui s'ensuivent laissent présager que le Conseil sera appelé, tôt ou tard, à enrichir sa jurisprudence en la matière.

14 mars

Prestation de serment à l'Élysée de trois nouveaux membres. Cérémonie traditionnelle. Les présidents changent et en ce domaine le protocole varie peu. Hollande donne cependant une touche plus chaleureuse à l'événement.

Après Noëlle Lenoir en 1992, Simone Veil en 1998, Monique Pelletier en 2000, Dominique Schnapper en 2001, Jacqueline de Guillenschmidt en 2004, Claire Bazy-Malaurie en 2010, trois femmes viennent nous rejoindre. C'est la première fois qu'un tel renouvellement est exclusivement féminin.

J'ai, de ma place, suivi le cheminement de ces nominations. Dès le départ, le président de l'Assemblée nationale, Claude Bartolone, m'a dit vouloir renommer Claire Bazy-Malaurie. Ce fut plus compliqué pour le choix du président du Sénat. Mais tous étaient d'avis qu'il fallait féminiser le Conseil et j'étais d'accord avec eux. Le Conseil se doit d'être à l'image de notre société et donner toute sa place à la parité.

19 mars

Je me suis fixé pour règle, depuis que je préside le Conseil, d'éviter toute grande réception ou dîner officiel à l'Élysée.

Du temps de Nicolas Sarkozy ce n'était pas très difficile : je n'étais jamais invité. Ce n'est plus le cas maintenant. Faisant une entorse à ma ligne de conduite, j'assiste à la réception offerte par François Hollande aux éditeurs et auteurs à l'occasion du 33e Salon du livre de Paris. En voyant tous ces patrons de maisons d'édition, écrivains à la mode se presser pour serrer la main du président, être photographiés à ses côtés ou s'entretenir avec lui, je peux vérifier à quel point le pouvoir fascine toujours autant, y compris ceux qui font profession d'indépendance.

20 mars

Déjeuner au Conseil avec Marylise Lebranchu, ministre de la Réforme de l'État, de la Décentralisation, de la Fonction publique. Elle a souhaité me parler des projets de décentralisation qu'elle prépare. J'ai accepté, car j'ai pour elle une sympathie ancienne.

Je suis préoccupé par un certain nombre d'idées qui circulent en permanence dans la tête de quelques princes influents du régime. Les majorités changent, mais persistent des propositions en ce domaine qui m'apparaissent folles et risquent d'imposer à la France, sous couvert de décentralisation, un fédéralisme qui ne lui correspond pas.

Mais naturellement, devoir de réserve oblige, je ne peux rien déclarer à ce sujet publiquement. De toute façon ma voix n'aurait pas grand poids face aux intérêts des notables locaux qui rêvent de devenir aussi puissants que les dirigeants de certains Länder allemands.

Néanmoins, quand Marylise Lebranchu évoque devant moi la nécessité de donner plus d'autonomie à la Corse par exemple, je ne peux m'empêcher de réagir fortement et de lui faire part de mon opposition qui ne date pas d'aujourd'hui. Je me rappelle avoir reproché, il y a quelques années, en tant que président de l'Assemblée, à Jean-Pierre Raffarin, alors Premier ministre, de vouloir brader l'État à force de décentralisation.

J'écoute avec attention Marylise Lebranchu me détailler ce qu'elle veut mettre en place dans le même sens. Je ne comprends pas tout de son exposé. Avant de défendre devant le Parlement un projet de loi aussi fumeux, je me dis qu'elle aurait intérêt à mettre de l'ordre dans ses idées.

2 avril

Je reçois Nathalie Kosciusko-Morizet qui a souhaité me voir. Candidate aux élections municipales à Paris, elle se déclare résolue à gagner cette bataille. Je ne suis pas dupe. En fait, sa démarche auprès de moi n'a qu'un but : l'aider à obtenir un rendez-vous avec Jacques Chirac susceptible d'être médiatisé. Je lui conseille d'en parler directement à Claude.

Nathalie est très ambitieuse, ce n'est pas forcément un défaut. Elle est certaine de son intelligence, qui est réelle. Mais je me souviens de ces journées parlementaires au Croisic – j'étais alors président du groupe RPR à l'Assemblée – où Chirac m'avait demandé de l'inviter à s'exprimer sur les questions d'environnement dont elle était considérée comme une experte. Son intervention faillit très mal se terminer. Nathalie braqua les députés en leur faisant comprendre, en termes à peine voilés, qu'ils ne connaissaient rien au sujet. Je fus contraint de l'interrompre avant que l'incident ne finisse par dégénérer.

12 avril

Le préfet avec qui je déjeune dans un restaurant de Nantes me dit craindre des manifestations des « anti-mariage pour tous » près de la faculté de droit où invité par plusieurs associations je dois plancher sur le thème « Le Conseil constitutionnel hier, aujourd'hui, demain pour la défense des libertés ».

Les initiateurs de cette rencontre m'informent que, compte tenu du nombre d'étudiants présents, cinq cents, ils ont été contraints de changer d'amphithéâtre.

L'ambiance est studieuse, les questions qui me sont posées me semblent pertinentes. Je prends soin d'éviter tout sujet d'actualité.

À l'issue de cet échange, les organisateurs avec qui je prends un verre me demandent de les excuser : pendant la conférence une vingtaine de militants ont manifesté au-dehors contre la loi sur le mariage. Ils sont restés très peu de temps. « Ce n'étaient pas des personnes de la faculté, on les a fait vite partir », me disent-ils.

16 avril

En fin d'après-midi, je prends part à l'hommage rendu à Achille Peretti pour le trentième anniversaire de sa disparition. Le maire de Neuilly m'a demandé d'évoquer sa mémoire. Je rappelle qu'après l'élection de Georges Pompidou à l'Élysée, Jacques Chaban-Delmas étant devenu Premier ministre, c'est Achille Peretti qui lui succéda à la présidence de l'Assemblée de 1969 à 1973. Il fut l'initiateur à ce poste des questions au gouvernement, devenues les questions d'actualité. Elles rythment aujourd'hui la vie parlementaire et permettent à l'opposition d'interpeller les ministres avec d'autant plus de virulence que leurs interventions sont retransmises en direct à la télévision. Hélas, de ce fait elles ne diffusent pas toujours une image très positive des députés.

Par la suite, en 1977 et jusqu'à son décès en 1983, Achille Peretti a été membre du Conseil constitutionnel.

L'hommage se termine par un discours de Nicolas Sarkozy. Pendant vingt minutes, il ne parle pratiquement que de lui, de sa carrière, et très peu de celui qui fut son prédécesseur à Neuilly. Comme à son habitude, toutes ses phrases débutent par « Je ». De manière détournée, allusive, il ne peut s'empêcher, avec un sourire qui s'inscrit sur son visage, de dénigrer, de rabaisser certaines personnalités qu'il a croisées sur sa route, notamment Jacques Chirac et, naturellement, sans le citer, François Hollande. Il se délecte de ses allusions blessantes, doté d'un réel talent oratoire qui lui permet de prendre avec aisance ses auditeurs à témoin.

18 avril

Première séance d'instruction du recours de Nicolas Sarkozy contre la décision de rejet de son compte de campagne. Je tiens à rappeler les règles que j'ai fixées pour que les investigations du Conseil soient le plus exemplaires possible. J'insiste pour que chacun fasse preuve de la plus grande discrétion et évite de bavarder à l'extérieur. Je précise que nous prendrons le temps nécessaire et n'envisage pas une décision avant le mois de juin, mais sans donner de date précise.

22 avril

À la demande du président Tayeb Belaïz je passe la journée à Alger, au Conseil constitutionnel algérien, pour présenter notre QPC.

À une étudiante qui me demande quel doit être le profil d'un juge constitutionnel, je réponds qu'il importe selon moi que ce soit une femme ou un homme libre, qui n'ait rien à prouver et n'attende rien du pouvoir. Son devoir doit être l'indifférence à l'égard de ceux qui l'ont nommé. Je prends soin de rappeler aussi qu'un régime autoritaire se caractérise par l'absence de séparation des pouvoirs, citant Montesquieu : « Le pouvoir arrête le pouvoir » et « Tout homme qui a du pouvoir est porté à en abuser ». Ces citations plaisent aux étudiants présents qui m'applaudissent vigoureusement. Ils y voient une critique à peine voilée de la justice algérienne. Il me semble qu'au premier rang, celui des officiels, les marques d'approbation sont plus discrètes.

156

23 avril

La loi sur le mariage pour tous à peine votée par l'Assemblée nationale, le président du groupe UMP, Christian Jacob, me téléphone pour m'annoncer qu'il déposera un recours en fin de journée. Je lui réponds que je ne le recevrai pas, bien qu'il soit un de mes amis. Il en comprend les raisons, mais insiste quand même pour venir accompagné d'une délégation. Il doit faire des « images » pour les journaux de vingt heures.

Je n'ai rien à cacher à Christian Jacob : « Tu veux exister, lui dis-je, et te faire de la pub. » Il reconnaît que je ne suis pas loin de la vérité.

Depuis le début de l'examen de cette loi, j'ai observé attentivement les débats à l'Assemblée et les manifestations dans la rue.

Rien de nouveau dans les débats parlementaires. La gauche reproche aujourd'hui à la droite ce qu'elle faisait hier pour bloquer ou ralentir les débats. Elle feint de ne pas se souvenir du débat sur le CPE. Elle oublie ses turpitudes de l'automne 2006, lors de l'examen du projet de loi sur l'énergie où les députés socialistes et communistes avaient déposé cent trente-sept mille quatre cent quarante-neuf amendements. Si j'avais laissé faire, en tant que président de l'Assemblée, il aurait fallu onze mille heures de discussions pour les examiner tous. J'avais alors fait calculer par les services le temps que les députés auraient dû consacrer à l'examen de ces amendements. Si nous avions siégé vingt-quatre heures sur vingt-quatre, la discussion aurait duré cinq cent soixante-deux jours, et si nous avions suivi le rythme normal des débats, interruptions et vacances, nos travaux se seraient prolongés pendant huit ans et quatre-vingts jours.

Rien de nouveau, non plus, quant à la sempiternelle querelle sur le nombre de manifestants.

Il est frappant de voir comment la gauche, lorsqu'elle est au pouvoir, ne supporte pas que la droite descende dans la rue et crée de l'agitation populaire, comme si le droit de manifester était son privilège. Elle a toujours tendance à vouloir faire croire que ces protestataires sont tous des fascistes et des ennemis de la

République. On retrouve en réalité les mêmes discours et les mêmes slogans entendus lors des manifestations contre la loi Savary sur l'enseignement privé dans les années 1980.

Mais à force d'essayer de se rassurer en s'enfermant dans leurs certitudes et leurs approximations, les socialistes n'ont pas perçu la réalité de ces mouvements de rue et l'inquiétude qu'engendre cette réforme. Ils ont sous-estimé le traumatisme ou l'inquiétude que pouvait susciter le mariage homosexuel. Il est vrai qu'une telle évolution a été acceptée plus facilement dans d'autres pays. Mais pas en France, c'est un fait. D'autant que cette question surgit dans un climat d'anxiété et de désespérance sociales qui ne lui est pas favorable.

Certes, une minorité de ces manifestants est animée par un souci de revanche politique ou inspirée par des thèses extrémistes, mais la plupart d'entre eux entendaient en finir avec les vestiges idéologiques de mai 1968, dénoncer l'individualisme, retrouver une idée du bonheur à travers le couple, la sauvegarde de la famille et la défense des unions traditionnelles.

Une fois de plus, je constate à cette occasion la solidité de nos institutions. L'État, en ces périodes de contestations permanentes, tient le choc, comme il a survécu aux alternances ou cohabitations politiques. Vouloir sans arrêt bricoler nos institutions, comme ne cessent de le demander les tenants d'une VIe République, est la marque inquiétante d'une classe politique défaillante.

Paradoxe bien français, voilà qu'il est fait reproche au président de la République de transcrire dans une loi un engagement qu'il avait pris publiquement pendant la campagne électorale. Très souvent, on dénigre les hommes politiques parce qu'ils ne respectent pas leurs promesses. Cette fois-ci c'est exactement le contraire qui se passe. Et les critiques fusent quand même...

La France ne fait pas preuve d'originalité avec cette loi sur le « mariage pour tous », même si elle a donné lieu dans notre pays à des mouvements d'hostilité plus importants qu'ailleurs. Déjà six États membres de l'Union européenne ont ouvert le mariage aux personnes de même sexe : Pays-Bas (2001), Belgique (2003), Espagne (2005), Suède (2009), Portugal (2010), Danemark (2012). D'autres États dans le monde ont suivi la même orientation : Canada

(2005), Afrique du Sud (2006), Norvège (2009), Islande (2010), Argentine (2010). Il en va de même de certains États fédérés du Mexique ou du Brésil. Aux États-Unis, les États du Connecticut, du Massachusetts, de l'Iowa, du Vermont, du Maine, du New Hampshire, de Washington, de New York, ont ouvert leurs législations relatives au mariage aux couples homosexuels.

Quant à l'adoption d'enfants prévue dans la loi présentée par la garde des Sceaux et votée en dernière lecture par l'Assemblée nationale, cette disposition n'est pas, elle non plus, spécifique à la France.

La « désacralisation » du mariage traditionnel est à l'œuvre depuis de nombreuses années et son ouverture aux homosexuels apparaît comme une nouvelle étape. Elle est la conséquence de l'émergence des droits de l'individu. Dans les sociétés d'aujourd'hui, en France comme dans nombre de pays, c'est l'individu et non le couple qui est au cœur du mariage.

Le mariage homosexuel s'inscrit dans une évolution que certains rejettent avec force et que d'autres souhaitent depuis longtemps, mais qui s'est déjà concrétisée avec la libéralisation du divorce, la réforme de l'autorité parentale, l'égalité des enfants nés dans le mariage ou en dehors.

La Constitution ne fait aucune référence au « mariage ». Seul l'article 34 y fait une allusion indirecte en indiquant que les régimes matrimoniaux procèdent de la loi. La Déclaration des droits de l'homme et du citoyen, norme constitutionnelle de référence, n'en fait pas davantage mention, de même que le préambule de 1946 qui note seulement que « la Nation assure à l'individu et à la famille les conditions nécessaires à leur développement ».

24 avril

À sa demande, je reçois Jean-Jacques Urvoas, président de la Commission des lois de l'Assemblée nationale. Il a probablement eu écho de mes déjeuners au Conseil constitutionnel avec des députés et des sénateurs, de droite comme de gauche, où j'ai attiré l'attention des uns et des autres sur les projets de réforme du Conseil.

Lors du colloque organisé le 5 avril à l'Assemblée nationale sur la QPC, j'avais eu l'occasion de lui dire combien certaines de ses propositions me laissaient perplexe quant à leur opportunité. Il m'interroge sur ce qu'il envisage pour le Conseil lors la réforme constitutionnelle qui devrait intervenir à l'automne. Je lui réponds franchement, comme il l'attend : « Quand on ouvre la boîte de Pandore, on ne sait jamais ce qu'il en sort. Il convient, puisque vous voulez modifier les règles de fonctionnement du Conseil, que vous soyez suffisamment "blindé" pour éviter tout dérapage institutionnel. Il faut s'en tenir au strict minimum et sortir du Conseil les anciens présidents. Vous n'aurez pas de majorité pour aller au-delà. Ne pas le comprendre, c'est rechercher des majorités contradictoires. Pour en trouver, il vous faudra faire des concessions aux uns, contraires à celles que vous ferez aux autres. Il en ressortira un "machin" qui ouvrira la voie au gouvernement des juges, à la politisation du Conseil, à son inefficacité, qui heurtera les magistrats judiciaires et administratifs enfermés dans leurs mondes, qui ne servira pas la cause de la justice constitutionnelle. Le gouvernement et sa majorité ont autre chose à faire en ce moment que de semer une fronde parmi les membres de la Cour de cassation ou du Conseil d'État. Je sais que cela mécontentera certains professeurs de droit, et alors ? Vous souhaitez que pour être membre du Conseil constitutionnel soit exigé un certain niveau de connaissances juridiques. Peut-être, mais les diplômes acquis trente ou quarante ans auparavant sont-ils une garantie ? De toute façon, lui dis-je en forçant le trait, ce dont a besoin une juridiction comme le Conseil, ce sont des membres indépendants, libres, le moins prétentieux possible, surtout pas enfermés dans des certitudes. Juger la loi, ce n'est pas la même chose que de juger un divorce ou l'auteur d'un délit... »

Mais, comme bon nombre d'universitaires, Urvoas me paraît lui-même enclos dans ses propres vérités et je ne crois pas l'avoir convaincu. Il a eu néanmoins la politesse de m'écouter. Je pense qu'il se verrait bien, le moment venu, siégeant lui-même au Conseil.

15 mai

Déjeuner avec une dizaine de chefs d'entreprise, que j'avais rencontrés pour la préparation de notre décision sur la loi de finances 2012. Ils ne cachent pas leur grande inquiétude quant aux perspectives économiques en France, mais aussi pour l'Europe et la Chine dont l'endettement les inquiète.

Ils me remercient de les avoir invités et de régulièrement les écouter. Naturellement je ne peux qu'en être satisfait. Preuve qu'il y a quelque chose de déréglé dans nos institutions, ce n'est pas au Conseil qu'ils devraient venir plaider leur cause et exprimer leur crainte quant à l'évolution de la fiscalité des entreprises, mais auprès du gouvernement et du Parlement.

« Naturellement, me répond l'un d'eux, mais le gouvernement ne nous écoute pas et les parlementaires n'entendent pas nos arguments. Ils sont dans des logiques politiques et électorales, et dans l'opposition ils ne s'intéressent qu'à leurs chamailleries de clans. Il n'y a qu'ici que l'on peut débattre tranquillement de nos problèmes et faire part de nos préoccupations. »

16 mai

Nous examinons la loi relative à l'élection des élus locaux. Le législateur, pour maquiller ses arrière-pensés politiciennes et sous le bon prétexte de l'égal accès des femmes aux mandats électoraux, est à l'origine d'une loi médiocre, compliquée. Il organise la pagaille au sein des instances locales.

Giscard me susurre que « tout cela n'est pas digne d'un grand pays ». À propos d'un autre sujet, il ajoute en aparté : « Il est plus convenable que je ne vienne pas pour l'examen des comptes de Sarkozy. » Attitude que j'approuve.

En sortant de séance, je rappelle Nicolas Sarkozy, qui a tenté de me joindre. Il m'informe qu'il a l'intention d'écrire à François Hollande pour protester contre le fait que les archives de son quinquennat n'ont pas encore été versées aux Archives nationales. À la suite des investigations diligentées par le Conseil sur ses comptes de campagne, je lui ai demandé de me fournir un certain nombre de précisions. Il a pris contact avec l'Élysée qui aurait refusé l'accès de ses archives à son collaborateur. Finalement j'ai pris l'initiative de demander directement ces documents au cabinet du Président qui nous les a transmis.

En réalité je suis parfaitement au courant de ce qui s'est passé depuis la lettre du 7 mai 2013 que Christian Frémont, collaborateur de Nicolas Sarkozy, m'a adressée : « Muni d'une autorisation signée par M. Sarkozy, je me suis adressé au services des archives pour consulter les documents qui m'auraient permis de répondre à votre demande. Or il est apparu que ces documents n'ont toujours pas été transmis aux Archives nationales comme ils auraient dû l'être à l'issue du contrôle effectué par la Cour des comptes, qui s'est achevé au mois de septembre 2012, mais qu'ils se trouvent toujours au sein du service financier de la présidence de la République.

« Bien que cette situation pose une sérieuse question de fond, j'ai demandé au secrétaire général de la présidence de la République s'il me serait possible de consulter les documents en cause. M. Lemas m'a donné un accord de principe mais s'est toutefois opposé à la présence à mes côtés de l'avocat de M. Sarkozy, alors que seul ce dernier, il faut le rappeler, décide de qui peut consulter les archives de son quinquennat.

En outre, malgré plusieurs demandes de ma part, la présidence ne m'a toujours pas fixé la date à laquelle je pourrais venir consulter les documents… »

17 mai

Le Conseil statue sur la loi concernant le mariage pour tous. Nombreuses ont été les discussions informelles entre les membres, le secrétaire général, le service juridique dans les jours précédents pour essayer de mettre au point un projet susceptible de rassembler le plus grand nombre.

162

La stratégie qui a consisté à ne pas communiquer la date de notre délibéré sans attendre la fin du délai d'un mois requis pour rendre notre décision, surtout le fait de nous réunir un vendredi pour statuer alors qu'en général il n'y a pas de séance ce jour-là, a permis d'éviter toute manifestation devant le Conseil.

Après quatre heures de débat, nous avons estimé la loi ouvrant le mariage aux personnes de même sexe conforme à la Constitution. Mais aussi jugé que le préambule de 1946, auquel renvoie celui de 1958, implique de prendre en compte l'intérêt de l'enfant. Ce qui signifie que la loi sur le mariage pour tous n'a ni pour objet ni pour effet de reconnaître aux couples de personnes de même sexe un « droit à l'enfant ». Cette exigence est ainsi posée comme règle.

Notre Constitution ne porte guère attention à la famille, dont le mariage a été longtemps l'acte fondateur. Seuls les « régimes matrimoniaux » figurent à l'article 34 comme relevant du domaine de la loi. C'est pourquoi le Conseil, garant de la protection des droits fondamentaux, a reconnu la liberté du mariage comme une composante de la liberté personnelle.

Il a été amené à statuer sur cette liberté en cas de mariages « de complaisance » conclus aux seules fins d'immigration. Il a alors jugé que le respect de la liberté de se marier « s'oppose à ce que le caractère irrégulier du séjour d'un étranger fasse obstacle, par lui-même, au mariage de l'intéressé, mais non à ce que le législateur prenne des mesures de prévention ou de lutte contre les mariages contractés à des fins étrangères à l'union matrimoniale ».

En 2011, saisi d'une QPC portant sur la question de savoir si l'interdiction du mariage entre personnes du même sexe était contraire à la Constitution, le Conseil a estimé que seul le légis-lateur pouvait fixer les conditions du mariage et que cela relevait de sa compétence exclusive, y compris en ce cas de différence de situation liée au sexe.

Si nous estimons conforme à la Constitution la loi ouvrant le mariage aux couples homosexuels, c'est aussi parce qu'il n'existe pas de principe fondamental reconnu par les lois de la République ayant valeur constitutionnelle qui soit relatif au caractère hétérosexuel du mariage. Dans sa décision le Conseil a jugé qu'« en ouvrant aux couples de personnes de même sexe l'accès à l'institution du mariage, le législateur a estimé que la différence entre les couples formés d'un homme et d'une femme et les couples de personnes de même sexe ne justifiait plus que ces derniers ne puissent accéder au statut et à la protection juridique attachés au mariage ». Et qu'il ne lui appartenait pas de « substituer son appréciation à celle du législateur sur la prise en compte, en matière de mariage, de cette différence de situation ».

Le seul fait de permettre le mariage de personnes de même sexe a donné à celles-ci en 2013 la possibilité d'adopter. En revanche la loi de 2013 ne modifie ni le droit de la procréation médicalement assistée (PMA) ni celui de la gestation pour autrui (GPA). Le droit français réserve toujours la PMA au cas médicalement constaté du caractère pathologique de l'infertilité d'un couple formé d'un homme et d'une femme en âge de procréer, qu'ils soient ou non mariés.

En conclusion, la jurisprudence du Conseil en la matière s'appuie sur deux données essentielles. D'une part, la protection de la liberté de se marier. D'autre part, le rôle majeur que la Constitution confère au Parlement sur les questions de société.

18 mai

Valéry Giscard d'Estaing, présent à la séance d'hier, fait savoir par son collaborateur au secrétaire général du Conseil qu'il n'a pas apprécié la façon dont je l'ai traité lors de notre dernière réunion.

La veille, alors que nous relisions notre décision après trois heures de discussion, il a demandé que soit mentionné non « l'intérêt de l'enfant » mais « l'intérêt "supérieur" de l'enfant ».

Ne sachant quand un intérêt devient supérieur, j'ai considéré comme suffisant de s'en tenir à la formule initiale. Giscard a alors rétorqué que la Charte des droits fondamentaux, reprenant la convention de New York sur les droits de l'enfant, invoque plutôt l'intérêt « supérieur ».

Valéry Giscard d'Estaing, n'admettant pas que sa proposition n'ait pas été retenue, a quitté la salle où nous délibérions pour aller s'enfermer un moment dans son bureau, avant de revenir en restant silencieux. À la fin de la séance, il a réitéré auprès de certains son point de vue, puis s'en est allé en bougonnant. À mes yeux, tout cela n'a aucune importance.

31 mai

Michel Charasse, avec qui je bavarde tout en fumant un cigare devant l'hôtel d'Ottawa après notre dîner à la Cour suprême, me raconte qu'un collaborateur de Nicolas Sarkozy l'a appelé avant son départ pour le Canada pour savoir où nous en étions de l'examen de ses comptes de campagne. Charasse m'assure ne lui avoir rien dit. Mais je comprends qu'il n'a pas été insensible à certains arguments de l'ancien président.

1ᵉʳ juin

Bref aparté avec François Hollande, lors de la finale de rugby Castres-Toulon, au Stade de France. Il me dit avoir reçu une lettre de Sarkozy au sujet de ses archives. Il est convaincu qu'il a déjà préparé sa réplique au cas où la décision concernant ses comptes ne lui serait pas favorable. Je lui réponds que de toute façon notre décision sera contestée et que seul m'importe que l'on ne puisse pas critiquer la procédure suivie pour arriver à une décision quelle qu'elle soit.

3 juin

Aux obsèques de Guy Carcassonne, Michel Rocard rend hommage à son ancien collaborateur. Rocard fait d'abord son propre éloge, le sien et celui de son action gouvernementale. Il en profite pour lancer quelques piques à l'égard des socialistes aujourd'hui au pouvoir, laissant entendre que les affaires du pays étaient mieux dirigées lorsqu'il était Premier ministre, ce qui est totalement déplacé en pareille circonstance. Fascinant, un tel égocentrisme ! Il est vrai que les dirigeants politiques ne peuvent parler des autres qu'à travers eux-mêmes.

4 juin

Jean-Marc Ayrault m'appelle au téléphone pour me faire part de son souhait de convier à déjeuner à Matignon les membres du Conseil. Je lui réponds que cette invitation me semble toujours prématurée tant que nous n'aurons pas statué sur les comptes de Nicolas Sarkozy. Elle risquerait d'être mal interprétée. J'avais déjà décliné sa proposition à l'époque où nous avions à examiner la loi de finances, puis celle relative au mariage pour tous.

En fin d'après-midi, je retrouve Jacques Chirac auquel je n'ai pu rendre visite depuis quinze jours du fait de notre déplacement au Canada et de la charge de travail du Conseil. Il est physiquement bien. Je lui raconte notre voyage outre-Atlantique. Il m'écoute, mais je ne suis pas certain que cela aille au-delà. Peu importe, c'est mon devoir de régulièrement aller briser sa solitude et de lui témoigner directement, le plus longtemps possible, mon affection.

6 juin

J'informe les membres du Conseil de l'état de nos investigations sur les comptes de Nicolas Sarkozy. Je précise que nous avons eu le retour des mesures d'instruction ordonnées. L'ensemble des réponses a été communiqué tant à l'ancien président qu'à la commission nationale de contrôle. Nous avons fixé au 12 juin la clôture de l'instruction.

L'avocat de Nicolas Sarkozy ayant demandé à être entendu par le Conseil, j'ai estimé préférable, même si nous ne sommes pas

166

tenus de faire droit à sa demande, de lui en donner la possibilité afin de prévenir toute critique. Son audition est fixée au 18 juin. Le président de la commission en a été informé et il lui a été précisé qu'il pouvait lui aussi demander à déposer devant nous.

J'indique que les deux rapporteurs adjoints viendront le 12 faire le point sur ces investigations. Au terme de cette procédure nous aurons travaillé avec le maximum de soins et de rigueur. Je précise que notre délibération finale est prévue pour le 4 juillet et recommande encore une fois le maximum de discrétion jusque-là, y compris sur la date fixée, afin d'éviter les pressions d'où qu'elles viennent.

13 juin

Nous avons siégé toute la journée, de neuf heures à dix-sept heures. Une certaine tension est manifeste autour de la table. La dernière loi sur laquelle nous devons statuer concerne une QPC ayant trait à l'absence de contrat de travail pour les personnes incarcérées.

Le débat est difficile entre nous. Après plusieurs heures d'échanges, la décision adoptée ne satisfait pas tous les membres. L'un d'eux quitte la salle, furieux, et un deuxième est au bord des larmes de n'avoir pu imposer son point de vue.

J'ai rarement eu à présider une telle séance où chacun campant sur sa vérité a refusé d'admettre celle des autres. La législation sur le travail en prison méritant certainement d'être mieux précisée, des conseillers préconisaient de « profiter » de cette QPC pour obliger le législateur à statuer sur le sujet. D'autres estimaient que les travailleurs en détention n'avaient pas droit aux mêmes règles que les travailleurs ordinaires.

Depuis février 2008 et notre décision sur la rétention de sûreté, jamais audience n'avait été aussi pesante. Il est manifeste que les clivages et solidarités politiques marquent le comportement de quelques-uns de nos membres. Je me demande si le dernier renouvellement du Conseil ne va pas rendre plus difficile la recherche d'un consensus. Il ne faut surtout pas que notre institution redevienne une instance partisane. J'ai tout fait pour que nos décisions soient fondées en droit et pour écarter les considérations ou calculs politiques. Il y va de l'autorité de notre travail.

14 juin

Fantastique concert de Johnny Hallyday à Bercy. « Oh Marie si tu savais… »

18 juin

Nous entendons l'avocat de Nicolas Sarkozy, Philippe Blanchetier. Avec rigueur et compétence, il plaide pendant quarante-cinq minutes. Naturellement, il conteste la pertinence des conclusions de la Commission et estime que la réintégration de certaines dépenses est infondée. En appliquant au président de la République sortant les règles auxquelles doivent se soumettre les autres candidats, on l'empêche, nous explique-t-il, dans l'année qui précède l'élection présidentielle, d'assumer sa fonction. On réduit le quinquennat à un « quatriennat ». Certaines dépenses imputées au candidat seraient en fait des dépenses du président et ne devraient donc pas figurer sur son compte électoral. Il ajoute que certaines d'entre elles doivent être imputées à l'UMP et non à Sarkozy, notamment celles concernant la réunion de Villepinte, attribuées trop facilement à l'UMP.

19 juin

Comme chaque année à la même date, j'arrête la dotation budgétaire du Conseil à prévoir dans le projet de loi de finances pour 2014. Elle s'élève à 10,776 millions d'euros, en diminution de 1,03 % par rapport au budget de 2013 (10,888 millions d'euros). Cette baisse est la cinquième consécutive depuis 2010. En cinq ans, le budget aura baissé de 13,52 %, alors même que notre activité a triplé.

20 juin

Un membre du Conseil fait ouvertement campagne en faveur de Nicolas Sarkozy. Il cherche à nous convaincre que le dépassement du seuil des dépenses autorisées pour un candidat à la présidentielle ne doit pas avoir de conséquences, et celui du montant prévu empêcher le remboursement forfaitaire. Il a « fait » plusieurs bureaux mais naturellement n'a pas osé venir me voir.

Je ne sais pas encore ce que va décider la majorité, mais je suis persuadé que la crédibilité du Conseil est en jeu. Accepter qu'un candidat à la présidence de la République et a fortiori le président sortant puisse ne pas être sanctionné s'il n'a pas respecté les règles légales en dépassant le montant des dépenses fixées, c'est laisser croire que la loi n'est pas la même pour tous, et ajouter au discrédit qui touche toute la classe politique.

Je ne saurais trop le répéter : vis-à-vis de celui qui nous a désignés nous devons indifférence, au risque d'être taxés d'ingratitude.

21 juin

À la chambre de commerce de Bordeaux, je participe au dîner organisé par la section locale de l'Association des docteurs en droit. Le débat a pour thème : « Un nouveau Conseil constitutionnel ? » Après mon exposé, des avocats, notaires et magistrats m'interrogent : « Le Conseil est-il devenu la Cour suprême ? »

Si je réponds par l'affirmative et avoue qu'il est en passe de le devenir, je risque de déclencher un séisme dans le monde étroit des magistrats de la Cour de cassation et des aigreurs d'estomac chez certains membres du Conseil d'État. Ils estiment impossible pour l'ordre judiciaire et l'ordre administratif qu'on puisse laisser entendre qu'ils ne sont plus magistrats d'une Cour suprême.

Soit ! Je préfère avancer sans le dire, plutôt que le dire sans avancer.

25 juin

Dès l'audience publique terminée, nous montons dans la salle des délibérés pour une nouvelle séance de travail sur les comptes électoraux de Nicolas Sarkozy. Les deux rapporteurs adjoints récapitulent toutes les investigations que nous avons ordonnées. Nous vérifions qu'il n'y en pas d'autres à diligenter. Il s'ensuit un débat entre nous assez confus. Je sais que la discussion va être difficile. Certains membres campent sur une prudence qui trahit leurs hésitations quant à la décision finale. Ils évitent de dire s'ils sont favorables au rejet des comptes ou prêts à accepter un dépassement au regard du statut présidentiel de Sarkozy. J'évite soigneusement de révéler mes préférences quant à ces deux options possibles. J'indique seulement que le mardi suivant sera distribué un projet de décision que nous examinerons le jeudi. Si un membre n'est pas d'accord avec ses conclusions, il lui sera toujours loisible de présenter une version contraire.

En fin d'après-midi, je me rends avec Valérie à Dijon pour présenter notre livre *Ces femmes qui ont réveillé la France* devant le Club des écrivains de Bourgogne. Un public nombreux est venu nous écouter. À la fin, plusieurs auditeurs me demandent des nouvelles de Jacques Chirac. Quand je leur réponds « Cela va tranquillement », ils insistent : « Dites-lui qu'on pense à lui, on l'aime bien, il était sympathique… »

Un monsieur s'approche de moi pour me questionner sur l'Assemblée nationale. En lui répondant, je me rends compte qu'il me croit encore au Palais-Bourbon. Je finis par lui dire que je ne suis plus député et donc plus président de l'Assemblée. Il a l'air contrarié par cette nouvelle qui semble lui avoir échappé.

« Et alors aujourd'hui, à part écrire des livres, que faites-vous ? »
me demande-t-il. « Je préside le Conseil constitutionnel. » Cette
fonction manifestement ne lui évoque pas grand-chose.

26 juin

Déjeuner avec le président de l'Assemblée nationale du Québec.
Personnage affable qui aime la France. Il est de passage à Paris
avant de rejoindre une réunion des parlementaires francophones
en Afrique. Il n'a pas été reçu à l'Assemblée nationale, ce qui
m'a contrarié et incité à organiser ce repas. Il semble très heureux
d'être ainsi honoré.

En fin de journée je vais passer un long moment avec Jacques
Chirac rue de Lille. Il est bien, rit et ne me fait pratiquement pas
répéter ce que je viens de lui dire. Au bout d'une heure et demie,
quand je lui annonce que je dois le quitter, il prend un air contrarié. « Je suis toujours très heureux de te voir, me redit-il. Reviens
quand tu veux. » Il m'embrasse en me raccompagnant.

28 juin

L'instruction du recours de Sarkozy étant close, nous avons
informé les différentes parties qu'elles ne pouvaient plus « produire » de documents. Or l'avocat de Sarkozy vient de nous faire
savoir qu'il nous en adressait un. Curieux hasard, il concerne
précisément un point abordé lors de notre séance du 25 juin.
Un de nos membres a donc « bavardé ». Toujours le même. Ce
ne sont pas les collaborateurs de Sarkozy qui ont sollicité ses
confidences, j'en suis persuadé, mais lui qui, pour se donner de
l'importance, les a précédés. Il n'a pas dû en rester là car, en
fin de journée, un journaliste du *Monde* me téléphone pour me
demander s'il est exact que le Conseil s'apprête à rendre sa décision. Naturellement, j'évite de lui donner la moindre précision,

affirmant que nous ne sommes tenus à aucun délai pour le faire et qu'il est seulement probable que nous nous prononcerons avant les vacances d'été.

Déjeuner avec Christiane Taubira. Une personnalité originale qui ne se fond dans aucun moule politique. Elle a trop de caractère pour être inféodée à qui que ce soit. Idéaliste, elle l'est sûrement. Contestée, dénigrée par beaucoup, elle est aussi une référence pour bien d'autres. C'est avec délectation qu'elle émaille ses propos de citations d'Aimé Césaire ou d'Édouard Glissant. Je tiens à attirer son attention sur la nécessaire prudence quant aux projets de réforme du Conseil, dont certains préconisent d'augmenter le nombre des membres. Il est vrai que nous travaillons plus que par le passé, du fait même de la QPC. Ce ne sont pas pour autant des cadences insupportables.

Je suis aussi inquiet de certaines nominations qui pourraient arriver dans l'avenir et donneraient un aspect partisan à notre institution. La présence d'anciens hommes politiques au sein du Conseil est indispensable. Juger la loi est un acte particulier, mais cette institution n'a aucun besoin de personnages incapables de s'affranchir de leurs réflexes de parti, de résister aux copinages et aux solidarités de clan. Je me méfie aussi de la présence de magistrats de l'ordre judiciaire pour qui l'ennemi c'est l'État, et qui se sont construits contre lui, persuadés que l'État ne sert qu'à bafouer les libertés, les droits individuels ou collectifs. Croire que l'on peut bâtir une société de liberté sans un État capable d'imposer la loi votée par les représentants du peuple est une utopie. Un pays sombre quand précisément l'État et ceux qui légitimement l'incarnent n'assument pas leurs responsabilités.

1ᵉʳ juillet

Longue conversation avec Philippe Bélaval, président du Centre des monuments nationaux chargé par François Hollande de lui faire des propositions de personnalités dont les cendres pourraient être transférées au Panthéon. Lorsqu'on est las de s'interroger sur l'avenir, le réflexe, surtout chez les politiques, est de se tourner vers le passé. Tous les présidents rêvent d'une cérémonie identique à celle du transfert des cendres de Jean Moulin. Mais tous n'ont pas un Malraux pour illuminer un tel moment.

Je lui suggère les noms de Balzac, de Lamartine. J'évoque, du côté des femmes, ceux d'Olympe de Gouges, à l'origine d'une Déclaration des droits de la femme et de la citoyenne, mais dont la personnalité me laisse un peu perplexe, et surtout de Geneviève de Gaulle-Anthonioz, figure magnifique de la Résistance qui fut ensuite la présidente d'ATD Quart Monde. À travers elle, ce serait faire entrer le nom de de Gaulle au Panthéon. Politiquement, pour Hollande, ce choix pourrait se révéler habile.

Une autre femme mériterait aussi cet honneur : George Sand, mais elle voulait être inhumée chez elle à Nohant et nulle part ailleurs. Il convient de respecter sa volonté, même si on ne l'a pas toujours fait pour d'autres, comme Alexandre Dumas. Je pense également à la grande Colette, mais ce choix serait sans doute contesté.

4 juillet

Le Conseil confirme la décision de la Commission de rejeter les comptes de campagne de Nicolas Sarkozy.

Nos débats ont été denses, chacun a eu conscience des conséquences de son vote.

Maintenant j'attends les réactions. Je sais par avance que je ne serai pas déçu par celles des courtisans de Sarkozy, qui, pour reprendre la formule de Montesquieu, sont semblables à ces plantes faites pour ramper, et qui s'attachent à tout ce qu'elles trouvent. Il est clair que l'ancien président garde autour de lui une sorte de fan-club qui ne va pas faire dans la nuance.

Nous avons jugé en droit. Politiques et journalistes vont nous répondre sur un registre partisan. Mais seul m'importe que le Conseil continue de montrer sa capacité à résister aux pressions.

Nous avons instruit sereinement et tranquillement ce dossier par une procédure nouvelle qui a associé à chaque étape l'ensemble des membres du Conseil. L'avocat de Nicolas Sarkozy, le président de la Commission concernée, le secrétaire général du gouvernement ont été informés du résultat des investigations diligentées par le Conseil.

Après la séance, l'un des membres qui a voté contre la décision de la Commission m'avoue, en forme d'excuse :

« Je ne pouvais pas faire autrement.

— Pourquoi ? »

Il ne me répond pas. Je préfère ne pas poursuivre la conversation tant son attitude m'apparaît peu glorieuse et pas très courageuse.

L'ambiance au déjeuner qui a suivi la séance a été particulièrement détendue, comme si tous étaient soulagés que cette affaire soit enfin terminée. Plusieurs membres me demandent si Sarkozy reviendra siéger au Conseil. Je n'en ai aucune idée. Rien n'est exclu, mais s'il le fait nos relations risquent d'être tendues.

L'intéressé me fait part au téléphone en fin de journée de sa réprobation :

« Avez-vous compris les conséquences de votre décision ? As-tu conscience des conséquences de ta décision ? L'ancien président de la République devra rembourser 11 millions d'euros et le premier parti politique de France est ruiné. Ce sont les socialistes qui vous ont poussés dans ce sens !

— Non, c'est une décision du Conseil prise collégialement, après une délibération adoptée de la même façon.

— Mais pour les comptes de Hollande vous n'avez rien dit ?

— Nous avons été saisis par toi de tes comptes et pas de ceux de Hollande. Nous sommes une juridiction d'appel et c'est toi qui as déposé un recours contre la sentence de la Commission. L'objet de la saisine était précis et notre décision est fondée en droit. Nous n'avons fait qu'appliquer la loi. »

Il s'ensuit quelques phrases hachées et, me semble-t-il, peu élogieuses à mon égard.

Manifestement je ne l'ai pas convaincu. Mais pouvait-il l'être ? Il raccroche sèchement, furieux et, à l'évidence, me tient pour seul responsable de ses déboires.

Je suis toujours stupéfait par cette propension des politiques, et la sienne en particulier, à utiliser la loi comme seulement un objet de communication politique.

Peu après, Nicolas Sarkozy annonce par dépêche de l'AFP qu'il démissionne du Conseil. Ce qui n'a aucun sens juridique, il est membre de droit et le restera qu'il le veuille ou non. En réalité, il veut semer la confusion. De toute façon, rien ne l'oblige à venir siéger.

En annonçant son départ et en faisant dire qu'il reprend sa liberté de parole, il a prouvé une fois de plus son savoir-faire dans l'art de la contre-attaque. Les journalistes ne parlent plus du fond de l'affaire, mais que de son retour sur la scène politique.

Il a su capter l'attention des médias en demandant à Hortefeux de crier au complot et de dénoncer ma présumée vengeance personnelle. Habile façon de flatter l'appétit des journalistes. On en profite pour tirer à boulets rouges contre le Conseil et me désigner à la vindicte publique.

Hortefeux a le culot d'affirmer que le Conseil est devenu, depuis l'élection de Hollande, un repaire de socialistes revanchards. Il ne dit naturellement pas que la plupart des membres ont été désignés par des présidents de la majorité à laquelle il appartenait. Sarkozy et ceux qui le suivent préfèrent porter atteinte à l'autorité d'une institution de l'État.

Copé, lui aussi, excelle dans l'art de la manipulation politique en essayant de faire croire que notre décision a pour but d'empêcher l'UMP d'assurer sa fonction de parti d'opposition. Il oublie ainsi de préciser sa responsabilité dans l'état des finances du parti qu'il dirige. On évoque plusieurs dizaines de millions de dettes.

Tant de mauvaise foi me renforce dans la conviction que nous avons pris la bonne décision.

5 juillet

Sur sa page Facebook, Nicolas Sarkozy nous critique publiquement. « Un principe nouveau a donc été mis en œuvre : pour un dépassement, que nous avons contesté, de 400 000 euros, soit 2,1 % du compte de campagne, s'applique une sanction de 100 %, soit 11 millions d'euros », affirme-t-il. L'argument ne tient pas.

Saisi par Sarkozy lui-même, le Conseil était avant tout chargé de trancher le différend qui l'opposait à la Commission. Ce que nous avons fait, en reprenant point par point les dépenses que la Commission avait réintégrées dans les comptes. Pour certaines d'entre elles, nous avons réformé ses décisions, pour d'autres nous les avons entérinées. Au final, nous avons indiqué que « c'est à bon droit » qu'elle « a rejeté le compte de Nicolas Sarkozy » et, en application des dispositions de la loi du 6 novembre 1962, qu'il n'avait pas droit au « remboursement forfaitaire prévu à l'article 52-11-1 du Code électoral ».

Pour être plus clair, nous estimons que c'est à juste titre que la Commission n'a pas validé les comptes. Dès lors, la loi interdit de rembourser les frais de campagne. Nous n'avons fait qu'appliquer la loi, qui ne prévoit pas de marchandage sur le montant à rembourser.

6 juillet

Au Salon du livre d'Hossegor, deux militants sarkozystes viennent me dire tout le mal qu'ils pensent de moi et du Conseil.

8 juillet

Le député-maire UMP de Vesoul, Alain Chrétien, m'avait invité, il y a un certain temps, à venir le 11 septembre prochain inaugurer dans sa ville la place de la République. J'avais accepté. Il me téléphone en fin de journée pour me dire que « d'après son entourage, il est préférable de reporter à une autre date cette cérémonie ». Il ne m'en cache pas les raisons…

Je me renseigne sur ce député – élu après mon départ de l'Assemblée – et qui connaît mon numéro de portable. J'apprends qu'il a été collaborateur de Joyandet, un proche de Sarkozy, rattrapé par des « affaires » qui l'ont contraint en 2010 à quitter le gouvernement.

J'apprends aussi qu'il m'a appelé à l'issue d'une réunion à laquelle il a assisté, rue de Vaugirard, au siège de l'UMP. J'y ai été naturellement fortement critiqué. C'est ce qui m'a été rapporté peu après.

9 juillet

« Respecter les institutions, ce n'est pas accepter toutes leurs décisions. » Ces propos sont ceux de Nicolas Sarkozy devant les militants de l'UMP.

Beaumarchais, dans *Le Barbier de Séville*, écrit : « On a vingt-quatre heures, au palais, pour maudire ses juges. » Certes, mais lorsqu'on a été le président de la République, le garant du bon fonctionnement de l'État et de l'autorité de la justice, on se doit à une certaine retenue publique à l'égard de ses juges.

La technique politique de Sarkozy est toujours la même : lorsqu'on est en difficulté, pris « le doigt dans la confiture », ne jamais jouer en défense mais en attaque, et plus la riposte est excessive, plus on parie sur son efficacité. C'est cette outrance grotesque, indigne et provocatrice qui permet sur RTL ce matin à

Henri Guaino, député UMP et ancien conseiller à l'Élysée, de faire allusion à l'affaire Dreyfus pour fustiger la décision du Conseil.

De son côté, Nicolas Sarkozy a laissé aussi entendre devant les cadres de l'UMP que le Conseil constitutionnel serait un organe partisan. Il oublie que sept membres sur neuf doivent leur présence à des présidents de la République, de l'Assemblée nationale et du Sénat de droite, dont lui-même. S'il nourrissait à l'égard du Conseil une telle suspicion, pourquoi a-t-il déposé un recours contre la décision de la Commission des comptes de campagne ? Le rejet dont il est frappé émane de deux institutions de la République.

10 juillet

Un cadre de l'UMP que je croise rue de Lille, alors que je vais rendre visite à Jacques Chirac, m'indique que ces dérives financières ne le surprennent pas. « Pendant toute la campagne présidentielle, l'un des collaborateurs du trésorier avait reçu instruction de balancer le maximum de dépenses de Sarkozy sur l'UMP. Quant à l'appel public pour renflouer les caisses du parti, ajoute-t-il, il a été décidé depuis longtemps. Nos dirigeants attendaient l'occasion adéquate et la décision du Conseil la leur a fournie. »

Je ne doute pas, même si je ne peux les vérifier, que ses propos soient proches de la vérité.

11 juillet

On me communique le texte d'un article qui doit être publié cette semaine par *Valeurs actuelles*, en particulier cet extrait : « Et comme si tout cela ne suffisait pas, l'alliance historique des derniers tenants de la chiraquie décadente avec le radical-socialisme mou de François Hollande s'emploie à ruiner les institutions en transformant le Conseil constitutionnel en machine à détruire Nicolas Sarkozy. Mais peut-on encore appeler "sages" des juges qui préfèrent défendre le principe de précaution pour les escargots que les droits de l'enfant, et donnent sans condition leur blanc-seing à cette folie du "mariage pour tous". »

Le choix des mots, les contre-vérités et l'amalgame transpirent la haine. On croirait retrouver une certaine presse d'extrême droite, celle de Vichy ou des partisans de l'OAS, à l'égard des gaullistes.

Alphonse Daudet avait raison d'écrire que « la haine est la colère des faibles ». C'est aussi la vengeance des peureux, des « poltrons » comme l'affirmait George Bernard Shaw.

Pour l'auteur de ces lignes venimeuses, la justice, en somme, se doit d'être aux ordres des politiques et, pour lui, de Nicolas Sarkozy. Il est vrai qu'en France les dirigeants excellent à faire voter des lois, mais ne supportent que bien difficilement les juges qui les leur appliquent.

Nous n'avons fait qu'appliquer la loi et rien d'autre, je ne saurais trop le répéter. À la suite de la Commission, nous avons relevé trois infractions. Le dépassement du plafond des dépenses autorisées, l'absence de sincérité des comptes, le financement illicite de dépenses électorales : l'État n'a pas le droit de financer une réunion électorale comme celle qui s'est tenue à Toulon. Mais l'honnêteté intellectuelle, la rigueur juridique, l'indépendance de la justice, la séparation des pouvoirs, ne sont pas des principes qui doivent avoir la moindre valeur pour le journaliste de cet hebdomadaire.

D'autres journalistes se complaisent à rappeler l'historique de mon inimitié avec Sarkozy. Ils n'arrivent pas à imaginer que cela n'ait en aucune façon influencé la décision du Conseil, qui est collective. Celle-ci a été prise à la majorité des membres. Les médias se complaisent dans le voyeurisme et le sensationnel. *Le Point* titre ainsi sur deux pages en caractères gras « Debré-Sarkozy, vingt ans de haine », attribuant sans vergogne à des arrière-pensées personnelles ce qui relève d'une juste application des textes. Mais tout cela va se calmer, je n'en doute pas.

18 juillet

Giscard assiste à notre séance. Lorsque je le vois entrer dans la salle, j'ai toujours l'impression qu'il vient faire pointer son carnet de séjour, se prenant pour un souverain en exil.

Ses interventions au cours de la séance trahissent son décalage par rapport à la réalité politique d'aujourd'hui. Il est resté figé dans un passé qui devient de plus en plus lointain.

Giscard est aussi exaspérant qu'il peut être séduisant et brillant. Sa manière d'être, sa visible satisfaction d'être ce qu'il est ou a été sont souvent insupportables. Mais son esprit parfois encore alerte, sa capacité de synthèse peuvent se révéler impressionnants.

Le président de l'Assemblée nationale vient déjeuner au Conseil. J'ai souhaité que la première rencontre officielle avec Claude Bartolone et le bureau de l'Assemblée nationale ait lieu ici et non à l'hôtel de Lassay. Après en avoir par deux fois différé la date, j'ai préféré attendre pour les recevoir d'avoir terminé le contentieux des élections législatives et réglé l'affaire Sarkozy.

Avant le déjeuner, je prends à part Corinne Luquiens, secrétaire générale de l'Assemblée nationale. Je la connais bien et l'apprécie. Je lui dis que ce serait bien, pour le Conseil, qu'elle arrive à s'y faire nommer lors du prochain renouvellement, dans deux ans et demi. Nous avons besoin d'une spécialiste de la procédure parlementaire.

27 juillet

À l'invitation de la Maison de la presse, nous voici avec Valérie au palais des Congrès de Royan face à une salle bien remplie pour parler de notre livre *Ces femmes qui ont réveillé la France*.

L'accueil du député-maire Didier Quentin est chaleureux et amical. Avant que ne débute notre conférence, il me confie, un peu gêné, que plusieurs militants de l'UMP lui ont fait savoir que, compte tenu de notre décision vis-à-vis de Sarkozy, ils ne pourraient y assister. La propagande interne a bien fonctionné, selon

180

laquelle nous avons voulu tuer leur parti en lui imposant une dette de plusieurs millions d'euros. Confusion sciemment entretenue, rideau de fumée pour faire oublier que l'endettement de l'UMP était déjà de plus de cinquante millions.

Après la rencontre, un monsieur très aimable vient me demander en aparté : « Pourquoi n'avez-vous pas annulé les comptes de Hollande ? » Je lui réponds que l'initiative de nous saisir vient de son chef, ce que François Hollande n'a pas fait pour sa part, n'ayant aucune raison de le faire. Il paraît surpris, mais je ne suis pas certain de l'avoir convaincu.

Toute cette manipulation politique, mensongère et méprisante pour les membres du Conseil et si peu respectueuse de nos institutions m'insupporte d'autant plus qu'elle est le fait d'un homme qui a été pendant cinq ans à la tête de l'État.

Je n'ignore pas que l'art du pouvoir est fait de ruse et de cynisme.

La lecture de Machiavel ou *L'Art de la guerre*, de Sun Tzu, sont là pour nous en rappeler la réalité politique et parfois la nécessité. Mais ce n'est pas de cela dont il est ici question. La manipulation et le mensonge qui sont en cause ne concernent que des intérêts personnels. Il ne s'agit pas de préserver l'unité et l'indépendance de l'État ou de la nation, de gagner une guerre, de terrasser un ennemi de la République, d'imposer une réforme nécessaire, mais seulement de nier une pratique réprimée par la loi, de maquiller des fautes, protéger et défendre des intérêts particuliers. Il s'agit de garantir l'impunité d'un ancien président de la République.

Longtemps les princes de l'Ancien Régime qui nous gouvernaient confondaient leurs intérêts, surtout financiers, et ceux de l'État. La loi s'appliquait différemment selon que l'on était « puissant ou misérable ». Ces princes se considéraient comme l'État et ce fait légitimait à leurs yeux bien des agissements. Fouquet en fut l'exemple le plus abouti, qui profita abondamment de ses pouvoirs et finit par être sanctionné.

Aujourd'hui nos dirigeants ne sont plus que de simples et temporaires dépositaires du pouvoir. Ce sont des citoyens ordinaires qui disposent d'un bail précaire pour assumer des responsabilités au sein de l'État.

Les sanctions prévues par la loi s'appliquent à tous sans exception, même à celui qui, à un moment donné, a été mandaté par les Français pour diriger les affaires du pays.

29 juillet

En vue de la réception que j'ai décidé d'organiser à la rentrée pour le cinquante-cinquième anniversaire de la Constitution, la Chancellerie, interrogée, nous fournit une liste de onze ministres condamnés et quinze mis en examen. Dans cette dernière catégorie figurent Dominique Strauss-Kahn, Jérôme Cahuzac, Gaston Flosse, Jean Tiberi…

Je prends la décision de ne pas les convier, de même que nous n'enverrons pas d'invitation à Bernard Tapie. Ma décision est injuste, j'en ai conscience. La présomption d'innocence est un principe constitutionnel. Mais nous vivons dans un système médiatique et le 3 octobre, lors de la venue du président de la République, il y aura beaucoup de photographes rue Montpensier. Ils ne manqueront pas de signaler toute présence qui pourrait nuire à l'image du Conseil.

Je profite d'un déjeuner avec Bernard Cazeneuve, le ministre du Budget, pour dénoncer l'attitude de Bercy qui, par une circulaire du 14 juin 2013, montre combien l'administration fiscale n'a rien à faire de la loi et de la jurisprudence du Conseil constitutionnel.

Dans notre décision du 29 décembre 2012 sur la loi de finances, nous avions censuré l'intégration dans l'ISF de plus-values latentes réalisées sur les contrats d'assurance vie et plus généralement de tous les bénéfices ou revenus que le contribuable n'a pas réalisés de façon certaine ou dont il ne dispose pas.

Cette circulaire qui fait fi de notre décision est doublement contestable. D'une part, ce n'est évidemment pas aux fonctionnaires de la direction des Finances publiques mais à la loi de fixer les règles en cette matière, donc aux parlementaires. D'autre part, le Conseil s'est prononcé sur le principe général dans le sens de la non-intégration. Seuls les députés et sénateurs peuvent revenir sur cette jurisprudence ; c'est alors que le Conseil sera appelé à dire s'il entend ou non maintenir sa jurisprudence.

Heureusement cette circulaire est contestée devant le Conseil d'État. Il est vraisemblable qu'elle sera annulée.

Est-il possible de laisser Bercy continuer à agir au mépris de la Constitution, de la loi et de la jurisprudence du Conseil ?

Le ministre me dit attendre la décision du Conseil d'État, moins certain que moi qu'elle sera annulée. Pour le reste, le déjeuner est sympathique, mais je me demande encore pourquoi il a voulu que nous nous rencontrions.

Il veut savoir comment je perçois la situation politique. Je lui précise que je la regarde avec beaucoup de détachement. Concernant la majorité à laquelle il appartient, il me semble, lui dis-je, que ses membres devraient prendre conscience qu'ils ne sont plus dans l'opposition. Comment rassurer les Français qui désespèrent de l'avenir avec ces ministres et députés socialistes qui ne cessent de dénigrer le gouvernement et le Premier ministre et, quand ils le peuvent, sont les premiers à contester les choix du président de la République ?

La gauche déçoit. Le chef de l'État a l'air sympathique, mais il ne donne pas l'impression d'être à la hauteur. La situation de la droite ne m'apparaissant pas très brillante elle non plus, tout est fait pour favoriser la montée des extrêmes.

Sur la fiscalité, je dis à Bernard Cazeneuve que la majorité devrait faire preuve de moins de dogmatisme et le gouvernement de plus de réalisme. Une révolte fiscale puis politique des classes moyennes, des commerçants, des artisans porterait en elle des risques de résurgence d'une sorte de « poujadisme ».

Cazeneuve m'écoute aimablement, m'affirme qu'il est lui aussi préoccupé par la conjoncture économique et l'absence de maturité politique de certains membres de la majorité présidentielle. S'agissant du Budget, dont les derniers arbitrages n'ont pas encore été prononcés, il m'assure qu'il n'y aura pas de hausse de l'impôt généralisée.

Pendant tout le déjeuner, il a gardé son portable ouvert à côté de son assiette et tapé des messages. Horripilant.

1er août

« Pourquoi, me demande, avec un léger sourire malicieux, Giscard en entrant en séance, le Conseil arrête-t-il ses travaux ce soir ? J'avais cru comprendre que nous siégerions jusqu'aux alentours de la mi-août... »

Cet intérêt soudain pour notre emploi du temps peut paraître surprenant. En fait, Giscard excelle dans le dénigrement, la critique, c'est sa façon de ne pas se faire oublier. Je lui précise que la session extraordinaire du Parlement a été un échec grandiose pour le gouvernement et sa majorité qui n'ont réussi à faire adopter aucune loi importante, les sénateurs bloquant le processus législatif.

« Oui j'ai vu cela, me dit-il.

— La grande réforme constitutionnelle ne sera jamais votée.

— C'est préférable. De toute façon ces socialistes sont nuls et le gouvernement totalement incapable. »

Notre conversation s'arrête à ce constat qui le réjouit. La réforme constitutionnelle qui devait mettre fin à la présence au Conseil des anciens présidents de la République ne verra pas le jour. Pendant une heure, Giscard assiste à nos travaux et se retire quand nous commençons à délibérer sur des QPC. Il n'aura jamais statué sur une seule d'entre elles. Il est opposé à cette procédure, même si elle est prévue par la Constitution.

Lorsque Giscard vient au Conseil, il me fait de plus en plus l'impression d'un étranger égaré parmi nous. Il assiste parfois comme ahuri à nos débats et ne dit mot.

18 août

Sur une plage de l'Herbe, près de Cap-Ferret, un couple me prend à partie en m'injuriant à propos de notre décision sur le mariage pour tous. Ils m'ont repéré alors qu'ils ancraient leur bateau et sont venus vers moi. La femme puis le mari me traitent de personnage sans morale, le regard plein de haine.

6 septembre

Le ministre de l'Éducation, Vincent Peillon, m'invite à l'accompagner lundi dans une école de Seine-et-Marne. Il veut évoquer devant les élèves deux sujets qui me tiennent à cœur : la défense des droits de l'homme et la laïcité, principes fondateurs de la République. Même si j'approuve son initiative, je décline son invitation. Le rôle du président du Conseil constitutionnel n'est pas de se montrer publiquement aux côtés d'un ministre et de lui servir de faire-valoir.

9 septembre

Je fais les courses avec Marie-Victoire et Lila-Marianne au marché « bio » du boulevard Raspail. Je croise Bernard Cazeneuve, panier dans une main, portable dans l'autre, qui passe totalement inaperçu. Il me salue d'un « Bonjour Jean-Louis » tout en continuant de téléphoner. Je me demande s'il lui arrive, à un moment donné, de vivre et de respirer sans son portable.

Un peu plus loin c'est l'écolo Yves Cochet qui me lance : « Bonjour président ! » pendant que des militants bon chic bons genre distribuent des prospectus en faveur de Nathalie Kosciusko-Morizet. Décidément ce marché bio est bien fréquenté.

10 septembre

Déjeuner au Divellec en compagnie de Jean-Pierre Elkabbach. Il y a longtemps que je ne l'avais rencontré. C'est toujours pour moi un moment privilégié de pouvoir échanger avec lui. J'ai toujours eu pour Elkabbach une vraie sympathie. Il fait partie de ces journalistes qui savent écouter et tentent de vous comprendre lors des conversations privées. Il est attentif à la vérité des autres. Il m'a constamment réservé un accueil bienveillant, même lorsque j'étais critiqué par bien des journalistes pour mon action au ministère de l'Intérieur ou à la présidence du groupe RPR à l'Assemblée.

Nous évoquons la personnalité de Chirac, l'ingratitude des hommes et femmes politiques qu'il a mis en place et qui, depuis qu'il a cessé de leur être utile, ne viennent plus soulager sa solitude et l'ignorent.

Nous parlons du rôle pris par le Conseil constitutionnel, de ses dernières décisions sur les comptes de Sarkozy et la loi sur le mariage pour tous ; de l'hypocrisie de la communauté internationale vis-à-vis du peuple syrien et des atrocités commises par Bachar al-Assad.

Assurément, cette crise a montré les limites de l'Europe politique dont la désunion a éclaté au grand jour. À quoi servent ces centaines de diplomates qui, à Bruxelles, devraient être les initiateurs, les inspirateurs, les artisans de la politique étrangère européenne ? Il paraît que nous avons un « ministre des Affaires étrangères de l'Europe ». C'est probablement un ministre sans voix. Quel avenir pour notre vieux continent si nous ne sommes pas capables de réagir aux atrocités commises par un dictateur qui « gaze » son peuple et défie le monde entier ?

Bruno Le Maire, qui déjeunait à une table voisine, vient nous retrouver pour le café. Il nous dit combien lui semblent médiocre et pathétique l'attitude de la droite, stériles les luttes de ses dirigeants, affligeante leur incapacité à formuler un discours crédible pour l'avenir. Enfermés dans leurs querelles et leurs ambitions personnelles, ils désespèrent les Français de croire en eux. Je me sens en total accord avec sa façon de penser.

En fin de soirée, je remets les insignes d'officier de la Légion d'honneur à Élisabeth Baraduc, avocate au Conseil d'État et à la Cour de cassation, qui fut, en 2000, la première femme présidente de ces deux institutions et est restée la seule à ce jour.

Ce sont les avocats du petit barreau de La Roche-sur-Yon qui, en octobre 1933, ont été les premiers à désigner à la tête de leur ordre une femme bâtonnier, Paule René Pignet. Il a fallu attendre 1996 et l'élection de Dominique de La Garanderie pour que leurs homologues parisiens fassent de même.

Magistrats, avocats, professeurs de droit, beaucoup de monde dans le grand salon du Conseil pour honorer Élisabeth Baraduc, cette femme de tempérament, de talent et de générosité que toute la famille judiciaire apprécie.

11 septembre

Cécile Duflot, ministre du Logement, souhaitait déjeuner avec moi, probablement à l'instigation de son directeur de cabinet, un jeune membre du Conseil d'État qui connaît bien notre propre institution.

Le déjeuner, auquel je l'ai conviée avec son collaborateur et Marc Guillaume, est étrange. Elle se montre d'abord persifleuse, restant sur ses gardes, crispée. L'idée qu'elle se fait de moi doit être totalement négative : sans doute me prend-elle pour un vieux réac de droite.

Elle qui m'a probablement contesté quand j'étais ministre de l'Intérieur semble avoir du mal à se faire à l'idée qu'elle puisse partager un repas avec moi. « Si je dis à mes amis écolo que j'ai déjeuné ici avec vous, ils refuseront de me croire », m'avouera-t-elle d'ailleurs en partant.

Elle multiplie les piques, l'air de rien, contre moi : « Je vous ai confondu avec l'Académie française », m'a-t-elle dit en arrivant, ce qui m'a fait rire. J'aurais dû lui répliquer que je la croyais « secrétaire perpétuelle » des écolos… Elle ajoute : « J'ai donné à l'un de mes fils comme deuxième prénom Ababacar, l'un des responsables de l'occupation par les sans-papiers de l'église Saint-Bernard… »

Et je ne l'ai pas davantage épargnée. Florilège :

« Pourquoi les écolos passent-ils leur temps à se disputer comme des chiffonniers ? » « Quand serez-vous enfin responsables ? » « Cela ne vous gêne pas d'être ministre, de ne plus pouvoir toujours être contre tout et de profiter des palais nationaux ? » « Cela vous fait quoi d'être confrontée à la réalité du pouvoir et de devoir admettre la vérité des autres ? »

À part cela et ces gentillesses, le déjeuner s'est déroulé dans la bonne humeur. Je ne sais par quel détour nous évoquons la probable entrée d'une femme au Panthéon. Cécile Duflot lance le nom d'Olympe de Gouges. Pour la provoquer, je lui dis ma préférence pour Louise Michel.

« Une anar au Panthéon, ce n'est pas possible ! Et c'est vous qui proposez cela ? » s'exclame-t-elle. Elle n'en revient pas.

« C'est un personnage intéressant que j'aime bien ! » lui dis-je.

Devant une telle affirmation, elle me regarde avec étonnement. Comment un type comme moi peut-il s'être entiché de cette révolutionnaire ? C'est incompréhensible pour elle.

Je sors de table et vais dans mon bureau chercher le livre *Ces femmes qui ont réveillé la France*.

« Vous avez écrit un livre sur les femmes ? s'étonne-t-elle.

— Oui, je ne suis ni macho ni sectaire, contrairement à ce que vous croyez.

— Il faut me le dédicacer... »

Ce que je fais immédiatement en écrivant en gros caractères « Vive la République ».

Déjeuner en définitive surprenant et plutôt sympathique, même si la personnalité de Cécile Duflot m'inspire une certaine perplexité. Je me demande ce qu'elle fait dans ce gouvernement quand je l'entends me dire, à moi qui ne suis pas l'un de ses « amis politiques », que « Hollande ne sait pas décider ». Elle semble avoir oublié qu'elle est une de ses ministres et à ce titre tenue à un certain devoir de réserve. Une formule qu'elle doit juger ringarde, elle aussi.

12 septembre

Il est fatigué, la conversation ne prend pas. Il est ailleurs.

17 septembre

Bonheur de passer la soirée au Panthéon à écouter Muriel Mayette, de la Comédie-Française, lire George Sand. « Je ne pense pas qu'il y ait de l'orgueil et de l'impertinence à écrire l'histoire de sa propre vie, encore moins à choisir, dans les souvenirs que cette vie a laissés en nous, ceux qui nous paraissent valoir la peine d'être conservés... L'étude du cœur humain est de telle nature que plus on s'y aborde, moins on y voit clair ; et pour certains esprits actifs, se connaître est une étude fastidieuse et toujours incomplète. »

24 septembre

Au Sénat, à l'invitation de Gérard Larcher, président de l'amicale gaulliste, et de Jacques Godfrain, celui de la Fondation Charles-de-Gaulle, je participe à une rencontre sur nos institutions en présence de Gaetano Quagliariello, ministre italien des Réformes constitutionnelles. Comme j'en ai l'habitude, je défends nos institutions.

En terminant mon long exposé, je m'emploie avec prudence, compte tenu de mes fonctions, à critiquer certains projets de réforme. Je constate que beaucoup de leurs auteurs sont ignorants de notre histoire politique. Ils ne sont pas loin de penser que la République est née le jour de leur entrée au Palais-Bourbon. J'exagère à peine. De toute façon, ils se fichent des institutions, ils veulent être ministres, le reste n'a que peu d'importance.

Un Montebourg, un Copé, qui prônent l'avènement d'un « hyper-Parlement », rêvent en fait d'un retour au régime des partis, du moins tant qu'ils sont là où ils sont. Si demain ils accédaient à la présidence de la République, ce à quoi ils aspirent ouvertement, nul doute alors qu'ils changeraient de position. L'un et l'autre aiment trop le pouvoir pour envisager de le partager.

Et que dire de ces professeurs de droit constitutionnel qui, par méconnaissance des logiques parlementaires, sont prêts à tout casser pour en revenir à un régime d'assemblée ? Irresponsables aussi celles et ceux qui croient que la proportionnelle insufflera un dynamisme nouveau à notre Parlement. Elle ne fera que restaurer la domination des états-majors politiques, raviver confusion et combines dans les Assemblées, et les gouvernements finiront par ressembler aux pâles ministères de notre défunte IVe République.

Face à une telle ignorance de notre histoire politique, à tant de démagogie électorale, à un tel mépris pour l'État, on a toutes les raisons de s'inquiéter pour l'avenir de nos institutions.

25 septembre

À Nice, Valérie et moi présentons au Centre méditerranéen de la culture, à plus de quatre cents personnes, notre livre *Ces femmes qui ont réveillé la France*. Très belle soirée pour nous. Auditoire attentif, chaleureux.

Avant le début de la conférence, Christian Estrosi et Éric Ciotti sont venus nous saluer. Délicate attention, sachant qu'ils n'ont ni l'un ni l'autre beaucoup de sympathie politique envers moi.

Les journalistes de *Nice-Matin* m'apprennent que Nicolas Sarkozy arrive le lendemain à Cannes pour faire une conférence et déjeuner avec des élus. Ils me demandent un commentaire. Naturellement je m'en abstiens. Je ne doute pas qu'il continue à souffler sur les braises de l'UMP. Il s'arrangera pour glisser deux ou trois phrases vengeresses vis-à-vis de Fillon, voire de Copé, et laissera planer le mystère sur son propre avenir. C'est un virtuose en politique du « jeu de massacre ». Quelle satisfaction pour moi d'être sorti de ce monde-là.

28 septembre

La « sortie » de Cécile Duflot contre Manuel Valls à propos des Roms ne me surprend pas. Duflot n'aurait jamais dû être ministre. Si elle n'est pas d'accord avec la politique du gouvernement, la moindre des choses serait qu'elle démissionne. Mais c'est « chouette » d'être ministre.

Pourquoi Ayrault et Hollande laissent-ils faire et ne réagissent-ils pas en la « virant » ? Ils oublient qu'ils gèrent les affaires de la France et non plus celles du parti socialiste où il s'agissait de faire cohabiter des « courants politiques ». Ce spectacle est dramatique.

29 septembre

Déjeuner avec Chirac au restaurant chinois de l'avenue Victor-Hugo. Il est détendu. Francis Huster vient chaleureusement le saluer. Il ne le reconnaît pas. Trois fois de suite, il me demande : « Qui est-ce ? »

Nous nous retrouvons à dix-sept heures à la Rhumerie, boulevard Saint-Germain. Trois jeunes étudiants attablés non loin viennent vers lui et lui offrent des macarons. Chirac est heureux, il s'entretient un petit moment avec eux.

30 septembre

Et ça continue ! À droite, Fillon réplique à Sarkozy qui l'a critiqué. Et à gauche, la polémique Duflot contre Valls se poursuit. Cette cacophonie généralisée est désespérante.

À Lille, où j'ai été invité en fin d'après-midi par les étudiants de Sciences Po à parler du Conseil, il m'apparaît évident, aux questions qui me sont posées, que, s'agissant de notre décision sur les comptes de campagne de Sarkozy, nous n'avons pas su nous faire comprendre. « Pourquoi n'avez-vous pas rejeté ceux de Hollande ? me serine-t-on de nouveau. Auriez-vous en cas de rejet des comptes du candidat élu osé annuler l'élection ? Pourquoi n'avoir pas modulé l'amende ?... » Autant de questions qui ne se posent pas au regard de la loi, mais me permettent de mesurer l'efficacité de la manipulation politique orchestrée par les amis de Sarkozy qui, eux, ne peuvent pas ignorer cette loi, voulue par l'ex-président lui-même.

La conférence avait aussi pour thème fixé par les étudiants : « Les femmes qui ont réveillé la France ». Ils écoutent Valérie, présente avec moi sur l'estrade, leur parler des difficultés de Marie Louise Jaÿ, la fondatrice de La Samaritaine, pour ouvrir son magasin le dimanche.

Lorsque j'évoque le message adressé par Nafissa Sid Cara, première musulmane membre d'un gouvernement de la République, à ses sœurs algériennes en 1959 pour leur demander d'enlever leur voile, l'auditoire redouble d'attention. Je me tourne discrètement vers une étudiante, assise au milieu de l'amphithéâtre, qui porte précisément un voile sur la tête. Elle ne dit rien, prend des notes. Je sens que nous dialoguons sans nous parler. Je rappelle la loi, jugée conforme à la Constitution par le Conseil, qui interdit le port du voile intégral sur la voie publique. Notre dialogue silencieux se poursuit, elle continue à écrire sans tourner les yeux vers moi. À la fin de la conférence, une heure et demie plus tard, j'essaye d'aller lui parler, mais je suis happé par les nombreux étudiants qui veulent continuer à me poser des questions. Notre entretien n'aura pas lieu. Dommage.

1er octobre

Appel de Jean-Marc Ayrault pour me demander si ce que l'on dit, à savoir que nous allons annuler la loi sur la transparence de la vie publique, est exact. Je lui réponds que je l'ignore, le Conseil n'ayant pas délibéré, mais je lui dis aussi que cette loi est mal rédigée, qu'elle comporte des contradictions et que nous allons certainement ne pas la laisser intacte. Il n'a pas l'air spécialement satisfait de ma réponse.

192

2 octobre

Dans le silence éprouvant de l'absence, l'immobilité angoissante du cimetière Montparnasse, j'assiste aux obsèques de mon ami Jean-Pierre Pierre-Bloch. Il a montré que la générosité ne s'arrêtait à aucune des frontières territoriales, des barrières sociales ou des différences de la vie.

Je suis outré d'entendre Gilles Bernheim prononcer son éloge funèbre et donner des leçons de moralité et de conduite, lui qui a dû démissionner de ses fonctions de grand rabbin de France après avoir reconnu qu'il avait menti sur son titre d'agrégé de philosophie et été accusé de plagiat. Dans certains cas, il convient d'être discret.

3 octobre

La cérémonie d'anniversaire de la Constitution, en présence de François Hollande, rassemble ce matin au Conseil deux cent cinq anciens ministres et secrétaires d'État de la Ve République sur les trois cent quatre-vingt-quatre encore vivants, le Premier ministre Jean-Marc Ayrault et plusieurs de ses prédécesseurs à Matignon : Édith Cresson, Lionel Jospin, Édouard Balladur et Dominique de Villepin. Une heure avant le début de la manifestation, Alain Juppé m'a appelé pour me dire qu'il ne pouvait pas venir. Seuls François Fillon, Michel Rocard et Jean-Pierre Raffarin ont décliné mon invitation.

Cette manifestation républicaine rassemblant ministres de gauche comme de droite a été décidée depuis le printemps et mise en place le plus discrètement possible. L'idée aurait dû en revenir aux présidents du Sénat ou de l'Assemblée. Mais il faut dire que le premier, complètement évanescent, ne semble pas s'intéresser à grand-chose, et le second est trop préoccupé de son propre avenir pour s'intéresser à quoi que ce soit d'autre.

Les anciens présidents de la République sont absents. Chirac est malade, Sarkozy boude le Conseil depuis la décision qui le concerne. Et Giscard n'a pas daigné venir.

J'ai souhaité que la garde républicaine rende hommage à ces ministres. En grande tenue, elle a pris place tout au long du grand escalier. Avant l'arrivée de François Hollande, je les accueille tous à l'entrée du Conseil et tous me remercient d'avoir pris cette initiative. Beaucoup m'embrassent, signe de l'émotion qu'ils éprouvent à se retrouver.

Avant d'entrer dans le grand salon du Conseil, François Hollande s'attarde quelques instants dans mon bureau. J'en profite pour lui dire que la loi sur la transparence de la vie publique que le Conseil doit examiner prochainement m'apparaît difficilement acceptable en l'état. Celle interdisant l'exploitation du gaz de schiste, sur laquelle nous allons également statuer, ne me paraît en revanche poser aucun problème.

La vue du théâtre éphémère de la Comédie-Française toujours pas démonté irrite le chef de l'État. Je me dis qu'il devrait en parler à sa ministre de la Culture.

Pour la plupart, les visages qui peuplent le grand salon me sont sinon familiers, du moins connus. Ces hommes et ces femmes aux opinions politiques diverses ont occupé des fonctions ministérielles, parfois modestes et éphémères, d'autres ont été plus longtemps sous la lumière, beaucoup se sont combattus et dénigrés, d'autres se sont succédé à la tête d'un ministère et ont alors éprouvé de la rancœur d'être écartés du pouvoir. Ils sont UMP, socialistes, gaullistes, communistes… Peu m'importe : ils sont là.

J'aperçois Balladur toujours drapé dans sa dignité, le visage impassible ; un peu à l'écart, Villepin, discutant avec celui qui fut il n'y a pas si longtemps son collaborateur et qui est déjà un ancien ministre, Bruno Le Maire. Je vois les communistes Jean-Claude Gayssot et Jacques Brunhes, heureux d'être présents. Je me suis toujours bien entendu avec eux. « Heureusement que tu m'as invité, j'avais oublié que j'avais été ministre », m'a dit Brunhes avec son humour habituel.

Jean-Pierre Chevènement, qui me succéda au ministère de l'Intérieur, et pour qui j'ai de l'amitié, me félicite d'avoir organisé cette réunion. Chaque fois que l'on honore la République, il est satisfait et présent.

Roland Dumas et Yves Guéna, qui ont jadis présidé le Conseil, ne semblent pas bouder leur plaisir de revenir ici, mais s'abstiennent de converser ensemble.

Pascal Clément, Dominique Perben, Henri Nallet saluent Christiane Taubira qui exerce aujourd'hui la fonction de ministre de la Justice qui a été la leur.

Jean-Yves Le Drian croise Michèle Alliot-Marie, je ne sais pas s'ils se sont parlé, peut-être ont-ils échangé leurs impressions sur le ministère de la Défense et les conséquences sur nos armées de la réduction du budget consacré à la défense nationale...

Jean-François Copé est là lui aussi, mais sans son rival François Fillon. Valls et Duflot se croisent et s'ignorent manifestement.

J'ai du mal à mettre un nom sur le visage de deux ou trois ministres qui accompagnent Jean-Marc Ayrault et se collent à lui, de peur probablement qu'on leur demande qui ils sont.

C'était prévisible : Rachida Dati et Jack Lang arrivent en retard, après le président de la République, probablement pour se faire mieux remarquer des photographes. On ne change pas...

Je fais une courte intervention, rappelant que les augures officiels ne prédisaient pas, en 1958, une longue vie à notre Constitution et affirmaient qu'elle ne survivrait pas à de Gaulle. Et que, preuve ayant été faite du contraire, il convient donc de la ménager.

Hollande lit un discours dont il ne sort pas. Debout à côté de lui, je peux suivre son texte. Je l'observe attentivement. Son débit est meilleur que d'habitude. Il vante la « solidité » et la « plasticité » de la Constitution, rappelle qu'il a toujours été défavorable au concept d'une VIᵉ République. Puis il reprend une vieille lubie socialiste : le référendum d'initiative minoritaire ou populaire, je ne sais plus.

Cette idée est absurde et dangereuse pour le régime parlementaire et la stabilité de l'État. Si elle avait été appliquée au moment de la loi sur le mariage homosexuel, il s'en serait suivi un possible désaveu des parlementaires et une grave crise de régime qui eût mis en cause le gouvernement et le président de la République.

Le projet n'est pas au point. Il prévoit notamment que le Conseil aurait la mission de contrôler la réalité des quatre millions et demi de signatures requises pour déclencher ce référendum. Il serait matériellement impossible pour nous d'accomplir un tel travail sérieusement. En fait, ce projet, outre sa dangerosité politique, est utopique. Sans doute Hollande le sait-il, mais il a besoin de faire une annonce.

Il évoque aussi le Conseil économique, social et environnemental. Jean-Paul Delevoye, son président, est là en tant qu'ancien ministre. En écoutant Hollande, je me demande pourquoi il a éprouvé le besoin de parler de cette institution dont tout le monde sait qu'elle ne sert à rien d'autre qu'à placer des amis ou recaser de vieux syndicalistes et coûte très cher à la République. De Gaulle souhaitait déjà la faire disparaître.

Ce serait désespérant que le grand dessein institutionnel du président se limite à raviver le Conseil économique et à relancer l'idée du référendum d'initiative minoritaire. Alors que je lui ai offert une magnifique tribune pour prononcer un grand discours républicain, fixer un sens à la politique, rassembler le pays autour des valeurs de liberté et d'égalité, exprimer une ambition pour la France…

Aquilino Morelle ou Paul Bernard dont on dit qu'ils sont les « plumes » de François Hollande devraient s'efforcer de donner à ses discours un contenu, une flamme, du souffle, de lui trouver des formules intelligemment ciselées, comme ont su le faire Régis Debray ou Erik Orsenna pour François Mitterrand.

Michel Charasse, que j'interrogeais pour mon livre sur les grands discours, m'a raconté que Mitterrand corrigeait souvent les projets de discours qui lui étaient soumis et improvisait parfois. C'est dans le train Paris-Nevers, alors qu'il se rendait aux obsèques de Pierre Bérégovoy, qu'il a trouvé cette formule mémorable : « Toutes les explications du monde ne justifieront pas qu'on ait pu livrer aux chiens l'honneur d'un homme, et finalement sa vie… » Et c'est lui encore, d'après Charasse, qui a eu l'idée de cette phrase prononcée devant le Bundestag : « Le pacifisme […] est à l'ouest et les euromissiles sont à l'est. »

Le discours est aussi indispensable à la liturgie politique que le sermon à l'office religieux. Moment essentiel de la grand-messe

196

politique, il est espéré, attendu, commenté. Celui de Hollande devant le Conseil est décevant, terne, sans intérêt.

C'est par le discours que l'homme d'État imprime un style à son action. Hollande a parlé devant un auditoire exceptionnel et lui ne l'a pas été. Il a raté un rendez-vous avec la République.

Sénèque disait que « le discours est le visage de l'âme ».

Après son intervention, je l'accompagne au milieu des invités. Il est souriant, attentif, et quand il parle à quelqu'un il le regarde.

Finalement peut-être est-ce là l'un des problèmes de Hollande : jovial, aimable, chaleureux, il n'impressionne pas outre mesure, n'impose pas sa personnalité. Il ne dégage aucun magnétisme.

Quand Giscard, Mitterrand, Chirac, Sarkozy pénétraient dans une salle lors d'une réception et passaient au milieu des invités, je me rappelle que tous les regards se focalisaient sur eux. Chacun tentait de s'approcher pour leur serrer la main et être remarqué s'entretenant, fût-ce quelques secondes, avec eux comme si cet instant avait quelque chose de sacré. Hollande ne suscite pas la même effervescence ni la même attirance. Je ne ressens rien de similaire quand il parcourt le grand salon, bien qu'il soit avenant et d'un abord facile.

4 octobre

À l'occasion du cinquante-cinquième anniversaire de la Constitution, nouveau colloque universitaire au Conseil. Deux cents professeurs y participent. Les universitaires adorent colloquer et s'écouter. Sont aussi présents des avocats dont l'ancien bâtonnier de Paris Yves Repiquet. Nicole Belloubet et Denys de Béchillon, professeur à l'université de Pau, animent les débats de façon magistrale.

Dans une brève introduction, j'insiste sur l'évolution du Conseil, si frappante que nombre de journalistes et d'observateurs ont tendance à nous considérer comme une « troisième chambre du Parlement », ce qui peut être dangereux pour nous. Je m'interroge aussi à haute voix sur l'avenir de la QPC. Ses adversaires d'hier n'ont pas encore renoncé à la combattre et à minimiser ses effets. Bien des membres de la Cour de cassation et même du Conseil d'État nourrissent toujours le secret espoir de restreindre notre saisine pour mieux garantir leur prééminence.

5 octobre

Invité à Mâcon par le sénateur-maire Jean-Patrick Courtois, j'inaugure une rue et un espace Michel-Debré. Devant de nombreux habitants et tous les élus présents, j'évoque les raisons de son engagement aux côtés du général de Gaulle.

Le député socialiste m'avait appelé la veille au Conseil car il voulait lui aussi faire l'éloge de mon père. Je ne suis pas dupe de ses raisons. Mais Jean-Patrick Courtois décide que seuls lui et moi aurons droit à la parole.

En m'entendant évoquer les noms de mon père et du Général, je sens passer au milieu de cette assistance nombreuse, surtout composée d'anciens militants ou élus gaullistes, un souffle d'émotion et de nostalgie.

Le député socialiste de la ville souhaite être photographié à mes côtés devant la stèle à l'effigie de mon père. Il veut à l'évidence s'en servir pour son journal électoral. Ainsi va la politique. Nous avons tous fait de même et cela m'amuse plutôt de le voir jouer des coudes pour être sur la photo. Je l'ai fait si souvent à Évreux.

J'en profite pour lui dire tout le mal que je pense de l'attitude de ses camarades socialistes qui ne cessent de critiquer ou de dénigrer l'action du président de la République grâce à qui ils ont été élus.

Avec des comportements aussi irresponsables, il ne faut pas s'étonner de la montée des extrêmes à gauche comme à droite. « Vous n'êtes plus le parti socialiste mais à la tête du gouvernement. N'oubliez jamais qu'en politique le plus délicat n'est pas d'être élu mais d'être réélu. »

8 octobre

Giscard assiste au délibéré sur les lois relatives à la transparence de la vie publique. Il ne peut s'empêcher de rappeler, en me regardant, qu'il n'est pas venu à « la manifestation *pittoresque* de la semaine dernière ». Celle qui a rassemblé les anciens ministres et chefs de gouvernement de la Ve République en présence du président.

S'il savait combien son absence fut un non-événement ! Il se rend de moins en moins compte à quel point il est sorti des radars de l'actualité et de la politique.

10 octobre

À l'hôtel de Beauvais, rue François-Miron, dans le 4e arrondissement là où, dit-on, sur ordre de la régente Anne d'Autriche le jeune Louis XIV, âgé de quatorze ans, fut dépucelé par une dénommée Cateau la Borgnesse, je prends part à un événement moins mémorable : la rentrée solennelle de la cour administrative d'appel et du tribunal administratif de Paris.

Quel spectacle suranné que celui de ces chefs des deux juridictions se complaisant dans un long et fastidieux exercice d'autosatisfaction du travail accompli par eux depuis un an. Ils sont fiers d'eux-mêmes et cela se voit. Je pense en les écoutant à cette formule du sapeur Camember : « Quand on a dépassé les bornes, il n'y a plus de limites. »

Christiane Taubira, la ministre de la Justice, de manière succincte heureusement, récite avec talent la fiche rédigée par un de ses collaborateurs. Elle complimente les chefs des deux juridictions qui sont du coup de plus en plus satisfaits d'eux. Elle doit savoir, en bonne politique, qu'on a souvent intérêt à flatter la vanité de celles ou ceux qui vous reçoivent.

11 octobre

On me prévient que de nombreux manifestants se sont rassemblés devant l'entrée du Conseil. Ils attendent la décision que nous allons rendre sur le gaz de schiste.

Le nombre croissant de manifestations rue de Montpensier, devant le Conseil, préoccupe à juste titre les responsables de la sécurité. Je ne peux pas dire qu'elles me réjouissent mais j'y vois, non sans plaisir, la preuve de l'importance prise par notre institution, devenue un véritable lieu de pouvoir.

Quand j'en ai pris la présidence, on savait à peine où il était installé. Il n'y avait pas même inscrit sur l'entrée, rue Montpensier, en grosses lettres d'or « Conseil constitutionnel » comme un peu plus loin pour le « Conseil d'État ». Ce qui est aujourd'hui chose faite, comme peuvent le remarquer tous les passants.

Le Conseil était un univers totalement fermé, recroquevillé sur lui-même. Nous l'avons ouvert sur le monde extérieur, aux universitaires, aux décideurs économiques ou politiques.

Très régulièrement, le journal *L'Hémicycle* organise, à ses frais, des petits déjeuners dans nos salons. Bruno Pelletier, son directeur, y invite un public qui n'a pas l'habitude de fréquenter cette maison.

J'ai fait visiter ces lieux aussi bien aux anciens de l'armée de l'air qu'à des associations d'élus, des clubs de Rotary… Nous y recevons très régulièrement des magistrats de l'ordre judiciaire ou administratif, des greffiers… des élèves de collèges ou de lycées, des étudiants… Caroline Pétillon, responsable des services extérieurs, et les membres du service juridique donnent beaucoup de leur temps afin de rendre ces visites intéressantes. Pour la notoriété du Conseil, elles sont importantes.

La remise des « Mariannes d'or » aux élus municipaux se fait ici. Lorsque j'étais président de l'Assemblée, elle avait lieu à l'hôtel de Lassay. Ainsi des maires de toutes tendances politiques, souvent accompagnés par leurs députés ou sénateurs, prennent l'habitude de cette réception au Conseil, financée là encore non par le contribuable mais par les organisateurs.

Bref, j'ai voulu que le Conseil sorte de sa tranchée. Il faut quotidiennement veiller à ce qu'il n'y retourne pas. Pour cela l'imagination de Marc Guillaume est remarquable de fertilité.

12 octobre

Cinquième édition dans nos locaux du Salon du livre juridique qui permet une formidable rencontre entre professeurs de droit et étudiants.

C'est une magnifique opportunité pour le Conseil de se faire connaître des jeunes juristes. Année après année, grâce au Club des juristes et aux éditeurs, le succès est au rendez-vous au-delà de nos espérances. Plus de trois mille étudiants se pressent cette année dans les salons pour rencontrer pas moins de deux cents professeurs de droit, toutes disciplines confondues.

21 octobre

Après m'être déjà rendu en Colombie et au Mexique, me voici au Brésil pendant trois jours pour participer à un colloque intitulé : « La juridiction constitutionnelle au Brésil et en France – le nouveau modèle français et la question prioritaire de constitutionnalité ». Je suis accompagné par Marc Guillaume et retrouve sur place le professeur Guillaume Drago.

Cette rencontre magnifiquement organisée à Rio de Janeiro par le professeur Carlos Roberto Siqueira Castro autour de Joaquim Barbosa, président du tribunal fédéral, rassemble plusieurs centaines de magistrats, d'avocats et de juristes brésiliens.

Discutant avec Joaquim Barbosa dont le français est parfait, je ressens une personnalité puissante. D'origine modeste, son père était maçon, sa mère élevait huit enfants, il s'est progressivement élevé dans la hiérarchie sociale grâce à des enseignants et à sa propre volonté. En l'interrogeant sur ses projets d'avenir, après avoir quitté le tribunal fédéral, je comprends qu'il est taraudé par l'envie de faire de la politique.

Je profite de mon bref passage à Rio de Janeiro pour visiter le lycée français. Je rencontre les professeurs. Ils ne me parlent que de leurs revendications statutaires. Tout cela est un peu triste et décevant. J'aurais souhaité qu'ils évoquent leur mission, l'honneur qui devrait être le leur d'apprendre le français à des Brésiliens, de prendre part au développement de notre culture…

Huit cents jeunes fréquentent le lycée Molière et, d'après le proviseur, beaucoup d'autres familles souhaiteraient y inscrire leurs enfants, mais faute de place il ne peut répondre favorablement à la demande. Nous allons ensemble visiter le lieu où pourrait se développer le lycée.

30 octobre

Déjeuner avec Christian Jacob, le président du groupe UMP à l'Assemblée nationale. Fidèle dans l'amitié qu'il porte à Jacques Chirac, Jacob sait et n'oublie pas ce qu'il lui doit.

Il n'a jamais été sarkozyste et ne l'est toujours pas en son for intérieur. Il est convaincu que Sarkozy n'a pas changé et rêve encore « matin, midi et soir » de revenir à l'Élysée.

L'état de décomposition de la droite le préoccupe. Il croit possible un rebond politique de Copé, à condition qu'il sache attendre. Il est très réservé sur Fillon, estime que Bruno Le Maire joue « trop perso ».

5 novembre

Conférence au lycée Henri-IV sur notre livre *Ces femmes qui ont réveillé la France*. Une centaine de jeunes nous écoutent, Valérie et moi, évoquer l'histoire de Julie Victoire Daubié, la première femme à avoir passé le bac, celle de Madeleine Brès, la première

femme médecin, de Jeanne Chauvin, première femme avocate…
ainsi que les combats de Sand ou de Colette.

Ils sont intéressés d'apprendre qu'en 1898, Hubertine Auclert
réclamait déjà la féminisation de certains mots. « Quand on aura
révisé le dictionnaire et féminisé la langue, chacun de ces mots sera,
pour l'égoïsme mâle, un expressif rappel à l'ordre », affirmait-elle
il y a un peu plus d'un siècle.

6 novembre

Déjeuner avec Alain Pompidou, le professeur Pierre Avril qui a
travaillé sur nos archives, Éric Roussel, le biographe de Georges
Pompidou et Marc Guillaume, pour préparer le colloque que nous
voulons organiser sur « Pompidou, membre du Conseil constitutionnel ».

Avant de devenir Premier ministre puis président de la République, Pompidou a en effet siégé au Conseil constitutionnel de
1959 à 1962. Le Conseil était alors présidé par Léon Noël. Il s'agissait de mettre en place les nouvelles institutions et notamment la
nôtre. Pompidou allait progressivement devenir un acteur majeur de
la Ve république. Mais à cette époque l'imaginait-il ? L'espérait-il ?

Le destin de Georges Pompidou est bien singulier. Petit-fils
de paysan, fils d'instituteur né dans le Cantal, jeune professeur
entré en 1944 au cabinet du général de Gaulle, collaborateur
d'une grande banque d'affaires, directeur du cabinet du Général
lors de son retour aux affaires en 1958, Premier ministre de la
période qui suivit la résolution du drame algérien, avant d'être élu
président de la République, l'exceptionnelle destinée de Georges
Pompidou laisse dans notre Histoire la marque d'un chef de
gouvernement et d'un chef d'État qui consacra son intelligence
et son énergie à la modernisation de la France qu'il voulut voir
s'installer durablement au premier rang des nations du monde
contemporain.

Alain Pompidou me montre une lettre de son père adressée
au général de Gaulle le 18 février 1959 : « En lisant les textes

concernant le Conseil constitutionnel, je m'aperçois que le traitement prévu pour ses membres est réduit de moitié pour ceux qui continuent à exercer une profession. Je souhaite pour ma part pouvoir renoncer à ce traitement dans sa totalité. Le cumul même partiel avec mes émoluments privés m'apparaîtrait excessif et serait critiqué. Je pense, mon Général, que vous partagez ce point de vue et que si vous donnez suite à votre projet de me nommer, vous voudrez bien m'autoriser à exercer ces fonctions à titre purement bénévole... »

Nos archives confirment que Pompidou dès sa nomination avait demandé à ne pas percevoir ses indemnités. Le 31 juillet 1959, le conseiller référendaire à la Cour des comptes, A. Jaccoud, chargé de mission auprès du Conseil, adresse au directeur général des impôts le courrier suivant :

« Par lettre du 17 avril dernier, j'avais soumis à votre approbation, en ce qui concerne ses incidences fiscales, la procédure mise sur pied par la Direction de la comptabilité publique pour reverser au Trésor les indemnités attachées à la qualité de membre du Conseil constitutionnel, dont M. Pompidou ne désirait pas conserver le bénéfice.

« Le 6 mai suivant, dans une lettre [...] vous avez bien voulu me donner votre accord sur cette manière de procéder.

« M. le Président Vincent Auriol a récemment exprimé le désir de ne recevoir, pour couvrir les frais exposés dans l'exercice de sa fonction, que la moitié de l'indemnité attribuée par la loi aux membres du Conseil constitutionnel ; la Direction de la comptabilité publique, que je viens de consulter, a décidé d'appliquer en ce qui le concerne, la procédure instaurée pour M. Pompidou.

« Je vous serais très obligé de me faire connaître si, comme dans le cas de ce dernier, vous estimez possible que la moitié de l'indemnité de M. Vincent Auriol versée au compte 6-14 (recettes accidentelles du Budget), échappe à la surtaxe progressive... »

Qu'en a-t-il été des autres ?

Le général de Gaulle, n'ayant jamais siégé au Conseil, n'a reçu aucune rémunération.

Avant d'être élu député du Puy-de-Dôme en septembre 1984, Valéry Giscard d'Estaing avait fait savoir au Conseil qu'il « se réservait de siéger en cas de circonstances graves ». Il a perçu un demi-traitement du 21 mai 1981 au 2 septembre 1984, date d'ouverture de la campagne électorale pour les législatives où il était candidat. Le Conseil, lors de sa séance du 12 septembre 1984, a considéré que « M. Giscard d'Estaing s'était placé lui-même en congé de l'institution du fait de sa participation à la campagne électorale ». À partir de 2004, il a reçu un plein traitement.

François Mitterrand n'est jamais venu au Conseil, mais il a été rémunéré à l'identique de juin 1995 à son décès en janvier 1996.

Jacques Chirac a siégé à plusieurs reprises à partir du 15 novembre 2007. Il a bénéficié d'un plein traitement à partir de juillet 2007. À sa demande, il ne lui est plus rien versé depuis mars 2011.

Quant à Nicolas Sarkozy, il se trouve aussi dans ce cas depuis sa décision de ne plus venir siéger.

9 novembre

Je suis écœuré de voir les représentants du Front national fleurir la tombe du général de Gaulle à Colombey. Ils n'ont aucune décence. Le Pen et ses amis n'ont cessé de combattre de Gaulle. On compte dans ce parti nombre d'anciens membres de l'OAS qui rêvaient de l'assassiner et se sont efforcés de le faire, heureusement sans y parvenir. Et voici ses disciples effectuant une sorte de pèlerinage sur sa tombe comme si de rien n'était. C'est la pire des impostures. Sans doute espèrent-ils faire croire qu'ils sont devenus des personnages respectables et n'ont plus la haine à la bouche.

Rien dans la presse pour dénoncer cette pitoyable comédie. Quelle complicité passive ! J'ai envie de clamer cela publiquement, mais je n'ai pas le droit de crier mon indignation, mes fonctions me l'interdisent. La venue à Colombey d'Anne Hidalgo, la candidate socialiste à la mairie de Paris, procède elle aussi d'une volonté de récupération électorale. Elle espère probablement que ce déplacement lui apportera plus de voix lors du prochain scrutin municipal.

14 novembre

Ma visite, me semble-t-il, a été un moment agréable pour Chirac. Je lui ai raconté les deux jours que je viens de passer à la Foire du livre de Brive où de très nombreux visiteurs m'ont dit combien ils avaient pour lui affection et reconnaissance, et combien ils le regrettaient, en me demandant de ses nouvelles. Aussitôt il évoque la Corrèze, Brive, Tulle et ses amis.

Je tente de le faire parler de Balladur, de savoir ce qu'il pense vraiment de lui. Pour toute réponse j'ai droit à une moue. J'insiste : « Il vous a trahi, lorsqu'il était Premier ministre, vous ne vouliez pas aller à Matignon pour mieux préparer la présidentielle. Il vous devait son poste. Et il n'a pas respecté ses engagements à votre égard. Y avait-il un accord secret entre vous ? » Il hausse les épaules, refait la même mimique. Je comprends qu'il ne souhaite plus aborder ce sujet. Comme s'il feignait de l'avoir oublié.

15 novembre

Il y croit toujours, persuadé que ses chances sont intactes, qu'il n'est pas hors course pour l'Élysée. C'est ce que je retiens de ma conversation avec Jean-François Copé dans le salon d'attente d'Orly. Nous nous rendons à Toulon à la Fête du livre et notre avion a quarante minutes de retard. Certes il a conscience des efforts qu'il devra déployer pour s'imposer. Sa cote de popularité ne lui est plus aujourd'hui très favorable. « Mais cela va et vient au gré des événements politiques et peut changer rapidement, m'affirme-t-il comme pour se rassurer. Je fais mon job, je vais partout », ajoute-t-il. Après les municipales dont il est persuadé qu'elles seront un succès pour l'UMP, il est convaincu de pouvoir rebondir. Copé estime que Fillon ne fera pas très longtemps illusion. Il a de la sympathie pour Bruno Le Maire, mais estime qu'il ne joue pas dans la même catégorie que lui. Il me raconte que

206

dans ses réunions en province il rassemble souvent plus de mille personnes, alors que Bruno Le Maire n'en compte que quelques centaines au mieux. Quant à Nicolas Sarkozy, il se rendra vite compte que, même s'il est candidat, il n'a plus aucune chance de gagner. Il hésitera. En tous les cas s'il renonce à faire acte de candidature, Copé ne voit pas qui d'autre que lui pourra gagner. Bourrage de crâne ou propos sincères, je ne sais pas. Sa détermination à se battre ne me paraît pas feinte.

Il est vrai qu'en politique, tout est toujours possible. Qui aurait parié sur l'avenir politique de Mitterrand en 1958 ? Éliminé aux élections législatives, contesté au sein même de la gauche de l'époque, ridiculisé après le « faux » attentat de l'Observatoire, battu à deux reprises à l'élection présidentielle, il a pourtant fini par devenir le quatrième président d'une Ve République dont il n'avait cessé de critiquer la Constitution. Et par demeurer quatorze ans à l'Élysée. Mais Copé n'est pas Mitterrand.

26 novembre

J'ai convié Jean-Marc Ayrault à déjeuner après l'avoir dissuadé à plusieurs reprises d'inviter à Matignon les membres du Conseil.

Notre institution doit veiller à préserver son indépendance ; un repas pris en commun chez le Premier ministre ne me paraît pas de nature à conforter cette image.

Autour de la table du Conseil, nous ne sommes que quatre, avec son directeur de cabinet et Marc Guillaume. Je n'ai pas convié les autres membres.

Je souhaite évoquer avec Ayrault certaines questions qui me préoccupent sur la « fabrication » de la loi et sur la nécessité pour le gouvernement de respecter les décisions du Conseil constitutionnel.

Dans la loi de finances et la loi de financement de la Sécurité sociale en cours d'adoption devant le Parlement, qui selon toute vraisemblance seront soumises à notre examen, huit articles visent à revenir sur des censures que nous avons opérées : taxe des 75 %, clause de désignation, plafond de l'ISF, fiscalité des successions en Corse où le gouvernement ne s'est pas opposé au scandaleux amendement des députés de l'île... Mais le Premier ministre ne me semble pas très au courant des problèmes que je lui signale.

En ce qui concerne la loi sur la fraude fiscale, le projet gouvernemental comprenait douze articles et il nous arrive avec soixante de plus, certains incohérents et discutables.

Je lui rappelle qu'il n'y a pas si longtemps, alors président du groupe socialiste à l'Assemblée, il avait signé un recours visant à faire annuler pour inconstitutionnalité une disposition prolongeant à quatre-vingt-seize heures la durée de garde à vue. Le Conseil avait estimé à ce moment-là que ce délai était seulement possible en cas de crimes terroristes. Or le gouvernement préconise maintenant qu'il soit aussi applicable à un individu suspecté de fraude fiscale. Ce délit est grave, mais tout de même moins qu'un assassinat. Je lui demande s'il a été informé de ce qu'il avait signé alors qu'il était dans l'opposition. « On risque, lui dis-je, de te mettre face à cette contradiction. »

Cette remarque le fait sourire, il m'avoue qu'on en trouvera d'autres. Mais je n'ai pas le sentiment qu'il se remémore le recours signé au nom des députés socialistes en 2004.

J'ai toujours beaucoup de plaisir à m'entretenir avec Jean-Marc Ayrault. C'est un homme cordial, certes pas expansif, mais droit. Il accepte d'entendre ou d'écouter les autres.

J'ai pu lui dire aussi à quel point je suis consterné par les déclarations de ses amis politiques qui s'en prennent au gouvernement. La majorité, par sa rébellion permanente envers le Président et le gouvernement, amplifie le sentiment d'anxiété dans un pays en crise. Cela propage un sentiment de pagaille politique.

Nous avons parlé des manifestations bretonnes. Il me dit que derrière la contestation, il y a des « régionalistes ». J'ai eu cette impression, en voyant à la télévision, lors du rassemblement des « bonnets rouges », que la foule brandissait des drapeaux bretons. Il m'est apparu évident que les raisons du mécontentement étaient détournées à leur profit par des « indépendantistes ». Comme au début de la Ve République où les revendications identitaires et « poujadistes » avaient embrasé la Bretagne.

28 novembre

Long et émouvant échange avec Chirac à son bureau. Son visage est marqué par la fatigue. Je le trouve un peu pâle et les traits du visage plus marqués qu'à l'habitude. Peut-être est-ce une fausse impression due à ce que je sais de son état ?

Je l'interroge sur sa santé. Je ne l'ai jamais entendu se plaindre, sa réponse ne m'étonne pas, il m'affirme que « tout va très bien » et immédiatement m'interroge sur la mienne. À la rapidité avec laquelle il m'a posé cette question, je comprends que je ne dois pas insister sur ce sujet.

Il est bien présent dans notre conversation, il écoute, il sourit. Claude est là, Frédéric Salat-Baroux vient nous rejoindre au bout d'un moment.

Je cherche à le faire parler de sa rencontre avec Hollande, il y a quelques jours, à la Fondation Chirac. Avec un petit sourire il me répond : « Cela s'est très bien passé, il a fait un sympathique discours. Tu sais, je l'aime bien, Hollande… »

Il a posé sur sa table mon livre *Français, Françaises*. Nous le parcourons ensemble. À propos du discours de Sarkozy du 12 juillet 2007 à Épinal, je lui montre combien il est révélateur de sa personnalité. Sarkozy y brosse son propre portrait à travers celui du général de Gaulle : « Après lui personne n'existe », commente Claude. Cela le fait rire et il nous confirme qu'il « n'a pas beaucoup d'estime pour Sarkozy ».

Moments simples, détendus, chaleureux. Y en aura-t-il d'autres ?

29 novembre

Pour la première fois depuis bien longtemps, je n'assiste pas à son dîner d'anniversaire. Bernadette Chirac s'est opposée catégoriquement à ma présence. C'est Claude qui est venue m'en prévenir il y a quelques jours.

Elle fait une fixation sur moi, ne me pardonne pas d'avoir suspendu le traitement de son mari.

Quelques jours auparavant, il m'a été rapporté, par une proche de Bernadette, les raisons pour lesquelles elle m'en veut au point que je ne peux déjeuner le dimanche avec lui que lorsqu'elle n'est pas là et suis exclu du dîner de ses quatre-vingt-un ans.

Elle accepte d'autant moins la suspension de l'indemnité et le fait que je n'aie pas obtempéré à son ordre de la rétablir que Sarkozy l'a convaincue qu'il était possible de s'arranger. Il lui a fait croire qu'il suffirait que je montre à Chirac nos projets de délibération et que j'explique après coup qu'il avait participé à nos échanges pour qu'on puisse le rémunérer. J'ai refusé de me prêter à une telle tromperie.

Comment un ancien président de la République peut-il suggérer de recourir à de telles pratiques, au surplus malhonnêtes ? Et naturellement Bernadette s'est laissé convaincre. Sarkozy est son gourou.

30 novembre

Claude Chirac vient m'informer que son père doit être opéré en urgence. Il rencontrera les médecins en fin de soirée pour fixer la date de cette intervention.

En fin d'après-midi, elle me précise, par texto, qu'il entrera à l'hôpital de la Pitié-Salpêtrière dimanche soir pour être opéré le lendemain matin.

3 décembre

Nous avons examiné la loi relative à la lutte contre la fraude fiscale, notamment l'instauration d'une garde à vue de quatre-vingt-seize heures en cas de fraude aggravée, que nous avons estimée inconstitutionnelle et annulée, ainsi que d'autres dispositions.

Cette manière de légiférer est mauvaise, mais hélas elle n'est pas nouvelle.

Pour faire oublier les turpitudes d'un ministre et donner le change, le gouvernement veut renforcer en hâte la répression de la fraude fiscale. Mais comme cette loi est d'abord destinée à l'affichage politique, pour tenter de faire oublier l'affaire Cahuzac, elle est médiocrement rédigée et surtout dangereuse pour le respect des libertés publiques. Trop souvent le législateur fabrique des lois pour répondre à une émotion, à un fait divers dramatique ou scandaleux, et chaque fois sa précipitation est mauvaise conseillère.

C'est pourquoi le Conseil a refusé en 2007 la création de fichiers ethniques ou raciaux et, en 2008, de revenir sur un principe essentiel de notre droit, la non-rétroactivité de la loi pénale. Dans les deux cas, il s'agissait de réagir à des faits divers.

Il est vrai que frauder le fisc est scandaleux et doit être sanctionné sévèrement, mais pas au prix d'une atteinte grave portée aux libertés publiques. La vocation des parlementaires est de défendre avant tout les droits des citoyens.

4 décembre

Le Monde (daté du 5 décembre) rend compte de notre décision de la veille. Un article en bas de page rappelle que « quinze lois votées par la majorité ont été censurées en dix mois ». C'est exact, mais en oubliant de mentionner celles que nous avons jugées conformes à la Constitution, son auteur laisse à penser que notre institution est dans une posture de défiance ou même d'hostilité envers le chef de l'État et son gouvernement. Ce qui est naturellement faux.

En un an et demi, depuis le début de la présidence de François Hollande, le Conseil a rendu quatre cent soixante et une décisions : vingt-six en contrôle *a priori* et cent une QPC ainsi que trois cent trente-trois décisions sur les contentieux et les comptes de campagne des élections législatives, et une sur ceux de Nicolas Sarkozy.

Les réformes engagées par le gouvernement ont été validées dans leur principe : emplois d'avenir, mariage pour tous, contrat de génération, sécurisation de l'emploi...

Je veille soigneusement à ce que la politique n'interfère pas dans nos décisions. Quel qu'en soit le sens, elles ont toutes un solide fondement juridique. Les débats entre nous échappent aux clivages partisans. Nous ne sommes pas une troisième chambre du Parlement. La ligne de fracture est tout autre.

Le droit pouvant donner lieu, dans une certaine mesure, à des interprétations divergentes, la véritable distinction s'opère entre les immobilistes et ceux qui estiment que toute évolution n'est pas forcément à bannir, entre ceux qui n'ont aucun doute sur rien, ni sur leur vérité ni sur eux-mêmes, et les autres qui ne cessent de s'interroger sur ce qu'il convient de décider...

Certains, pas seulement parmi les membres du Conseil, rêvent en effet que la justice redevienne ce pouvoir que la Révolution avait refusé qu'elle fût. L'institution judiciaire avait été sciemment marginalisée par les révolutionnaires, pour qui la légitimité politique s'incarnait dans les représentants du peuple qui seuls exprimaient la volonté générale. L'élaboration de la règle de droit ne pouvait donc être que l'expression des parlementaires élus. Dès lors, la justice avait comme unique mission d'être la gardienne de l'application de ce droit subordonné à la loi.

Mais d'autres revendiquent aujourd'hui pour la justice une émancipation totale vis-à-vis des élus de la nation, et du politique en général.

La tyrannie de l'instantané et de l'apparence, le règne de l'État providence, le développement d'un droit communautaire tentaculaire et tatillon, la suprématie juridique des engagements internationaux sur les lois nationales reconnues par la Constitution, mais aussi le déclin du crédit des politiques, le mépris que plusieurs de nos « grands » juristes manifestent à leur égard, toutes ces évolutions de plus en plus évidentes de notre société contribuent à donner au juge un rôle majeur dans la vie nationale au détriment du législateur. Elles incitent à croire possible ou souhaitable la restauration d'un ordre ancien où le juge bénéficierait d'un pouvoir autonome, soumis à sa seule jurisprudence qui serait la loi.

Alors que la Constitution invoque l'« autorité judiciaire », démentant la thèse des trois pouvoirs – législatif, exécutif, judiciaire – et affirme l'idée d'une subordination de la justice à l'autorité politique, il est manifeste aujourd'hui que le juge a su accéder à une véritable autorité.

5 décembre

Nous examinons la loi organique sur le référendum d'initiative partagée. Naturellement nous n'avons à appréhender les dispositions de cette loi qu'au regard de la Constitution. Nous la validons en émettant certaines réserves d'interprétation.

Depuis quelques années, notre Constitution devient un jeu de Meccano, on dirait aujourd'hui de Lego. Ce référendum d'initiative partagée a été conçu par des apprentis sorciers, qui font comme s'il était possible de l'utiliser. La procédure nécessaire à sa mise en place exige un délai au minimum de dix-sept mois, et cette initiative risque de dresser un peu plus les Français contre leurs représentants, d'alimenter l'agitation démagogique et de favoriser les crises politiques. Quand ils n'arrivent pas à régler les problèmes économiques ou à désamorcer les conflits sociaux, nos gouvernements s'efforcent toujours de faire croire, par une réforme des institutions, qu'ils sont dans l'action.

6 décembre

Sur la scène du théâtre du Châtelet, devant un parterre de plus d'un millier d'avocats, les anciens bâtonniers, le « dauphin » et la bâtonnière qui est en fin de mandat, devant nombre de magistrats et chefs de juridiction pour la rentrée solennelle du barreau de Paris, ma nièce Constance, prenant fictivement à témoin François Mitterrand, discourt avec talent sur l'exercice du pouvoir.

Elle s'adresse à lui, le tutoyant, l'appelant « François ». Elle rappelle sa préférence pour le gris, « le gris de l'ortolan, le gris de l'interdit ».

Provocatrice : « Tout commence par un blasphème », rappelle-t-elle en l'apostrophant : « L'État, François, il fallait t'en venger. Il t'avait fait trop attendre pour que tu le prennes d'un bloc. Il fallait bien qu'il paye, au prix du remords, sa trop longue hésitation... »

Provocatrice encore quand elle rappelle que François Mitterrand, qui reste dans l'Histoire comme l'homme de l'abolition de la peine de mort en France, en fut l'un des utilisateurs sous la IVᵉ République, pendant la guerre d'Algérie. « "La justice d'exception, les pouvoirs spéciaux c'était toi !" L'État ne tremble pas. À tort ou à raison ? Question de moraliste ou de journaliste. »

Le portrait de Mitterrand sonne vrai et c'est sans doute pour cela qu'il déplaît tant à ma voisine, la ministre Pau-Langevin.

Constance prend aussi à témoin sa famille, son grand-père en particulier.

« Moi, je complote contre moi-même, reconnaît Constance. Nous le peuple, on s'en fout ! Chez les Debré c'est l'État. [...] On fait des lois et quand il n'y a plus de lois pour croire, on fait des constitutions. »

Sa griffe égratigne le rebelle et le suzerain, ces deux faces qui sommeillent en chaque homme politique (en chaque être humain ?). Celui qui vise le pouvoir et celui qui l'assume, unis par la violence de l'action. « Les Debré savent ce que "mener les affaires de l'État" veut dire. »

11 décembre

« Les minorités parlementaires sous la Vᵉ République » : c'est le titre de la thèse de doctorat en droit présentée par Priscilla Monge au jury que je préside à la faculté de droit d'Aix-Marseille. Aux

214

côtés des professeurs Jean Gicquel, Patrice Gélard, Anne Levade, Ariane Vidal-Naquet, Richard Ghevontian et de Sophie de Caqueray, j'écoute cette jeune et brillante doctorante et mesure bien, à travers son exposé, la dérive de nos institutions.

Au départ de la Ve République, l'ambition des constituants fut de favoriser, à l'Assemblée nationale, l'émergence d'une majorité parlementaire permettant au pouvoir politique d'agir. Mode de scrutin, règles régissant les rapports entre gouvernement et parlementaires, motion de censure… tout a été fait pour éviter le retour aux républiques précédentes, à l'instabilité ministérielle, à la paralysie de l'État. Le fait majoritaire devant empêcher le régime parlementaire de sombrer à nouveau dans la caricature.

À partir de 1962, on parle moins de la majorité que de l'opposition à laquelle il convient d'octroyer des droits, un statut pour qu'elle existe en tant que force politique. La possibilité donnée à soixante députés ou soixante sénateurs de saisir le Conseil traduit cette recherche en sa faveur d'un statut spécifique.

Aujourd'hui, il est de bon ton de parler d'abord des minorités parlementaires. Comment, aussi bien dans la majorité que dans l'opposition, leur conférer des moyens de se faire entendre dans le débat ? La réforme constitutionnelle de 2008 illustre cette évolution au risque de favoriser des assemblages hétéroclites qui deviennent des majorités éphémères, de rejet naturellement.

En fait, on revient progressivement à ce que les constituants de 1958 ont voulu combattre, l'absence de majorité cohérente au profit de majorités négatives, dont s'ensuit une déficience permanente du Parlement pour soutenir les projets de loi. La qualité de la loi et sa cohérence souffrent de ce changement.

C'est la deuxième fois que je prends part à un jury de thèse. En février 2012, à Limoges, j'avais participé à celui où Stéphanie Gasnier présentait la sienne, intitulée « La simplification du droit, essai d'une théorie générale ».

17 décembre

Bonheur de retrouver Chirac un long moment, même s'il m'apparaît bien fatigué. Ma visite semble lui faire du bien. J'essaye de le faire sourire et lui remémore de vieilles anecdotes.

Lors d'un voyage officiel en Arabie saoudite, la soirée terminée, il avait regagné ses appartements dans un magnifique palais. J'avais à peine retrouvé le logement affecté à la suite présidentielle, contigu au palais ou il était logé, quand il me téléphona pour me demander de venir le voir. J'arrivai au plus vite, en m'interrogeant sur les raisons d'un appel aussi urgent.

Je fus introduit dans son appartement par un individu qui avait davantage l'allure d'un policier des services secrets que d'un maître d'hôtel. Chirac était dans le bureau. Il attendit que la porte soit refermée pour extraire d'une petite mallette deux bières. « On les a bien gagnées, cela va nous faire du bien… », me dit-il.

J'évoque aussi le souvenir de ce jour du printemps 2008 où ma fille Marie-Victoire l'entraîna dans un bar bio du boulevard Saint-Germain. Comme elle lui proposait de goûter un jus de carottes, il préféra se rabattre sur une bière bio. La clientèle « bobo gaucho » était stupéfaite de le voir ainsi attablé. Au bout d'un petit moment, plusieurs consommateurs vinrent nous rejoindre pour parler avec lui. Il était heureux de sa « popularité ». Il avait retrouvé la joie d'impressionner ses interlocuteurs et ceux-ci paraissaient étonnés de sa simplicité.

Depuis lors, chaque fois que je suis revenu dans ce bar, le patron m'a dit : « Vous me le ramenez, votre Chirac, il a fait un tabac ! »

Ces images de nous deux buvant une bière dans un pays où l'alcool est interdit, du moins officiellement, ou dans ce bar qu'il n'avait pas l'habitude de fréquenter, l'amusent. Il est heureux. Réussir à le distraire est ce qui m'importe.

Je lui rappelle aussi, avec le même succès, cette séance du Conseil où il siégeait en compagnie de Giscard, un jour de l'automne 2007. Nous évoquions des dispositions législatives tendant à renforcer la lutte contre l'immigration. Giscard s'exprima juste après le rapporteur. Naturellement il ne put pas s'empêcher de critiquer son

Premier ministre de l'époque… Jacques Chirac. « Lorsque j'étais président, lança-t-il, le problème de la lutte contre l'immigration illégale se posait déjà, je l'avais signalé au Premier ministre qui n'était pas très allant sur ce sujet. » Je regardai Chirac discrètement. Il ne bronchait pas, peut-être n'avait-il pas entendu, pourtant je voyais sa jambe s'agiter sous la table. Au bout de quelques instants, il demanda à prendre la parole : « Ce problème de l'immigration clandestine est un problème délicat à traiter », reconnut-il avant d'ajouter : « J'ai été moi aussi président de la République, j'ai même fait deux mandats à l'Élysée… »

Les membres du Conseil, pétrifiés, gardaient les yeux plongés dans leur dossier. J'embrayai aussitôt sur nos travaux du moment. Giscard n'attendit pas la fin de nos débats pour s'éclipser. Chirac était tout sourire…

Je le quitte toujours avec une certaine anxiété. Son esprit malmené par la maladie a de plus en plus de difficulté à suivre la moindre conversation qui se résume pour moi à un monologue sur un passé, qui, à l'évidence, lui est devenu en grande partie étranger.

Coupé de ce qui se déroule à l'extérieur, il semble se murer dans une sorte de néant. Il vit dans un ailleurs impénétrable.

Quand je l'observe ainsi, pris au piège de cette maladie, captif d'un esprit où la marée du vide ne fait que monter, parfois étale mais jamais descendante, je revois cette force de la nature qu'il était jadis, redoutable dans l'action, toujours en mouvement, maître de l'esquive, inoxydable aux attaques.

« Le pessimisme est d'humeur ; l'optimisme est de volonté » : cette formule d'Alain s'appliquait alors magnifiquement à Jacques Chirac.

Parfois sa mauvaise foi m'époustouflait, comme j'admirais sa capacité à imposer sa décision, à susciter l'adhésion ou l'enthousiasme. Souvent ses réflexes et automatismes politiques, sa langue de bois m'exaspéraient, mais j'étais ému par sa fidélité et sa disponibilité envers celles et ceux qu'il estimait. Sa capacité à écouter sans entendre m'était insupportable, mais j'étais toujours impressionné par son aptitude à enregistrer une image, saisir une injustice, percevoir une angoisse, comprendre une détresse et la secourir. C'était son génie propre.

Son savoir-faire politique était remarquable, comme sa propension à trancher et à ne pas se réfugier dans l'indécision, contrairement à ce que ses détracteurs ont pu dire.

Chaque fois que je le quitte, je me demande combien de temps il va encore résister à l'appel des ténèbres.

19 décembre

Nos séances donnent souvent lieu à des discussions intéressantes et se terminent parfois dans une atmosphère un peu tendue.

La personnalité de certains membres, ou pour d'autres leur spécialité, les pousse à intervenir pour contester le choix d'un mot, l'absence d'une virgule... Et il s'ensuit des passes d'armes qui peuvent devenir agressives. Derrière ces joutes sur des détails se profilent souvent des luttes personnelles ou d'influence.

Lors d'un de nos débats sur la loi de financement de la Sécurité sociale où Giscard, en forme, a fait une intervention particulièrement fondée et incisive, un membre l'a interrompu vivement pour contester ses affirmations, Giscard s'est alors tourné vers lui pour lui lancer d'une voix cinglante : « Calmez-vous, calmez-vous, vous n'êtes pas au théâtre, et laissez-moi terminer... »

L'atmosphère autour de la table a mis un moment à redevenir plus sereine.

20 décembre

Grâce à une avocate parisienne rencontrée peu auparavant, je reçois copie d'un projet de loi déposé en 1801 par le révolutionnaire Sylvain Maréchal, « portant défense d'apprendre à lire aux femmes ». Il y est notamment indiqué que « les femmes qui se targuent de savoir lire et de bien écrire, ne sont pas celles qui savent aimer le mieux. L'esprit et le talent refroidissent le cœur... ».

23 décembre

Séance de travail avec les représentants du secrétariat général du gouvernement et de Bercy afin de préparer notre décision prochaine sur la loi de finances pour 2014 qui vient d'être votée par l'Assemblée après son rejet par le Sénat. En fait, il s'agit pour nous d'examiner en quelques jours, ce qui est déjà absurde, un océan de dispositions dont le but évident est d'augmenter la pression fiscale. Il nous faut déceler celles qui portent atteinte aux droits et libertés sans nous substituer au législateur sur l'opportunité de ces mesures.

Tous les arguments sont bons pour nos interlocuteurs afin de justifier une fiscalité désespérante. L'idéologie, la volonté de lutter contre ceux qui détiennent un bien et gagnent leur vie, inspirent la plus grande partie d'entre elles.

Peu importe si les capacités contributives de la plupart des personnes visées sont atteintes : il faut frapper, étrangler, assécher pour toujours prendre plus, alors que l'État n'arrive pas à dépenser moins. Sus aux entreprises et aux entrepreneurs qui font des profits !

Cette loi de finances, comme celles que nous avons examinées dans le passé, émane de la dictature insolente des services du ministère des Finances. Une machine complexe que les politiques ne maîtrisent que bien peu. Je me demande d'ailleurs combien de parlementaires comprennent ce que cette loi contient effectivement et ses conséquences. Tout cela n'est pas nouveau, mais dans la fonction que j'occupe, je m'en rends compte plus que jamais.

Seuls les hauts fonctionnaires de Bercy savent probablement ce qu'ils font. Quand on les interroge, ils consentent à répondre avec condescendance. Leur logique n'a rien à faire des libertés publiques et encore moins de la jurisprudence d'une institution comme la nôtre.

Au surplus, ces hiérarques manifestent un souverain mépris pour tout ce qui vient du Parlement. Ils n'ont aucune considération pour les quelques amendements qui y sont votés.

En définitive, Nicolas Sarkozy comme François Hollande auront contribué à rétablir ou renforcer la lutte des classes. Sus à l'étranger pour le premier, sus aux riches pour le second. Dans les deux cas, ils n'auront fait que dresser les Français les uns contre les autres.

28 décembre

Après un délibéré sur la loi de finances pour 2014 de plus de six heures trente, nous rendons la décision la plus longue de l'histoire du Conseil. Elle comporte cent cinquante-six « considérants » contre cent quarante-quatre l'année précédente et soixante-cinq pages. Dans la foulée nous délibérons pendant plus d'une heure sur la loi de finances rectificative pour 2013.

À l'arrivée, nous décidons d'annuler en totalité ou partiellement vingt-quatre articles. Certaines dispositions apparaissent comme des gesticulations politiques ou idéologiques qui, en tant que telles, ne peuvent être censurées pour non-conformité à la Constitution. Ce n'est pas parce qu'une disposition fiscale est absurde, inefficace, voire dangereuse, qu'elle est pour autant inconstitutionnelle.

Giscard, présent tout au long de notre premier délibéré, s'est penché parfois vers moi pour me glisser à l'oreille : « Tout cela est extravagant, on divague... »

2014

6 janvier

Traditionnelle cérémonie des vœux à l'Élysée.

Entouré des membres du Conseil, je tiens à indiquer au président que l'année écoulée a été la plus chargée de l'histoire de notre institution : le Conseil a ainsi rendu en un an trois cent cinquante-huit décisions, dont quatre-vingt-sept décisions en contrôle de la loi. Mais je veux aussi lui rappeler, avant les critiques, que le Conseil n'avait pas empêché le gouvernement de mener à bien, en 2013, d'importantes réformes sur le logement, le contrat de génération, les élections locales, le mariage pour tous, la sécurisation de l'emploi, la transparence de la vie publique, l'indépendance de l'audiovisuel public… Toutes ces lois ont été déférées au Conseil. Celui-ci les a, à chaque fois, jugées globalement conformes à la Constitution.

Mais je tiens surtout à exprimer publiquement, devant le chef de l'État, un constat critique. Le Conseil a aujourd'hui à connaître de lois aussi longues qu'imparfaitement travaillées.

Nous faisons face à des dispositions incohérentes et mal coordonnées. Nous examinons des textes gonflés d'amendements non soumis à l'analyse du Conseil d'État. Nous voyons revenir chaque année, notamment en droit fiscal, des modifications récurrentes des mêmes règles, ce qui rend improbable que leur sens soit réellement réfléchi. Bref, le Conseil subit des bégaiements et des malfaçons législatives qui ne sont pas nouveaux mais sont désormais fort nombreux. Pire, nous avons constaté en 2013 un mouvement qui apparaît préoccupant : celui de la remise en cause de l'autorité de la chose jugée.

Il est bien sûr naturel et conforme à l'esprit de la Ve République que, à la suite d'une censure, le gouvernement et le Parlement puissent chercher à atteindre l'objectif qu'ils s'étaient fixé par d'autres voies, désormais conformes à la Constitution.

Toutefois, à plusieurs reprises au cours de ces derniers mois, des dispositions législatives ont été adoptées alors qu'elles contrevenaient directement à l'autorité de la chose jugée par le Conseil. Nous n'avons alors pu que les censurer une deuxième fois avec l'espoir que ce serait la dernière. Il en est allé ainsi pour les droits de succession en Corse, pour le plafonnement de l'ISF ou pour la cotisation foncière sur les bénéfices non commerciaux. Il est même arrivé que, par instruction, le ministre du Budget reprenne une mesure législative censurée par le Conseil.

Je souligne devant le président de la République ma préoccupation devant une telle situation.

L'État de droit est fondé sur le respect de la règle de droit et des décisions de justice. L'article 62 de la Constitution précise que l'autorité de ses décisions s'impose aux pouvoirs publics et à toutes les autorités administratives et juridictionnelles. La volonté générale ne peut s'exprimer que dans le respect de la Constitution, qui n'est pas un risque, mais un devoir.

Je rappelle publiquement que l'article 5 de la Constitution dispose que le président de la République veille au respect de celle-ci. Nous attendons de lui qu'il mette toute son influence pour que les lois soient désormais mieux préparées, plus cohérentes et stables.

Les Français ont droit à une sécurité juridique. Je précise que le Conseil, à la place qui est la sienne, veillera à la stabilité dans ce domaine. Je veux que le président, et à travers lui les responsables gouvernementaux, sachent que nous n'avons pas l'intention de modifier nos jurisprudences mais tout au contraire de les approfondir.

Par courtoisie républicaine, j'avais pris soin, deux jours auparavant, de communiquer à François Hollande le texte de mon intervention. Compte tenu des fortes critiques qu'il contenait, j'ai estimé loyal de le lui transmettre pour qu'il ne soit pas surpris. Ces critiques sont inhabituelles lors de la cérémonie des vœux à l'Élysée, mais après avoir beaucoup réfléchi, j'ai estimé de mon devoir de les exprimer sans détour.

François Hollande me remercie avec humour de mes « recommandations » et de mon rappel de l'autorité de la Constitution. Il précise qu'il en fera part au gouvernement. Il indique qu'il a compris que le Conseil n'avait pas l'intention de modifier sa jurisprudence, notamment en ce qui concerne le principe de non-rétroactivité.

Pendant près de trois quarts d'heure, il demeure parmi nous, s'entretient avec les uns et les autres. Il sait se faire apprécier de tous et la sympathie qui émane de lui est manifeste. L'ambiance est détendue. Quel contraste, une fois de plus, avec les vœux du temps de son prédécesseur.

Au cours du long aparté que nous avons lui et moi, il me parle de son séjour en Afrique du Sud lors des obsèques de Mandela, avec Sarkozy. « Il n'est intéressé que par l'argent », me déclare-t-il.

Il a trouvé juste notre décision sur les comptes de campagne de son adversaire, mais pas suffisantes.

« Vous auriez pu aller plus loin, être plus sévères… », ajoute-t-il. Je lui réponds que l'important est la décision de principe de rejet des comptes. Il l'admet et reconnaît en souriant qu'il convenait aussi de ne pas rendre impossible une éventuelle réélection du président sortant.

Il me dit enfin avoir apprécié notre décision sur la laïcité qui a permis de ne pas déclencher une nouvelle guerre de religion ni semer la révolte en Alsace-Moselle.

13 janvier

Entendre lors de l'audience solennelle de la cour d'appel de Dijon le premier président larmoyer sur les moyens matériels mis à sa disposition pour faire fonctionner sa juridiction m'exaspère. Aller s'excuser publiquement parce que la réception qui suivra l'audience sera très modeste, faute de financement, est ridicule. Quelle image navrante il donne de la justice et de la magistrature.

J'observe ces femmes et hommes qui siègent de part et d'autre du premier président. Avec leur robe rouge et leurs décorations qui pendouillent, ils me semblent usés, tristes, hors du temps.

Ces magnifiques bâtiments du parlement de Bourgogne, qui auraient besoin malgré tout d'être rénovés, exhalent quelque chose de poussiéreux, désespérant d'immobilisme.

L'École nationale des greffes donne heureusement une image plus positive de la justice. Quel bonheur de changer d'air ! J'y suis reçu par de jeunes greffiers joyeux et pleins d'ambitions.

Appelé à présider la sortie de leur promotion qui porte mon nom, je rencontre des étudiantes et étudiants motivés, confiants dans leur avenir. Ils n'ont plus rien à voir avec les greffiers de Courteline ou de Balzac dans *Une ténébreuse affaire*. Ce ne sont plus des personnages secondaires qui doivent se contenter de prendre des notes sous la dictée d'un juge. Ils sont devenus la clé de voûte de nos juridictions, un rouage vital du bon fonctionnement de la justice.

Au Conseil constitutionnel, pour faire fonctionner la QPC dans de bonnes conditions, nous avons mis en place un véritable greffe, dirigé avec efficacité par Delphine Arnoud.

16 janvier

Appel de Jean-Marc Ayrault pour me dire qu'il est « harcelé » par Gérard Collomb afin qu'on n'annule pas la partie de la loi qui le concerne. Certaines de ses dispositions ont pour but de permettre à l'actuel maire de Lyon de le demeurer tout en devenant président de la métropole lyonnaise. Je réponds au Premier ministre qu'effectivement la ficelle est un peu grosse et que je ne peux préjuger de ce que le Conseil décidera. Il est vrai la grosseur de la « ficelle » n'est pas un critère pour juger de la constitutionnalité d'une loi.

Comme tout se sait, j'apprends qu'un membre du Conseil a reçu une note de Collomb en personne, qu'un autre a été contacté par le président du Sénat...

Les grands moyens sont déployés pour s'assurer que le Conseil ne censurera pas la partie lyonnaise de cette loi qui, par ailleurs, montre combien le gouvernement et le Parlement continuent à se complaire dans une logorrhée législative absurde. Cette loi « de modernisation de l'action publique territoriale et d'affirmation des métropoles » atteint un record pour une loi, autre que la loi de finances : cent quarante-deux pages ! Elle est arrivée au Parlement avec cinquante-cinq articles et en est ressortie grosse de près du double.

20 janvier

Déjeuner avec le général Favier, le directeur général de la gendarmerie nationale. Je souhaite que celle-ci continue de surveiller le Conseil et que lors des audiences, le public et les étudiants des facultés soient accueillis par la garde républicaine. J'ai du mal à me résoudre à confier cette mission, comme on le fait au Conseil d'État, au ministère de la Culture et même à l'École militaire, à des organismes de sécurité privé.

L'institution qui juge la loi de la République se doit de montrer tenue et dignité.

La négociation est difficile car la gendarmerie nationale est contrainte aussi de prendre en compte des nécessités de réduction de crédits. Nous arrivons enfin à un accord et pouvons signer la convention qui nous lie.

Le général Favier me fait part de ses craintes quant au développement de l'insécurité qui gagne la province. Faute de moyens, la gendarmerie a de plus en plus de mal à la contenir.

21 janvier

En prenant un café avant l'audience, j'interroge certains de nos membres pour sonder leur état d'esprit concernant la loi sur les métropoles, que nous allons bientôt examiner. Je constate quelques conversions suspectes. Des influences pas uniquement politiques se sont vraisemblablement exprimées. Le téléphone a dû chauffer, comme on dit, dans certains bureaux.

Je ne comprends pas cette incapacité à résister à de telles pressions. Parvenus à ce niveau de carrière, on devrait pouvoir se libérer de tout réflexe d'obéissance ou de soumission.

Après l'audience des QPC, je fais le point avec Marc Guillaume. Nous ne sommes dupes ni lui ni moi de ces circonvolutions et tentons de réfléchir à ce que devrait être notre décision pour qu'elle ne soit pas contestée juridiquement.

22 janvier

Remise du premier prix Albert Cohen. Je suis heureux d'accueillir dans les salons du Conseil des romanciers et patrons de maisons d'édition et de continuer ainsi à « ouvrir » cette institution à des personnalités qui, pour nombre d'entre elles, n'y étaient jamais venues.

23 janvier

Le délibéré relatif à la loi sur les métropoles est long. Le Conseil valide à titre transitoire et pour une durée déterminée la possibilité pour le maire de Lyon de cumuler cette fonction avec la présidence de sa métropole.

Inauguration d'une salle Guy-Carcassonne au Conseil. Le déjeuner qui suit est sympathique, nombre de professeurs, de juristes sont heureux de se retrouver. Michel Rocard est à ma droite. Je l'interroge sur ses relations avec Mitterrand. Elles n'étaient pas marquées par le sceau de l'amitié, me dit-il sans surprise. Rocard est convaincu qu'il aurait dû être président de la République à son tour. Il aurait conclu lui aussi une alliance avec les communistes, mais pas fait la même politique. Il se montre critique envers François Hollande.

Je ne l'avais pas revu depuis un mois, et je suis heureux de le retrouver bronzé, presque joyeux. Il y a longtemps que Chirac ne m'était pas apparu en aussi bonne forme. Il est présent lors de notre conversation, même s'il est loin d'avoir retrouvé sa mémoire des temps anciens.

24 janvier

À l'occasion du colloque organisé par le professeur Rousseau sur le bilan de la QPC, un étudiant m'interroge : « N'êtes-vous pas en contradiction avec ce que votre père a voulu faire en créant un Conseil constitutionnel ? » Je lui demande de préciser son interrogation. « La QPC, la manière dont vous la gérez, vos suggestions d'élargir la saisine et de prévoir un droit d'évocation, conduisent à instituer une Cour suprême. Telle n'était pas son ambition. »

Je lui réponds que la création du Conseil était pour mon père une innovation considérable car elle rompait de façon ouverte et éclatante avec la thèse traditionnelle de la souveraineté illimitée du Parlement. C'était nécessaire pour faire respecter une vraie séparation des pouvoirs. Mais, dans ses Mémoires, il se demandait, en effet, si on ne se dirigeait pas vers une « Cour suprême, coiffant en tous domaines le pouvoir législatif et le pouvoir judiciaire et pourquoi pas le pouvoir exécutif » et avouait que ce n'était pas son dessein.

Mais je rappelle qu'il a été tout au long de sa carrière politique un grand réformateur qui n'a cessé de vouloir moderniser nos institutions et les adapter. J'ai le sentiment qu'il n'aurait pas désavoué, bien au contraire, mes efforts pour transformer le Conseil. Je me sens parfaitement en accord avec lui quand j'exprime ma conviction qu'une institution qui n'est pas capable de se transformer pour répondre aux besoins de notre société est vouée à régresser.

27 janvier

Entendre Jean-Marc Ayrault rendre un vibrant hommage au général de Gaulle est intéressant. Les socialistes deviennent enfin gaullistes.

À l'occasion de la soirée organisée au Grand Palais pour commémorer la reconnaissance par la France de la Chine Populaire organisée par mon ami Renaud Donnedieu de Vabres, je ne me lasse pas d'entendre Ayrault qualifier le général de Gaulle de « grand homme », de « visionnaire ». Je me demande pourquoi il ne s'en est pas rendu compte plus tôt. Que de temps perdu et de combats inutiles !

Au cours du dîner officiel, assis à côté de Martine Aubry, je découvre une femme vive et drôle. Je lui demande pourquoi elle a offert une bicyclette à Nicolas Sarkozy lors de sa venue à Lille en janvier 2008 pour présenter ses vœux aux corps constitués. Elle m'avoue avec le sourire avoir dit à Sarkozy à ce moment-là que ce vélo, « lui, ne déraillait pas ». Évoquant la situation actuelle de la France, elle ne me cache pas son scepticisme sur la politique suivie par le gouvernement et ses critiques à l'égard de Hollande.

Assise en face de moi, Bernadette Chirac fait comme si elle ne me voyait pas. À deux reprises, quand nos regards se croisent, je lui adresse un petit sourire auquel elle ne répond pas. Son hostilité à mon endroit est toujours aussi manifeste.

À la fin du dîner, j'évoque avec Jean-Pierre Raffarin la situation de la droite. Il me dit être préoccupé par l'attitude de Sarkozy : « Il veut revenir, c'est absurde. »

30 janvier

À Sérignan, près de Montpellier, invité par l'association Économie et Développement animée par Jean-Claude Gayssot, je traite devant un nombreux public de la protection des valeurs essentielles de la République par le Conseil constitutionnel. À travers des exemples de décision, je montre comment il défend la liberté.

Mon propos semble convenir à cet auditoire « très rouge », comme me le précise à mi-voix une femme, « gaulliste de toujours », qui a tenu à venir m'écouter. Un homme, tout aussi discrètement, me présente sa carte de l'UMP en murmurant qu'il était auparavant RPR. Un autre m'interroge sur l'état de santé de Jacques Chirac. Je lui réponds pudiquement qu'il n'est pas au meilleur de sa forme. Il semble alors très affecté et s'en va en me disant que cette nouvelle lui fait beaucoup de peine.

Certains s'étonnent de mes bonnes relations avec Jean-Claude Gayssot, ancien ministre communiste dans le gouvernement Jospin de 1997 à 2002. Même si nous ne partageons pas les mêmes options politiques, nous nous sommes toujours bien entendus. Aujourd'hui, il a pris localement ses distances avec ses camarades communistes.

Au cours du dîner qui suit la conférence, une adjointe au maire de Sérignan me confie qu'elle est toujours inscrite au PC, mais qu'au sein de sa propre famille elle est la seule. Ses deux enfants, qui se situent « plutôt à gauche, ne comprennent pas mon engagement communiste », m'avoue-t-elle.

Gayssot évoque la sympathie qu'il porte à Jacques Chirac et leurs bonnes relations lorsque celui-ci était président de la République.

Le maire, Frédéric Lacas, en aparté, me dit se situer plutôt à droite, mais se présenter à ses concitoyens comme apolitique. « Pour être élu ici, me dit-il, il convient d'être accepté par la gauche. » Il me précise aussi que dans sa commune le Front national profite de la perte d'influence des communistes qui ont longtemps dirigé la municipalité.

31 janvier

Le Conseil rend sa millième décision de contrôle de constitution-nalité de la loi. (Saisine directe plus QPC.) Six cents de 1959 au 1er mars 2010 et quatre cents depuis. Preuve de l'importance pour les politiques et surtout les justiciables que prend notre institution.

5 février

Marc Guillaume se mobilise avec ses amis bourguignons pour obtenir le classement des « climats de Bourgogne » au patrimoine mondial de l'UNESCO. Pour ce faire, comme en 2012 où ce dossier avait déjà été présenté, je reçois au Conseil nombre de personnalités qui se sont rassemblées pour cette cause : il y a pcu, Bernard Pivot, bientôt Erik Orsenna et la présidente de l'UNESCO.

J'ai convié à déjeuner les élus régionaux, toutes tendances confondues. Ils se combattent ou ne s'apprécient guère en général, même quand ils sont de la même famille politique. Mais j'aime dépasser ces querelles partisanes et les recevoir tous ensemble pour soutenir une même ambition. Gauche et droite réunies : d'une part, François Patriat, le président du conseil régional de Bourgogne, et le maire de Dijon, François Rebsamen ; de l'autre, François Sauvadet, président du conseil général de la Côte d'Or, et Alain Suguenot, le député-maire de Beaune.

Aubert de Villaine, Guillaume d'Angerville, Pierre-Henri Gagey et Krystel Lepresle qui portent avec passion et intelligence ce dossier, animent notre déjeuner. À côté de ces professionnels, je trouve que les politiques ne font pas preuve d'assez d'enthousiasme.

Le soir, je suis invité par un cercle de francs-maçons pour évoquer, au cours d'un dîner-débat, « le Conseil et la défense des valeurs de la République ».

Pour qu'il n'y ait pas d'ambiguïté, je commence par leur préciser que je n'appartiens pas à la maçonnerie et n'éprouve aucunement le désir de rejoindre ses rangs. Comme j'avais salué, dans *Ces Femmes qui ont réveillé la France*, la mémoire de Maria Deraismes, première femme franc-maçonne, certains se sont interrogés, comme je l'ai vu sur Internet, sur mes liens avec la franc-maçonnerie. Cette amicale mise au point était donc nécessaire.

Pour mettre un peu d'ambiance et avant d'évoquer le sujet même de la conférence, Valérie lit ce que les francs-maçons écrivaient alors des femmes qui voulaient imposer une mixité dans les loges. Il s'agit d'un extrait du journal *La République maçonnique* : « Non, la femme n'est pas égale à l'homme, non ; il n'y a égalité ni morale ni physique entre ces deux êtres… Peut-on dire que le Noir soit égal au Blanc… Bien entendu, nous ne sommes pas de ceux qui pensent que la femme est un être inférieur que la nature a fait pour l'esclavage ou le servage… Ces deux êtres […] ont chacun un rôle spécial et distinct. À l'homme, l'action extérieure, à lui les luttes de la vie et de la tribune, à lui le côté actif et brillant, et peut-être un peu superficiel. À la femme d'être le conseiller avant la bataille, la consolatrice après la défaite, la récompense après la victoire… »

J'ai déjà accepté plusieurs rencontres avec des francs-maçons au sujet de mon livre ou sur d'autres thèmes. Chaque fois je rencontre des personnes que je connais ou que j'ai croisées dans ma vie politique sans avoir su qu'elles appartenaient à cette obédience. Je ne m'en doutais même pas. En fait je ne m'étais jamais posé la question. Cette fois je retrouve un de mes anciens collaborateurs au ministère de l'Intérieur et deux anciens députés.

En observant cette assemblée où se côtoient responsables politiques, chefs d'entreprise, médecins, avocats entre autres, je me demande quelle est leur véritable influence. Qu'ils en aient eu une est évident. L'histoire de la République, depuis l'origine, suffit à en témoigner. Mais la franc-maçonnerie représente-t-elle encore aujourd'hui une puissance capable de peser sur la vie politique, de susciter des réformes, d'influencer des votes, de transcender les clivages ?

Au Parlement, il me semble que leur rôle est moindre que sous les républiques précédentes. Il existe encore une « fraternelle », regroupant probablement une centaine de députés ou de sénateurs de droite et de gauche. Mais elle ressemble plus à une amicale qu'à un groupe de pression véritablement organisé.

Je me souviens avoir reçu ses membres quand j'étais président de l'Assemblée. Lors de l'examen de la loi sur le voile à l'école, en 2003, j'avais consulté les grands maîtres de toutes les obédiences, au même titre que les représentants des Églises…

Sans aucun doute certains parlementaires ont-ils été élus à des fonctions importantes au sein de l'Assemblée ou du Sénat grâce aux suffrages de leurs « frères et sœurs ». À l'intérieur de chaque groupe politique, la solidarité franc-maçonne joue parfois un rôle dans les discussions internes.

Lorsque le Conseil s'est penché sur la question de la laïcité en Alsace-Moselle, nous avons reçu un abondant courrier pour « éclairer » notre réflexion. Une partie émanait de franc-maçons qui, d'ailleurs, ne s'en cachaient pas. J'ai consulté ensemble les dirigeants du Grand Orient, du Droit humain, de la Grande Loge féminine et de la Grande Loge de France, pour évoquer leur conception de la laïcité. Pas plus que d'autres, ils ne nous ont convaincus de remettre en cause le régime juridique des cultes dans cette région de France.

10 février

Je reçois le bâtonnier et une trentaine d'avocats d'Évreux. Une semaine auparavant c'était ceux de Briey que j'accueillais au Conseil. En plus de mes fréquents déplacements en province à la rencontre des avocats des barreaux importants, des étudiants des facultés et instituts d'études politiques, je continue ainsi très régulièrement à inviter des avocats de province et les étudiants en droit, pour mieux faire comprendre notre institution et la question prioritaire de constitutionnalité.

Certes, l'autorité du Conseil est reconnue. Personne ne conteste plus sérieusement son indépendance à l'égard du pouvoir politique, son rôle dans la défense des droits et libertés républicaines. Mais je perçois très bien l'hostilité persistante envers la QPC, et du Conseil en général, de nombre de magistrats judiciaires, principalement ceux de la Cour de cassation. Son premier président, toujours empêtré dans son caractère introverti, ne parvient pas à se cacher d'une jalousie sournoise, si ce n'est d'une haine manifeste à l'égard du Conseil. À l'évidence, il nourrit vis-à-vis de moi des sentiments qui, si on pouvait les transcrire, s'avèreraient certainement très désobligeants. Heureusement, il s'apprête à quitter bientôt ses fonctions.

L'attitude des membres du Conseil d'État à l'égard de notre institution est moins ostensiblement et systématiquement hostile, autrement dit plus hypocrite, habile et insaisissable, à l'image de son vice-président.

Dans le temps qui me reste à la présidence du Conseil, il me faut donc continuer à mieux faire connaître notre institution et la procédure de la QPC. Ce sont les avocats qui au départ en ont permis le succès. Ce sont eux qui assureront sa pérennité et son développement, pourvu que l'on desserre aussi un peu le filtre exercé par le Conseil d'État ou la Cour de cassation.

14 février

La Cour suprême turque a souhaité renouer avec notre Conseil des relations suivies et j'ai toutes les raisons de m'en réjouir, partageant ce vœu de longue date. Je m'étais rendu en 2009 à Ankara pour assister au quarante-septième anniversaire de la Cour et participer à un colloque sur « la saisine par le citoyen des cours constitutionnelles ». Mais depuis lors, à l'instar des relations diplomatiques entre nos deux pays, nos rapports étaient devenus inexistants, troublés par la question récurrente du « génocide arménien » et celle, non résolue, de l'adhésion de la Turquie à l'Union européenne.

À l'exception de Jacques Chirac, les dirigeants français ont tout fait pour apparaître antipathiques aux Turcs, pour abîmer notre image, détériorer notre influence économique. Nous avons laissé les Allemands, les Italiens, les Anglais s'installer à notre place dans ce pays de soixante-quatorze millions d'habitants aux portes de l'Asie. Aujourd'hui la France n'est plus que le huitième fournisseur de la Turquie.

Je suis particulièrement bien reçu. Le président de la République et celui de la « Grande Assemblée », que je rencontre longuement, me remercient avec chaleur de la décision du Conseil déclarant non conformes à la Constitution les dispositions législatives concernant le « génocide arménien » dont nous n'avons pas pour autant nié la réalité. Ils se souviennent de ce que j'ai dit, à l'occasion d'un premier voyage en Turquie, en tant que président de l'Assemblée, lors du débat sur cette loi « mémorielle » qui me paraissait inopportune dans son principe même.

Nous évoquons un autre sujet sensible : le port du voile dans l'espace public. Je leur indique clairement ce que j'en pense. Imposer aux seules femmes le port d'un voile intégral, c'est faire peu de considération de l'égalité entre les sexes. Les membres de la Cour m'écoutent avec attention. La laïcité est inscrite dans leur Constitution. Quatre-vingt-dix-neuf pour cent des citoyens turcs sont musulmans, en majorité sunnites, mais la minorité alévie et chrétienne n'est pas négligeable. Si bien que le port du voile islamique suscite beaucoup de débats dans le pays. En 2013 quatre députés portaient le voile, et dans les universités il apparaît de plus en plus souvent...

Dans la voiture qui nous conduit vers la résidence du chef de l'État, le président de la Cour suprême me fait part de l'inquiétude que lui inspire l'« ambition démesurée » du Premier ministre Erdogan. Celui-ci entend se présenter à l'élection présidentielle du mois d'août qui se déroule, pour la première fois, au suffrage universel direct. Il pense qu'il sera élu car il n'y a personne en face. Sauf Abdullah Gül, l'actuel chef de l'État qui « lui seul peut le battre ». Il ne me cache pas qu'il a sa préférence, mais doute que Gül ose affronter Erdogan.

Il se déclare aussi préoccupé par la loi sur le contrôle d'Internet qu'entend imposer Erdogan. Elle permet au gouvernement de faire bloquer un site sans décision de justice s'il est soupçonné de porter atteinte à la vie privée ou de véhiculer des insultes. Il semblerait que le Premier ministre et le président de la République ne soient pas totalement d'accord sur les dispositions de cette loi.

20 février

François Hollande ne change pas. Pour ne faire de peine à personne, et n'avoir pas à choisir, comme au temps où, premier secrétaire du parti socialiste, il rédigeait des motions de synthèse susceptibles de convenir à tous les courants, il n'a pas désigné une personnalité pour le Panthéon... mais quatre !

Ainsi tout le monde pourra se féliciter de sa décision : les partisans de la parité hommes-femmes, la gauche, la droite.

Deux hommes, Pierre Brossolette et Jean Zay, deux femmes, Geneviève de Gaulle-Anthonioz et Germaine Tillion, vont rejoindre Victor Hugo, Rousseau, Voltaire, Zola, Alexandre Dumas, Malraux, Marie Curie, Jean Moulin, Louis Braille, Lazare et Sadi Carnot... au Panthéon.

Heureusement qu'il n'y avait pas quarante personnalités à mériter cet honneur posthume. Hollande aurait été capable de les imposer toutes.

Quatre femmes auront ainsi leur sépulture au Panthéon des « grands hommes ». Sophie Berthelot, entrée en 1907 avec son mari le chimiste Marcellin Berthelot, pour ne pas être séparée de lui. Marie Curie, deux fois prix Nobel, dont le transfert des cendres et celles de Pierre, son mari, a été décidé en 1995 par François Mitterrand. Et désormais Geneviève de Gaulle-Anthonioz et Germaine Tillion.

28 février

Avec la loi relative à la consommation qui comprend cent treize pages, deux fois plus longue que le projet initialement imaginé par le gouvernement, et celle sur le logement dite loi Duflot forte de cent soixante-neuf pages au *Journal officiel*, qui, me précise-t-on, nécessitera plus d'une centaine de décrets, nous enterrons un peu plus la Constitution de la Ve République.

L'examen au Parlement a montré à quel point le gouvernement était incapable de s'opposer à certains amendements, même ceux qui relèvent des dispositions appartenant au domaine réglementaire. Il est dans l'impossibilité politique d'empêcher qu'elles soient votées alors qu'elles n'ont pas grand-chose à voir avec l'objet même de ces lois, et de résister à l'irréalisme idéologique de certains députés écologistes.

S'agissant de la loi sur la consommation, il s'agit de se prononcer sur la création d'un fichier de l'ordre de douze millions de noms pour lutter contre le surendettement. Fichier consultable par des milliers de personnes. S'ils étaient dans l'opposition, les membres de l'actuelle majorité n'auraient pas manqué de dénoncer avec raison cette atteinte au respect de la vie privée d'autant plus grave qu'elle est disproportionnée avec l'objet de la loi.

Tout législateur devrait méditer sur cette réflexion de Portalis : « Les besoins de la société sont si variés, la communication des hommes si active, leurs intérêts sont si multipliés et leurs rapports si étendus qu'il est impossible au législateur de pourvoir à tout. Dans les matières mêmes qui fixent particulièrement son attention, il est une foule de détails qui lui échappent ou qui sont trop contentieux et trop mobiles pour pouvoir devenir l'objet d'un texte de loi… » Il concluait ainsi : « L'office de la loi est de fixer, par de grandes vues, les maximes générales du droit ; d'établir des principes féconds en conséquences, et non de descendre dans le détail des questions qui peuvent naître sur chaque matière. » Il ajoutait sagement : « Il ne faut point de lois inutiles, elles affaibliraient les lois nécessaires. »

Les réformes constitutionnelles voulues par Jacques Chirac sur le quinquennat, et la session unique du Parlement ; celle initiée par Nicolas Sarkozy dans ses dispositions concernant les rapports entre le gouvernement et le Parlement ; l'incapacité de François Hollande et de ses ministres à maîtriser leur majorité parlementaire et de s'opposer à des amendements qui n'ont pas lieu d'être, auront fait sauter toutes les digues dressées par les constituants de la Ve République pour éviter les dérèglements institutionnels et politiques du régime précédent. Il ne reste plus qu'à instaurer la représentation proportionnelle lors des élections législatives pour que la Ve sombre définitivement.

3 mars

Après les révélations sur les surfacturations, les manipulations financières qui auraient été opérées à l'UMP par Jean-François Copé et ses amis, je me souviens des critiques virulentes dont le Conseil et moi tout particulièrement avons été la cible lorsque nous avons rejeté, notamment pour insincérité, les comptes de campagne de Nicolas Sarkozy. J'ai encore dans la tête les déclarations de Copé et de certains autres personnages de l'UMP criant au complot, dénonçant une volonté d'étrangler l'opposition pour l'empêcher de jouer son rôle. Refusant de comprendre les raisons strictement juridiques de notre décision, ils ont préféré lancer le « Sarkothon ». Vaste escroquerie morale consistant à faire régler par les militants la facture d'un dépassement de comptes de campagne, et leur demander de renflouer les caisses d'un parti très fortement endetté du fait d'une gestion financière calamiteuse et peut-être malhonnête, dit-on.

Hélas, je ne peux rien dire publiquement à ce sujet.

Et voici qu'on apprend aujourd'hui que le conseiller politique de l'ancien président enregistrait secrètement et à son insu les conversations qu'il avait avec lui à l'Élysée ou les réunions auxquelles il participait à ses côtés. Quelle dégradation des mœurs au cœur même de l'État !

L'avocat de celui par qui le scandale est arrivé – toute publicité personnelle est bonne à prendre – est venu parader dans les médias pour confirmer que ces enregistrements ont bien été réalisés par son client. Avant d'expliquer qu'ils ne s'étaient pas faits à l'insu du chef de l'État.

Et tout ce petit monde annonce qu'il va porter plainte. Nicolas Sarkozy et sa femme pour atteinte à la vie privée. Patrick Buisson pour vol et recel, contre le site d'information Atlantico, qui a publié les enregistrements, contre l'hebdomadaire *Valeurs Actuelles* et le site Slate… Ce spectacle est grotesque !

En lisant la transcription que la presse publie de ces premiers documents sonores, je suis effaré d'entendre des conseillers se permettre de mépriser et dénigrer des ministres, eux qui n'ont jamais été élus. Tant de cynisme et d'irresponsabilité me révolte. La seule chose que savent bien faire ces courtisans toujours prêts à trahir, c'est profiter de leurs maîtres pour se voir accorder de solides rémunérations.

Pourquoi Sarkozy a-t-il cru bon de recourir aux services de ce Patrick Buisson dont le passé politique d'extrême droite était de notoriété publique ? Pourquoi lui a-t-il donné un tel rôle au sein de la présidence de la République ?

Les sondages commandés par l'Élysée à la société de Buisson, directement sans appel d'offres semble-t-il, servaient-ils à le rétribuer discrètement ?

Entendre un journaliste de télévision expliquer que ce n'est pas la première fois qu'un scandale atteint le pouvoir m'exaspère. Serait-ce une raison pour tolérer ou justifier l'inacceptable ? Il y avait dans ses propos une sorte de résignation, de fatalisme qui n'est pas supportable.

Après l'affaire Cahuzac, il n'y a pas si longtemps, tout cela devient pathétique et désespérant.

Stupéfiant encore, ce que je lis dans le livre du chef du protocole à l'Élysée du temps de Chirac, Paul Poudade, *Dans l'ombre du Président*. Il raconte que lors d'un déjeuner officiel à l'Élysée, Nicolas Sarkozy, alors ministre du Budget d'Édouard Balladur, aurait offert quatre couverts à dessert en vermeil du service de la présidence de la République à son homologue italien. En clair, il les aurait dérobés pour faire un cadeau à son voisin. Scandaleuse, cette appropriation des biens publics. Je n'ai lu aucun démenti émanant de l'intéressé.

11 mars

Naïve, maladroite, Christiane Taubira venant à la télévision tenter d'expliquer qu'elle ne savait pas que des écoutes téléphoniques des conversations de Nicolas Sarkozy, notamment avec son avocat, avaient été ordonnées par des juges d'instruction. L'information est évidemment remontée à la Chancellerie via le parquet. Personne ne peut la croire.

12 mars

Invité par le président de l'université Paris-XIII de Villetaneuse à présenter le Conseil aux juristes, je remarque dans l'amphithéâtre plusieurs jeunes filles portant le voile. J'en profite pour détailler notre jurisprudence à ce sujet. Non par esprit de provocation, simplement pour rappeler le principe de laïcité, clé de voûte de notre République, qui ne saurait être négociable à mes yeux.

Une de ces jeunes étudiantes prend la parole pour expliquer que le port du voile ne lui a pas été imposé, qu'elle agit par conviction personnelle. Elle n'admet pas que l'État puisse prétendre lui dicter une règle contraire à ses convictions.

Notre dialogue est courtois et suivi avec beaucoup d'attention par les autres étudiants, me semble-t-il. L'échange est pour moi instructif, tant cette étudiante me paraît sincère, même si je reste persuadé que la laïcité est essentielle pour permettre aux femmes d'échapper à un obscurantisme où certaines religions les enferment.

20 mars

Pourquoi de plus en plus de censures de notre part ?

Les lois soumises au Conseil sont devenues de plus en plus bavardes et incohérentes. Rapidement votées, elles comportent de nombreuses malfaçons, notamment en droit fiscal. Je les ai dénoncées lors de la cérémonie des vœux à l'Élysée.

Pourquoi nos décisions de censures, notamment de lois fiscales, sont-elles aujourd'hui plus fréquentes ? Environ dix pour cent des dispositions de la loi de finances pour 2014 et de la loi de finances rectificative pour 2013 ont été annulées par le Conseil. Ce qui n'était jamais arrivé dans cette proportion.

Il y a plusieurs raisons à cela.

Pour les députés, de plus en plus dominés par la tyrannie de l'instantané, soumis à la dramatisation de l'information en continu des chaînes de télévision, la loi, trop souvent, devient un moyen de communication politique. En cédant à l'agitation législative, les responsables politiques veulent montrer qu'ils réforment, s'activent, prennent en compte les revendications sociales, particulières, corporatistes ou locales de leurs électeurs. Ils veulent prouver qu'ils sont bien en phase, à tout instant, avec l'expression des humeurs des uns, des rancœurs des autres, et prompts à réagir.

Un fait divers trouble l'opinion : on annonce aussitôt le dépôt d'un projet ou d'une proposition de loi. Peu importe qu'elle soit inefficace dans ses dispositions, la loi est avant tout une question d'affichage politique.

Depuis la réforme constitutionnelle de 2008, les parlementaires examinent en séance publique, non plus le projet du gouvernement mais le texte amendé par les commissions, et souvent il perd en logique et en cohérence, donc en lisibilité.

Confrontés à une telle avalanche de textes conçus dans la précipitation, députés et sénateurs sont dans l'incapacité de mesurer toutes les conséquences de ce qu'ils votent, même s'ils ont fait l'effort de lire des projets de loi et de se les faire expliquer. Quand ces projets atteignent cent cinquante ou deux cents pages, combien de parlementaires peuvent réellement les étudier ? En particulier dans le domaine de la législation fiscale, où la réglementation est si confuse et si complexe qu'il faut être un spécialiste aguerri pour être apte à en juger.

Lors de nos séances de travail avec les collaborateurs du secrétariat général du gouvernement et les représentants des administrations concernées, j'ai régulièrement l'impression que les fiscalistes de Bercy se complaisent à entretenir cette confusion et cette complexité qui leur laissent toute la maîtrise des dossiers et donc une certaine suprématie sur l'autorité politique.

De son côté, le pouvoir exécutif apparaît de plus en plus politiquement paralysé et affaibli par la quasi-permanence des périodes électorales. Il est impuissant à dominer les minorités qui peuplent sa majorité et exercent un chantage constant auquel il cède trop souvent pour éviter une crise politique. Aujourd'hui, l'Élysée ne fait plus peur aux députés censés lui être acquis et qui préfèrent cultiver leurs différences avec le gouvernement au lieu d'approfondir leur communion, comme aurait dit Malraux.

240

Cette cacophonie est d'ailleurs entretenue par certains ministres qui n'hésitent pas à critiquer eux-mêmes la politique gouvernementale ou à s'en démarquer, sans pour autant être exclus de l'équipe ministérielle.

Face à ce tourbillon législatif et à cette perte de repères politiques, le Conseil est un rempart plus que jamais nécessaire pour défendre les grands principes constitutionnels et assurer une stabilité juridique indispensable. Il veille à ce que sa jurisprudence rende la loi plus intelligible et accessible.

Mais nos efforts en ce sens ne peuvent empêcher que, bien loin de s'améliorer, la qualité de la loi ne cesse de se dégrader.

25 mars

Avec la saisine de la loi sur la géolocalisation, nous sommes dans une situation inédite. Ce sont les députés de la majorité qui nous saisissent d'une loi qu'ils ont votée. Ils n'attendent pas du Conseil une censure, mais qu'il valide cette mesure.

Ils entendent éviter une incertitude constitutionnelle pourtant mentionnée par la ministre de la Justice, qui apparaît bien prudente sur les dispositions voulues par les parlementaires, et souhaitées par les policiers. Le but de cette saisine est aussi de contourner la jurisprudence de la Cour de cassation en la matière.

27 mars

Claude Chirac me montre la lettre reçue par son père, la veille du premier tour des élections municipales, et signée par Anne Hidalgo. La candidate socialiste à la mairie de Paris lui assure qu'elle a une pensée pour lui et qu'elle entend situer son action dans la continuité de celle qu'il a lui-même menée pour la capitale. Geste d'autant plus élégant qu'elle n'a pas fait état publiquement de cette correspondance.

28 mars

Surprise. Je reçois un petit mot de Cécile Duflot, accompagné d'un exemplaire du livre d'Italo Calvino *Le Baron perché*. Elle m'écrit en forme de « clin d'œil » après la publication de la loi sur le logement : « Ce livre a contribué à mon engagement écologiste et à mon goût pour la poésie et l'aventure. J'ai vraiment apprécié notre déjeuner et votre franchise vivace. » Elle ajoute cette citation : « Les exploits qui forment une destination intérieure doivent rester secrets ; pour peu qu'on les proclame ou qu'on s'en glorifie, ils semblent vains, privés de sens, deviennent mesquins. » Sage précepte qu'elle aurait dû davantage méditer...

2 avril

D'anciens collaborateurs de Pompidou, des historiens, professeurs de droit, étudiants... et même Édouard Balladur en personne assistent à notre colloque sur « Georges Pompidou membre du Conseil constitutionnel », en présence de son fils Alain Pompidou.

Le général de Gaulle n'est pour rien dans la création de cette institution, affirmait Léon Noël, qui fut le premier président du Conseil. Il y a tout lieu de penser que telle est la réalité. Dans le discours de Bayeux de 1946, il n'est pas évoqué. De Gaulle est éloigné du monde des juristes, c'est un militaire, tourné vers l'action. Je me souviens de cette citation du *Fil de l'épée* : « Face à l'événement, c'est à soi-même que recourt l'homme de caractère... Et loin de s'abriter sous la hiérarchie, de se cacher dans des textes, de se couvrir des comptes rendus, le voilà qui se dresse, se campe et fait front. »

Alors pourquoi une telle création, qui n'est pas dans notre tradition juridique ?

Depuis la Révolution nos légistes clament que la loi est l'expression de la volonté générale. La loi votée par le Parlement est réputée parfaite, seuls les représentants du peuple peuvent la modifier, l'amender.

Mais depuis longtemps avait germé, chez certains juristes, une réflexion sur la nécessité de limiter le domaine de la loi, d'imposer au législateur ordinaire le respect de la Constitution.

Léon Noël affirme également que la création du Conseil constitutionnel s'inscrit dans la logique de la nouvelle répartition des compétences entre le domaine de la loi et celui du règlement. C'est exact. Mais ce conseil n'est pas arrivé par hasard. Il est l'aboutissement d'une lente maturation juridique et de la nécessité pour Michel Debré d'institutionnaliser le principe d'un contrôle de la loi, « pour protéger les principes fondamentaux de tout régime libéral », comme il l'écrit en 1945 dans *Refaire la France*.

Il voulait permettre l'émergence d'un véritable pouvoir autonome et d'une institution capable de faire respecter les prérogatives gouvernementales.

Le 13 mars 1959, le Conseil tient sa première séance. Cette mise en place se réalise dans une indifférence parfaite.

Pourquoi a traîné une rumeur infondée selon laquelle ce premier Conseil constitutionnel n'aurait pas compté en son sein de juristes ? Peut-être parce que Léon Noël, qui était avant tout diplomate, indique dans ses Mémoires que peu de membres savaient suffisamment bien le seconder !

Sans doute aussi du fait de la déception d'universitaires, notamment Charles Eisemann et Maurice Duverger, de ne pas avoir été nommés. Il n'y avait pas de professeurs parmi les membres de la nouvelle institution, ils en critiquèrent donc la mise en place.

Les griefs émis aujourd'hui par certains universitaires ont la même origine. Ils se trouvent insuffisamment représentés au Conseil. Ils voudraient que des places leur soient réservées, ainsi prônent-ils notamment le passage à douze membres.

Tous les membres ou presque de ce premier Conseil étaient d'anciens résistants et même souvent d'héroïques résistants, ce qui leur donnait une incontestable légitimité dans leur rôle de défenseurs des droits et des libertés.

Ces hommes firent face aux tragiques événements de l'histoire avec grandeur et caractère. Ils avaient toute leur place au sein du Conseil.

3 avril

Beaucoup de monde à la réception organisée pour le départ de Sylvie Maligorne, qui quitte le poste de chef du service politique de l'AFP. Elle m'avait prévenu que Manuel Valls serait là. Invité alors qu'il était ministre de l'Intérieur, il est devenu entretemps chef du gouvernement. Il a cependant trouvé un moment pour venir saluer Sylvie Maligorne et lui témoigner son estime. Sont aussi présents : Christian Jacob, Valérie Pécresse, le communiste Pierre Laurent, Michel Sapin, nouveau ministre des Finances… À un moment, je me retrouve à proximité de Jean-Luc Mélenchon. Nous nous saluons. Il sort son portable aussitôt et me photographie à ses côtés. Surpris, je lui dis : « Si tu la publies, t'es foutu auprès de tes camarades. » Il sourit.

Je trouvais cet idéologue de la provocation et du chaos assez sympathique il y a quelques années. Il m'apparaît ce soir étonnamment content de lui, prétentieux. Je l'observe un instant. La seule chose qui semble le préoccuper est de mesurer l'intérêt qu'on porte à sa présence.

J'étais déjà reparti quand François Hollande est arrivé à son tour.

10 avril

Colloque au Conseil constitutionnel sur Guy Carcassonne, organisé par ses amis universitaires. Olivier Duhamel, Dominique Rousseau, Bertrand Mathieu, Jean Gicquel et bien d'autres grandes figures de nos facultés de droit prennent part aux débats.

Pour les universitaires, le colloque est une sorte de grand-messe, un acte de foi en l'université, un rite incontournable, indispensable.

En l'occurrence il s'agit d'une manifestation d'hommage et de reconnaissance à un professeur talentueux, original, engagé, influent, un authentique défenseur du doit public.

Michel Rocard vient livrer son témoignage, comme toujours assez incompréhensible. Édouard Balladur intervient avec humour. Ami de Guy Carcassonne, Manuel Valls a tenu à venir prononcer le discours de clôture.

Je l'accueille à la porte du Conseil et nous montons ensemble le grand escalier.

« Tout va bien ? me demande-t-il.

— Oui, dans l'ensemble, lui dis-je. Mais tout irait mieux si les lois dont nous sommes saisis étaient plus respectueuses de la Constitution et qu'on mettait un terme à cette logorrhée législative. C'est n'importe quoi, du jamais-vu à ce point-là !

— Je sais et l'ai dit publiquement au Sénat. Désormais il en sera autrement... Il faut des lois plus claires et moins bavardes, qui s'inscrivent dans la durée... »

Il fait rire l'assistance en évoquant la définition que Carcassonne donnait du rôle du Premier ministre : « Il est seul maître à bord mais, normalement, après l'armateur, qui fixe la destination, choisit la cargaison, recrute l'équipage et peut à tout moment réorienter le capitaine ou en changer. »

Valls manifeste clairement quant à lui qu'il entend ne pas se contenter d'être le premier des ministres du président de la République, mais imposer sa marque et réellement gouverner. Que seront dans ces conditions ses rapports avec Hollande ?

Une nouvelle cohabitation est peut-être en train de s'ouvrir pour une période d'autant plus longue que Hollande ne pourra sans doute pas se permettre de désigner un autre Premier ministre d'ici la fin de son quinquennat. Mais si Valls le sauve d'un naufrage politique prévisible, ne sera-t-il pas tenté en 2017 de prendre sa place, lui qui ne cache guère sa propre ambition présidentielle ? Et s'il protège ses camarades socialistes d'une déroute probable et réussit à les préserver d'un risque d'implosion ou de décomposition de leur parti, ne seront-ils pas alors enclins à le préférer comme candidat le moment venu ?

14 avril

« Si le ministre tombe avec la faveur royale ou avec des espérances parlementaires, il emmène son secrétaire pour le ramener ; sinon il le met au vert en quelque pâturage administratif, à la Cour des comptes, par exemple, cette auberge où les secrétaires attendent que l'orage se dissipe », a fort justement écrit Balzac dans ses *Scènes de la vie parisienne*.

C'est exactement ce qui se passe en ce moment pour nombre de collaborateurs des ministres de l'ancien gouvernement qui n'ont pas trouvé leur place dans la nouvelle équipe ministérielle. Ils s'activent à dénicher un point de chute dans une administration, à se faire attribuer un poste flatteur, à se recaser confortablement… Rien de nouveau depuis Balzac.

Même Dominique Voynet, l'ancienne ministre écologiste de Lionel Jospin, qui n'a pas osé se représenter à la mairie de Montreuil après avoir laissé la ville dans un état pitoyable, s'est fait parachuter en hâte à l'Inspection générale des affaires sociales. Elle qui dénonçait jadis, avec ses amis verts, la « République des copains »…

Rien de nouveau, même si cela reste consternant. À droite comme à gauche, les promesses de moralisation de la vie politique sont vite oubliées et on est toujours assidu à rechercher, selon la formule de Balzac, un « pâturage administratif » gratifiant.

L'octroi par le président ou l'un de ses ministres de telles sinécures est parfois une récompense politique. C'est aussi le moyen pour eux de museler les rancœurs d'un ami évincé ou les velléités contestatrices d'un opposant. Une vieille technique toujours en cours et souvent efficace pour « acheter » un silence, une neutralité, consolider une fidélité politique.

L'État « normal » promis par Hollande a même récompensé de cette manière Harlem Désir, le premier secrétaire du parti socialiste. Son passage à la direction du parti a pourtant été jugé désastreux. Mais le voici secrétaire d'État, aimable façon de débarquer un incompétent.

246

15 avril

La visite d'Aung San Suu Kyi au Conseil constitutionnel témoigne de l'importance prise par notre institution. Il n'est pas prévu qu'elle s'arrête au Conseil d'État ou à la Cour de cassation, mais seulement chez nous.

Pendant une heure, dans mon bureau, je présente à la prix Nobel de la paix notre mode de fonctionnement. Nous évoquons la nécessité de garantir l'indépendance des membres aussi bien vis-à-vis du pouvoir politique que des groupes d'intérêt, notre mission de juge des élections parlementaires et présidentielles...

Longtemps assignée à résidence par la junte au pouvoir, fondatrice et dirigeante de la Ligue nationale pour la démocratie en Birmanie, elle est aussi députée. Elle aspire à se présenter à la prochaine élection présidentielle dans son pays.

16 avril

Visite avec Charles à Westhoffen pour retrouver les traces de ma famille. Nous visitons la maison de nos ancêtres sous la conduite de Pierre Gest, le maire.

19 avril

Nouvel épisode de notre feuilleton politique national. Il met en scène cette fois les agissements du conseiller politique du président, Aquilinio Morelle.

Avant d'intégrer l'Élysée, alors qu'il était haut fonctionnaire à l'Inspection générale des affaires sociales, il aurait travaillé, en 2007, pour un laboratoire pharmaceutique et à ce titre perçu une rémunération. Étant donné ses fonctions à l'IGAS, ces « ménages », comme on les appelle dans le jargon administratif, qu'il n'aurait pas déclarés à son administration, pourraient constituer un grave « conflit d'intérêts ».

L'histoire de notre République est hélas jalonnée de cas similaires et peuplée de personnalités politiques impliquées ou citées dans des affaires de corruption, d'abus de pouvoir, de collusions d'intérêts, de trafic d'influence, de commissions occultes, d'évasions et de fraudes fiscales... De Daniel Wilson avec le scandale des décorations à Ferdinand de Lesseps dans celui de Panama... De Rives-Henrÿs et Roulland et l'affaire de la Garantie foncière à Christian Nucci, Yves Chalier, Noir, Carignon, Cahuzac et bien d'autres...

Mais plus que les faits qui lui sont reprochés, ce sont les révélations sur le caractère et le comportement de ce conseiller de l'Élysée qui surprennent.

Ses « amis » politiques dénoncent, maintenant qu'il est à terre, sa façon de traiter le personnel, son mépris des autres, son goût extravagant pour le luxe et les grands crus classés achetés sur des fonds publics. On apprend même qu'il aurait fait transporter à l'hôtel Marigny, annexe du palais de l'Élysée, ses trente paires de chaussures Weston pour se les faire « glacer » par un cireur professionnel rétribué 20 euros chacune.

Même si un tel laisser-aller n'a rien de nouveau sous les lustres de la République et les lambris dorés des palais ministériels, il est cependant moins fréquent que la presse, à propos de cette affaire, ne le laisse entendre.

Dans ma vie politique, j'ai cependant croisé bien des collaborateurs du même acabit qui se croyaient à peu près tout permis, au-dessus de toute règle, des profiteurs à la recherche de « passe-droits ».

Je me souviens, alors ministre de l'Intérieur, d'avoir demandé au préfet de police de Paris de supprimer les « cartes de circulation » qu'il distribuait généreusement aux personnalités, leur permettant de stationner n'importe où, et que celles-ci exhibaient fièrement pour échapper à toute contravention. Ce préfet m'avait répondu qu'interrompre ce système de favoritisme était impossible tant il était devenu d'usage courant pour des collaborateurs qui le réclamaient comme gage de leur importance.

Derrière cette pitoyable affaire et sa divulgation publique, on ressent aussi le souffle des jalousies, haines, rancœurs, règlements de comptes, complots, intrigues qui agitent les antichambres du pouvoir. Mœurs très répandues dans les cabinets ministériels et présidentiels.

8 mai

Giscard dans un article du *Point* critique le Conseil constitutionnel dont il est membre de droit, même s'il n'y vient pas souvent.

Personne d'ailleurs ne se soucie vraiment de son absence, tant sa participation à nos débats est devenue marginale et parfois même insignifiante compte tenu de ce qu'il a été.

Je comprends qu'il soit nostalgique de cette période où le Conseil rendait une quinzaine de décisions par an. Il pouvait venir quand bon lui semblait et peut-être à l'époque l'écoutait-on avec attention quand il prenait la parole, les occasions étant moins fréquentes.

Quand la Constitution a été modifiée pour y introduire la procédure des QPC, il m'a fait savoir qu'il n'approuvait pas cette réforme et donc ne viendrait pas siéger pour l'examen de ces questions d'un intérêt à ses yeux secondaire. Attitude pour le moins surprenante venant d'un ancien président qui a été pendant sept ans le gardien de notre Constitution.

Il n'a jamais assisté à une audience publique de QPC ni participé à aucun délibéré de QPC. En 2013, il a donc seulement pris part à quinze délibérés sur quatre-vingt-huit.

En réalité, le compteur politique de Giscard s'est arrêté en 1981, lorsqu'il a été battu par Mitterrand. Depuis lors, il n'a cessé d'être en quête d'une revanche qu'il trouve aujourd'hui faute de mieux dans la critique systématique des autres ou dans la valorisation de lui-même et de son action passée. Jamais il n'a suggéré une évolution de notre institution, quand il ne s'y est pas opposé, lui qui jadis avait fait de la modernité son leitmotiv et su favoriser des évolutions sociales majeures.

Lui qui se montre si hostile à la « révolution juridique » initiée par Nicolas Sarkozy et refuse d'y participer, pourquoi ne reste-t-il pas moins soucieux, chaque mois, d'émarger au budget du Conseil ? Pourquoi a-t-il tant voulu disposer d'un bureau qu'il n'utilise jamais ?

14-17 mai

La Cour suprême israélienne m'a invité en compagnie de Jean-Marc Sauvé, le vice-président du Conseil d'État, du représentant du premier président de la Cour de cassation Alain Lacabarats, et de Laurence Flise, la présidente de la deuxième chambre civile.

« La vérité germera de la terre et la justice regardera du haut du ciel » : ce psaume 85 qui a inspiré les architectes du palais de justice de Jérusalem nous est souvent rappelé tout au long de nos entretiens.

Avec le président et les juges de la Cour suprême, nous évoquons très longuement la traduction dans nos jurisprudences des questions liées à la « nouvelle famille ». Sur celle du mariage homosexuel, ils nous précisent comment leur institution a reconnu aux couples vivant ensemble sans être mariés le droit au concubinage et l'a étendu aux couples homosexuels alors même que le droit rabbinique leur interdit le mariage.

Il n'existe pas en Israël de mariage civil. Mais, face à une réalité qu'elle a bien été obligée de prendre en compte, la Cour a décidé de valider les unions homosexuelles contractées à l'étranger et imposé que figure sur les registres de l'état civil la mention du mariage. Ainsi s'est développée une pratique suivant laquelle les homosexuels célèbrent à Chypre leur mariage et le font homologuer en Israël. Grâce aux juges suprêmes, le droit religieux a pu être contourné.

Confrontée à une société politique bloquée par le pouvoir religieux et incapable de s'extraire de son immobilisme, la Cour suprême arrive néanmoins par sa jurisprudence à faire évoluer la législation.

Tout au long de ce séjour à Jérusalem, je cherche à m'informer auprès de mes interlocuteurs israéliens et de nos diplomates sur la réalité de l'*alya*. De plus en plus de Juifs quitteraient la France pour Israël. Trois mille deux cent quatre-vingts Juifs en 2013, soit une augmentation de soixante-dix pour cent par rapport à l'année précédente. En 2014, ils seraient déjà près de quatre mille cinq cents.

Le gouvernement israélien mène, il est vrai, une politique active pour attirer sur son sol les Juifs de la diaspora, notamment ceux vivant dans notre pays. Plusieurs de mes interlocuteurs français font même état de la « complicité » pour cela de dirigeants du CRIF. Tous dénoncent une propagande qui oublie de mentionner que ces Juifs français, au bout d'un an ou deux, font le voyage inverse, faute d'avoir pu s'intégrer à la société israélienne. Je n'ai pu obtenir aucune statistique à ce sujet. Mais d'après l'un de nos diplomates, ils seraient nombreux.

« Est-il exact que les extrémistes de droite vont bientôt arriver au pouvoir dans votre pays ? » me demande en aparté une juge israélienne. Je suis frappé de voir que l'idée semble se répandre à Jérusalem selon laquelle la France serait un pays antisémite. Une exposition que nous visitons, organisée par le centre Menahem Begin, est intitulée « L'affaire Dreyfus, prélude à l'Holocauste ». Il y a des raccourcis historiques surprenants.

Nous évoquons la question du sionisme. Un mot qui, me semble-t-il, se doit d'être employé avec prudence. Il a une histoire et un sens qui ne peuvent pas être compris de la même façon par toutes les générations. L'anachronisme piège les raccourcis ou les rapprochements trop rapides.

La Révolution, l'émancipation et l'égalité des droits d'abord, puis un siècle plus tard la naissance du sionisme ont marqué une profonde évolution de la pensée et de la sensibilité des Israélites français ou de leurs descendants vis-à-vis de la terre d'Israël et de l'espérance messianique. Je le constate dans ma propre famille.

Dans la notice nécrologique de Jacques Debré (1800-1884) publiée par *L'Univers israélite* en mai 1884, il est indiqué que « son action bienfaisante s'étendait jusqu'en Palestine ».

Westhoffen, où il est né, où il a toujours vécu, n'était pas pour Jacques Debré un monde replié sur lui-même. Comme tous les Juifs pieux, il gardait Jérusalem au plus profond de son cœur.

Selon les époques et les courants du judaïsme, la signification de cet attachement constant peut s'interpréter comme une aspiration à la liberté politique, une quête spirituelle, quand il ne se résume pas à un sentiment venu du fond des âges qui mêle tous les rêves et dont la force indicible a permis de tenir et de résister de siècle en siècle.

Depuis la destruction du Second Temple (en 70 après notre ère), les Juifs de la diaspora ont, à travers le temps, où qu'ils aient demeuré, gardé des liens sentimentaux avec la terre d'Israël.

Selon la tradition, qui remonte à cette époque, les Juifs de la diaspora doivent venir en aide à ceux qui vivent en terre d'Israël.

Tout au long des générations, et encore au XIXᵉ siècle où l'immigration juive se développa fortement à partir des années 1840, des quêtes étaient organisées et les dons acheminés jusqu'à Jérusalem et dans toutes les communautés de Palestine. Mais après l'émancipation, les idées de progrès remirent en question ces aides qui entretenaient plus la mendicité qu'elles n'aidaient les communautés à sortir de la pauvreté. Dès 1856, en visite à Jérusalem, le rabbin réformateur Frankel, dont la pensée eut plus tard une grande influence sur Simon Debré, critiqua sévèrement ce système d'aumônes. Et, peu à peu, sous la pression des idées nouvelles, des actions de philanthropie prirent le relais de ces quêtes.

C'est ainsi que, dès le milieu du siècle, le Français James de Rothschild finança des dispensaires puis des hôpitaux en Palestine afin d'améliorer sensiblement le sort des populations, avant qu'Edmond de Rothschild prenne le relais et donne un grand élan au développement de l'agriculture en Palestine.

Homme de l'émancipation et du progrès, Jacques Debré se sentait proche de ces initiatives qui renouvelaient le lien des Juifs de la diaspora avec ceux qui vivaient en Israël. Ouvrir une école à Westhoffen, aider un dispensaire à Jérusalem relevaient du même projet humaniste de solidarité et d'universalisme. Naturellement, on ne parlait pas de la constitution d'un État juif et le sionisme n'existait pas encore en termes politiques.

Le sionisme n'est qu'un des moments, et l'un des plus récents, de l'histoire millénaire du judaïsme, mais il marque une vraie rupture en se traduisant par le retour d'une partie de la diaspora sur la « Terre promise ».

Cette idée politique surprit et déplut en France où les Juifs s'appliquaient à bien distinguer le politique du religieux, et son écho parmi les Juifs d'Europe orientale fut immense. Elle puisa au fond des imaginaires et des âmes la force du messianisme religieux et politique du judaïsme ; elle emprunta à la mystique et à l'utopie. Elle a été renforcée par l'arrivée des Juifs venus des pays arabes décolonisés puis à ceux de l'ex-Union soviétique. Elle est aujourd'hui durement confrontée à la vie quotidienne et à la raison de tout État.

Dans la mesure où le sionisme préconisait de réunir au sein d'un même territoire et d'un même État les Juifs du monde entier, les convictions républicaines du rabbin Simon Debré étaient heurtées de front.

En dépit de poussées antisémites qu'il combattit, la France était bien – et toute sa vie en donna la preuve – sa seule patrie. Cet attachement de Simon à la République et à la France va de pair avec une incompréhension face au sionisme considéré comme un recours pour les Juifs de Russie et de Pologne victimes de violences de masse et de pogroms, mais dont l'histoire ne pouvait se confondre avec celle des Juifs de France.

Mon grand-père Robert Debré a évoqué dans ses souvenirs la position, entre les deux guerres, de ses parents, Simon et Marianne, partagés entre rejet du sionisme politique et fidélité à la Jérusalem spirituelle. Pour cette génération, la question de la nationalité ne se posait plus : avec l'émancipation, les Juifs étaient devenus des citoyens français comme les autres et leur religion était aussi légitime en France que le catholicisme ou le protestantisme. « Du sionisme on parlait si peu, écrit-il que l'on n'avait pas lieu d'en accepter ou rejeter l'idée. Pour les croyants, la mission spirituelle d'Israël était si forte que toute pensée de puissance temporelle en Palestine ne pouvait avoir aucun sens. D'une façon assez pittoresque, ma mère, qui considérait la langue hébraïque comme une langue sacrée, disait : "Je ne vois vraiment pas bien les harengères de Jérusalem se disputer en hébreu." »

Elle est intéressante, cette remarque de Marianne Debré, fille du grand rabbin Trénel, s'exprimant ainsi comme Theodor Herzl qui écrivait au sujet de la langue du futur État qu'il appelait de ses vœux : « Il est inimaginable que nous puissions parler l'hébreu pour acheter un billet de chemin de fer dans cette langue. »

Ni Jérusalem ni la terre d'Israël n'étaient effacées de la mémoire religieuse ou des rites, mais aucun retour en arrière ne semblait ni possible ni souhaitable. L'attachement à Israël et à son histoire singulière prenait une signification spirituelle où l'idée d'un État spécifique n'avait plus sa place dans le monde.

Le témoignage de Robert Debré illustre bien les sentiments de nombreux Juifs de France à la toute fin du XIXe siècle et au début du XXe vis-à-vis des Juifs des autres pays et notamment devant l'arrivée de ceux d'Europe orientale :

« Aucun lien n'unissait ces communautés françaises à celles de l'étranger. On accueillait avec une charité un peu réservée, et même parfois quelque peu hautaine, les Juifs trop souvent mendiants, venus de Pologne ou de Russie chercher un asile sur une terre généreuse. On ne connaissait guère les Juifs d'Algérie, ces Berbères judaïsés il y a plusieurs siècles et dont le décret Crémieux avait fait tout d'un coup des citoyens français [...]. L'on se félicitait que l'Alliance israélite universelle créât des écoles et apprît la langue française aux enfants des Juifs établis en Égypte, en Turquie ou en Asie Mineure. On ne parlait alors ni de race, ni de peuple. On savait très bien que la dispersion dans le monde ancien des communautés juives était tout autant liée à des émigrations qui avaient commencé longtemps avant l'ère chrétienne qu'à des conversions au judaïsme de populations les plus diverses à une époque où la religion juive pratiquait un prosélytisme très actif. »

Pour Simon, qui meurt en mars 1939, les liens avec ses coreligionnaires venus d'ailleurs relèvent du devoir religieux, mais ils ne peuvent en aucun cas primer la solidarité nationale, valeur fondamentale de la République.

Après la guerre, et l'extermination de six millions de personnes juives, l'Organisation des Nations unies propose le 29 novembre

1947, comme on le sait, le plan de partage de la Palestine, et le 14 mai 1948 la naissance de l'État d'Israël.

L'analyse de Robert Debré, fondée sur une réflexion géopolitique et prospective, est demeurée, dans les circonstances historiques radicalement nouvelles de la seconde moitié du XXe siècle, nettement éloignées du sionisme.

Lors d'un entretien avec le journaliste Jacques Chancel, le 17 octobre 1975, il précise en effet sa position vis-à-vis de la constitution d'un État juif en reprenant la distinction fondamentale entre religieux et politique telle qu'il l'a héritée de ses parents et grands-parents.

Tout en exprimant des critiques vives sur les contours politiques du nouvel État, Robert Debré comprend parfaitement, bien qu'il ait personnellement rompu avec toute idée de transcendance, la signification de l'attachement religieux que tout Juif cultive avec la mémoire et la vocation d'Israël.

« N'avaient-ils pas raison mes parents et grands-parents, et ne voyons-nous pas aujourd'hui combien la création, après une guerre de conquête, d'un État juif au milieu du monde musulman devenu hostile est une entreprise dangereuse et sans doute funeste ? La mission spirituelle d'Israël à laquelle croyaient mes parents et grands-parents est forcement abandonnée par une nation devenue le jouet des grandes puissances uniquement dominées par leurs intérêts politiques et économiques, et l'on peut craindre que dans un temps plus ou moins long, après bien des tribulations, cette petite République ne finisse comme le royaume franc de Jérusalem. »

« Je suis désolé de mécontenter les sionistes qui ont montré beaucoup de qualités. [...] Dans mon enfance et dans ma jeunesse, il était établi que la religion juive était une religion, dont les adeptes étaient très fiers, cela va de soi, comme toujours, et une religion valable, respectée, vivante malgré les persécutions et les tortures et qui représentait et qui représente toujours une très grande valeur, car si je ne suis pas religieux, je ne suis pas assez sot pour rejeter la grande valeur spirituelle et morale des religions. Ce serait absurde ; et parmi elles, la religion juive compte. [...] De sorte que pour nous, la situation était très claire, il y avait la religion que l'on pouvait ou pratiquer ou simplement respecter, et puis la Patrie pour laquelle pour ma génération il n'y avait aucun doute. Si bien que la création d'une patrie juive me paraissait, et je dois dire paraît toujours, comme une erreur. Naturellement on parle du peuple juif, mais le mot peuple est pris dans les Écritures, dans les langues anciennes, dans une signification qui ne correspond pas du tout à celle de nation. [...] Créer une nation avec un tout petit nombre d'hommes, au milieu d'une population hostile et qui le restera, est d'une part funeste et dangereux, et d'autre part à mon avis n'a pas grand sens puisqu'il y a ainsi, en Palestine, implantés en Palestine, avec un travail sans doute admirable de la terre et un courage très grand pour la défendre, je ne sais pas exactement, moins de 2 millions de Juifs et qu'il y a peut être 10 millions de Juifs à la surface de la terre, qui en vérité n'ont rien à voir, même s'ils ont quelque sympathie, avec une patrie qui n'est pas la leur. »

La position de son fils, Michel Debré, est beaucoup plus nuancée : elle est celle d'un homme politique qui ressent et manifeste un profond respect pour l'État d'Israël, mais qui mesure pleinement les difficultés à installer durablement la paix entre deux communautés antagonistes sur cette terre du Proche-Orient.

Dans les années qui suivirent la proclamation d'indépendance, mon père, qui conservait au fond de lui-même la trace spirituelle de l'histoire de sa famille, ne cachait pas sa sympathie pour le jeune État qui fait face aux menaces tout en s'accrochant à son idéal.

Deux ans après les événements de Suez, alors sénateur d'Indre-et-Loire, il écrit, le 31 mars 1958, dans le bulletin de l'association France-Israël : « Il est des peuples, comme il est des hommes, qui donnent mauvaise conscience aux autres peuples et aux autres hommes. Ils représentent un tel effort de vérité, de travail et de foi que le fait de ne pas les approuver, et dans l'épreuve de ne pas les soutenir, constitue, à l'évidence, une faute contre la morale et une défaillance de caractère. »

Mais l'exercice du pouvoir dans les années 1960 et 1970, ses responsabilités dans la conduite de la politique étrangère et de défense de la France, confrontent Michel Debré aux évolutions politiques, historiques et géographiques qui marquent cette partie du monde devenue une « Terre trop promise » et nuancent sa vision des choses.

Jacques, Simon, Robert, Michel : une même famille, quatre générations, quatre sensibilités, quatre regards sur la destinée du peuple juif à travers l'histoire. Mais plus que tout, une absolue et commune fidélité au pacte scellé en 1791 : la République est la patrie des Français juifs et l'antisémitisme n'a pas sa place en France...

21 mai

Le président du MEDEF, Pierre Gattaz, que je reçois à déjeuner en présence de Marc Guillaume, nous livre son analyse de la situation économique : des entreprises asphyxiées par des taux d'imposition toujours plus importants qui ne leur permettent pas de dégager des marges bénéficiaires et d'investir ; une instabilité juridique freinant leur développement et dissuadant les investissements étrangers ; un environnement législatif contraignant et paralysant... Autant de raisons pour lui d'être pessimiste.

Sur les projets ou propositions de lois annoncées : l'économie sociale et solidaire, les stages en entreprise, l'inspection du travail, la pénibilité, la biodiversité... « Nous attendons beaucoup du Conseil constitutionnel. Nous n'avons pas été déçus par vos décisions précédentes », m'avoue-t-il.

L'impression que je conserve de cette rencontre n'est pas celle que je me faisais de Pierre Gattaz avant ce premier rendez-vous. L'homme est agréable, réaliste et désireux d'œuvrer intelligemment à la défense de notre économie. C'est naturellement un libéral, il ne croit pas à une économie administrée et il a le sentiment, me semble-t-il, que nous assistons à une sorte de retour à la lutte des classes.

22 mai

Les députés socialistes s'époumonent à dénoncer les très nombreux amendements ou rappels au règlement, les interventions sans fin de l'opposition destinées à ralentir ou bloquer le débat sur la loi sur la famille.

Protestations ridicules. Ces pratiques ont toujours existé, elles font partie de la comédie parlementaire. Les socialistes y ont eu recours quand ils étaient dans l'opposition. Et avant eux, bien d'autres.

Déjà en 1789, le député Bouche, nom prédestiné, proposa à ses collègues de placer sur le bureau du président un sablier de cinq minutes, durée du temps de parole. Sa proposition fut adoptée à l'unanimité mais sans être jamais appliquée. Plus tard en 1815, Benjamin Constant, pour réduire la durée de certaines interventions, posa comme règle qu'on ne pourrait pas lire à la tribune de discours écrit. L'idée ne résista pas à la pression des députés. D'autres tentatives par la suite n'eurent guère plus de succès.

Aujourd'hui la retransmission télévisée des débats fait que tout se remarque. Les petits jeux parlementaires ne servent qu'à alimenter un antiparlementarisme déstructurant pour notre démocratie. Au même titre que la vue de ces hémicycles vides quand sont votées les lois.

23 mai

Que retiendront de lui les prochaines générations quand le voile de l'oubli aura fait son œuvre ?

Je me le demande souvent quand je rends visite à Jacques Chirac et le vois ainsi enchaîné à cette terrible maladie qui l'entraîne vers l'inconscience.

Difficile de lui poser directement la question. Je l'ai plusieurs fois interrogé sur ce qu'il souhaitait que les Français retiennent de lui. Naturellement il ne m'a jamais répondu précisément.

Chirac est réaliste, il a toujours, devant moi, revendiqué son pragmatisme, son allergie à tout dogmatisme. Il ne se fait que peu d'illusions sur son rôle historique, et ne s'est jamais beaucoup préoccupé de la trace qu'il laisserait dans notre histoire. Il n'a pas cherché, même à la fin de son mandat à l'Élysée, à cultiver une posture de grand homme d'État. Il n'est pas de Gaulle et il le sait. Il n'a pas eu son 18 juin et il en a conscience.

L'histoire est sélective, brutale, injuste, imprévisible.

Peut-être retiendra-t-elle de lui qu'il fut le premier maire de Paris élu au suffrage universel direct.

Les spécialistes du droit constitutionnel rappelleront probablement, pour l'approuver ou le déplorer, qu'il a raccourci la durée de la fonction présidentielle en remplaçant le septennat par le quinquennat. Les autres historiens souligneront qu'il a été le premier président à reconnaître la responsabilité de Vichy dans les rafles du Vél' d'Hiv.

Les politologues ne devraient pas manquer de désigner la dissolution de 1997 comme son initiative la plus malencontreuse. Mais peut-être porteront-ils à son crédit sa dénonciation lucide de la « fracture sociale », même s'il n'a pu y mettre fin, et les efforts accomplis pour permettre une meilleure intégration des handicapés…

Dans les aspects positifs de son bilan, on inscrira probablement la Charte de l'environnement, qu'il a tenu à faire inscrire dans notre Constitution, et la création, dont il fut le principal initiateur, d'une « agence » spécifique des Nations unies destinée à faire prendre conscience à tous les dirigeants de la planète de l'urgence écologique.

On devrait aussi garder de Jacques Chirac l'image du défenseur inlassable du dialogue des cultures, d'un humaniste qui n'a cessé de plaider, à l'heure de la mondialisation et de la montée des extrémismes, pour une exigence de respect de l'autre, une meilleure compréhension des peuples, de leurs traditions, de leur histoire et de leur identité. Visionnaires et prémonitoires apparaissent aujourd'hui son refus déterminé et sa condamnation sans ambiguïté de l'intervention américaine en Irak. La plupart des diplomates français, certains de ses propres collaborateurs, ses principaux ministres, sans parler des dirigeants patronaux étaient opposés à son choix, préférant l'alignement sur les États-Unis au risque d'isolement de la France. Il a tenu bon. Il n'a pas plié face au diktat de Washington. Et cette fermeté a valeur d'exemple.

Les militaires lui sauront gré d'avoir mis en œuvre la professionnalisation et la modernisation de nos armées, après avoir supprimé en 1995 le service national.

Tout cela me revient spontanément à l'esprit en le quittant. Je ne l'avais pas vu depuis longtemps, il a passé plusieurs semaines au Maroc. Ce séjour lui a visiblement fait du bien. Il ne veut pas donner de lui l'impression d'un homme qui souffre.

26 mai

Que dirait-on en pleine affaire Bygmalion et quelle serait aujourd'hui la crédibilité du Conseil si nous avions approuvé les comptes de campagne de Nicolas Sarkozy ? J'imagine les commentaires des journalistes. Me revient en mémoire cette citation du maréchal Joffre après la bataille de Verdun : « Je ne sais qui l'a gagnée mais je sais qui l'aurait perdue. »

Nous avons accompli notre travail normalement et sérieusement à la suite du recours déposé par l'ancien président lui-même contre la décision de la Commission. Et nous avons pris à notre tour celle qui convenait en confirmant le rejet de ces comptes, notamment pour dépassement du plafond des dépenses autorisées et insincérité... Plus juridiquement exprimée, la compétence du Conseil était non de passer au crible l'ensemble des comptes mais de statuer sur les griefs soulevés par Sarkozy à l'encontre de la décision de rejet de la Commission. Nous n'avons pas fait droit à ses griefs, voilà tout.

On peut se demander pourquoi cette Commission n'a pas réintégré dans les comptes davantage de dépenses. Si elle ne l'a pas fait, c'est qu'elle ne dispose pas des mêmes pouvoirs d'investigation que les officiers de police judiciaire et que les agissements frauduleux que l'on découvre aujourd'hui étaient alors cachés.

À la suite des révélations provoquées par l'affaire Bygmalion, qui ne font que débuter, je ne peux m'empêcher de me souvenir du coup de téléphone de l'ancien président pour me dire ce qu'il pensait de nos conclusions, qu'il attribuait à mon irresponsabilité et à ma volonté de lui nuire. De son communiqué vengeur annonçant sa « démission » du Conseil et fustigeant une décision selon lui essentiellement politique, prise par un Conseil devenu une « officine » du pouvoir. Des déclarations injurieuses de ses porte-parole affirmant, à grand renfort de phrases désobligeantes, que notre position était l'expression de ma « haine » à l'égard de leur chef. De la campagne du « Sarkothon » lancée pour prétendument réparer une injustice.

Je pense à tous ces militants qui se sont mobilisés pour renflouer les caisses du parti et qui doivent à présent se sentir abusés. L'image donnée par les dirigeants de l'UMP est pitoyable.

Je pense aussi aux membres du Conseil qui n'ont pas osé approuver notre décision.

Mais l'important est que notre institution ait démontré son indépendance et son intégrité en s'interdisant de cautionner ces turpitudes que le public commence seulement à découvrir aujourd'hui.

Bien que sollicité par nombre de journalistes, je refuse d'enfreindre mon devoir de réserve. Dommage. J'aurais pourtant bien des choses à dire, des investigations à suggérer, des explications à demander… Demain, il sera sans doute trop tard et cela n'aura plus d'importance. Tant pis, tant mieux.

1er juin

Quel a été le coût réel de la campagne présidentielle de Nicolas Sarkozy ?

Les comptes initialement transmis à la Commission indiquaient une somme de 21 339 000 euros. Après correction et rajout de 1,5 million, ce total a été porté à 22 872 000 euros. Nous avons réformé ces comptes et établi qu'ils se montaient en recettes à 23 094 932 euros. C'est sur cette base que nous avons rejeté l'appel et en fonction de ce chiffre que nous avons refusé pour dépassement du montant autorisé le remboursement de l'État, décidé que le candidat devrait rembourser l'avance forfaitaire de 153 000 euros, et confirmé l'amende. Celle-ci doit être égale au montant du dépassement que le candidat est tenu de verser au Trésor public. Or il semble désormais qu'il y aurait eu double comptabilité. Ce n'est pas 1,5 million d'euros qu'il aurait fallu réintégrer mais probablement… 11 millions. Si tout cela est avéré, l'amende aurait dû être beaucoup plus élevée. C'est une autre histoire, qui ne concerne plus le Conseil constitutionnel, mais la justice.

5 juin

Tout à sa grande ambition, Bruno Le Maire construit méticuleusement le destin politique auquel il peut légitimement aspirer. Il domine largement ses concurrents de droite par son intelligence, sa culture, son sens de l'État. Il n'est pas encore devenu un de ces politiciens prêts à n'importe quelle contorsion partisane pour arriver à ses fins.

Au cours de notre déjeuner, il me paraît juché « sur un petit nuage » de satisfaction. Son ascension politique a été rapide et il n'a pas connu de revers jusqu'ici. Son travail d'implantation semble efficace. Les journalistes citent de plus en plus souvent son nom, comme les militants qu'il m'arrive de croiser lors mes déplacements en province. Je n'entends pas de critiques majeures contre lui, à l'exception de celle-ci : « Il fait technocrate. »

Dans la situation d'extrême délitement où se trouve l'opposition, Bruno devient crédible pour redonner à la droite du souffle et un espoir. Mais quelle attitude adoptera-t-il vis-à-vis de Juppé si celui-ci brigue la présidence de l'UMP, et face à un éventuel retour de Sarkozy ?

Toujours est-il que je me réjouis d'avoir favorisé sa première élection législative dans l'Eure.

9 juin

Ce lundi de Pentecôte, je me baladais tranquillement à bicyclette à Cap-Ferret quand, au carrefour de la route du Phare, une voiture s'est arrêtée à ma hauteur.

« Les députés ne bossent pas, toujours en vacances, s'est écriée sa conductrice avec agressivité.

— C'est férié, lui dis-je, un peu surpris, et il y a plus de sept ans que je ne suis plus député, mais au Conseil constitutionnel…

— C'est la même chose », m'a-t-elle rétorqué.

Et avant de relancer son 4 × 4, elle a ajouté, sur le même ton acerbe :

« De toute façon les députés ne servent à rien d'autre qu'à s'en foutre plein les poches… »

Spontanément, j'ai eu envie d'essayer de la rattraper pour lui parler, tenter de lui expliquer qu'elle fait le jeu du pire populisme en incriminant de manière aussi véhémente et catégorique une classe politique qui ne mérite pas dans son ensemble la réputation dont on l'affuble.

Mais j'ai finalement préféré regarder autour de moi les cimes des pins maritimes qui ressemblent à des têtes ébouriffées. Elles se balançaient lentement, comme si elles dansaient avec les petits nuages blancs qui défilaient dans le ciel bleu au rythme d'un vent léger. Je ne me lasse jamais de ce spectacle qui me distrait de bien des choses et me fait toujours rêver. Il m'a permis cette fois de vite oublier les propos injustes et déplaisants de cette femme que je ne connais pas, ces relents de haine et d'extrémisme attisés par les scandales, les « affaires » liés à quelques cas particuliers.

Quelle chance pour moi d'avoir pu quitter ce monde-là qui ressemble si peu aujourd'hui à celui que j'ai fréquenté, pareil à un théâtre où le jeu des acteurs me serait devenu étranger. Quand je les rencontre, la plupart ne me parlent que d'eux, sollicitent parfois un conseil pour accélérer leur carrière. L'un d'eux récemment m'a demandé : « Si la droite revient au pouvoir, crois-tu que j'ai un espoir d'entrer au gouvernement ? Qui dois-je choisir depuis que Copé a été rejeté ? Auprès de qui se positionner ? »

Je les écoute par amitié, leur réponds par réflexe, mais au fond de moi je me fiche de leurs préoccupations de carrière. Je voudrais tant qu'ils me parlent d'autre chose et m'expliquent comment mettre un terme selon eux au règne et à l'impudence des spéculateurs financiers, qu'ils clament leur indignation face à l'argent roi et aux injustices… J'aimerais tant qu'ils réfléchissent à la manière de remédier à la sclérose de nos syndicats, à la décadence de nos partis politiques, aux blocages d'une administration trop souvent paralysante. Les entendre me dire comment concevoir des réformes qui ne disparaissent pas aussi vite qu'elles ont été annoncées, comment arrêter de voter des lois inutiles qui tuent celles qui sont nécessaires…

Surtout, je souhaiterais qu'ils cessent de propager leur pessimisme, de se plaindre de leur sort, de ne penser qu'à eux, de n'aimer qu'eux, de n'être attentifs qu'à eux, d'être obsédés par leur seule ambition.

La République, affirmait Jaurès aux élèves du lycée d'Albi le 30 juillet 1903, « c'est un grand acte de confiance… c'est proclamer que des millions d'hommes sauront tracer eux-mêmes la règle commune de leur action ; qu'ils sauront concilier la liberté et la loi, le mouvement et l'ordre ; qu'ils sauront se combattre sans se déchirer… ».

Probablement ai-je emporté avec moi, en quittant le Palais-Bourbon, une vision trop bienveillante de la politique et de ses responsables. Quoi qu'il en soit, je me sens à présent très loin de cet univers que je comprends de moins en moins et dont les codes d'accès ont changé.

Je préfère à tout cela le bonheur de pouvoir m'émerveiller du spectacle des pins qui dansent dans le ciel.

12 juin

Par leur simplicité, la qualité de l'accueil, l'originalité des œuvres d'art exposées, la beauté de la table, des plats et des vins qui nous sont servis, la personnalité des invités, les dîners chez François et Maryvonne Pinault sont des moments exceptionnels.

À la fin du repas, un célèbre professeur de médecine me demande en aparté d'intervenir pour qu'il puisse bénéficier d'une promotion au grade supérieur dans l'ordre de la Légion d'honneur. Surpris, je me demande pourquoi une personnalité aussi éminente a un tel besoin de décoration, jusqu'à la quémander.

13 juin

Invité à la rentrée solennelle du barreau de Bordeaux qui, pour la première fois de son histoire, s'est doté d'une bâtonnière : Anne Cadiot-Feidt.

Cérémonie inadaptée au temps présent. Pendant près de trois heures, sous un hangar sur les quais de Bordeaux, nombre d'invités subissent des discours sans fin dont on cherche vainement l'intérêt. Je ne suis pas certain que les avocats donnent ainsi une image dynamique et moderne de leur profession.

15 juin

« Je ne comprends plus rien à la politique, je suis désespéré, je pense à la France que j'aime, j'ai été un grand admirateur du général de Gaulle et de votre père. Alors nous étions fiers de la France… Nos hommes politiques sont-ils devenus tous des voyous ? » s'épanche un vieux monsieur que je rencontre à la Fête de la cerise de Westhoffen. Tout au long de la journée, ce sera la même litanie angoissée chez beaucoup de personnes que je croise, la même interrogation : « Croyez-vous que l'on va s'en sortir ? »

24 juin

J'ai souhaité rencontrer André Vallini, le secrétaire d'État chargé de la Réforme des régions et des départements. Je le connais bien et j'ai pour lui depuis longtemps estime et amitié. Il m'importe de l'entendre sur les deux projets de loi qu'il prépare sur la réforme territoriale.

Il serait salutaire que députés et sénateurs arrivent à s'entendre pour faire avancer une réforme aussi importante. L'attitude de l'opposition actuelle ne vaut guère mieux que celle des socialistes quand ils étaient à sa place. Ce qui est tout aussi absurde et contre-productif.

J'entends rappeler à André Vallini les risques d'inconstitutionnalité et la jurisprudence du Conseil dans ce domaine. Supprimer purement et simplement les conseils généraux nécessiterait une réforme de la Constitution. Toute collectivité territoriale devant disposer d'une assemblée délibérante élue dotée d'attributions effectives, il serait risqué de chercher à maintenir celles-ci en place tout en ne leur octroyant plus aucun pouvoir.

Je lui dis combien je suis réservé sur le projet de rattacher à la région Bretagne la Loire-Atlantique. Idée qui ne ferait que renforcer, par pure démagogie électorale, les revendications autonomistes et favoriser le démantèlement de la France. Certains élus de ces départements, quelle que soit leur appartenance politique, font preuve de lâcheté face aux pressions de ceux qui n'ont en tête que liquider notre héritage national, comme on l'a constaté lors des manifestations contre l'écotaxe entièrement déclenchées et contrôlées par le noyau dur des autonomistes bretons.

André Vallini me dit avoir « parfaitement conscience » de la difficulté de faire évoluer les choses en un moment où l'opposition qui se fait entendre n'est pas celle de droite, empêtrée dans les scandales du financement de la campagne de Sarkozy, mais celle venue de l'intérieur même du parti socialiste. Les frondeurs se complaisent dans un tel « jeu de massacre » du gouvernement que ce dernier n'est plus assuré de pouvoir éviter l'éclatement de sa majorité.

Le détricotage, depuis plusieurs années, de notre Constitution, notamment des dispositions permettant au gouvernement d'avoir du temps et les moyens pour agir ; le discrédit d'ensemble du personnel politique ; l'absence de personnalités capables de rassembler et d'entraîner son camp ; les bisbilles publiques entre ministres ; l'incapacité depuis deux ans du président de la République à asseoir son autorité, conséquence d'une élection due au rejet de son prédécesseur plus qu'à une adhésion suscitée par lui ; mais aussi la tyrannie de l'apparence, l'obsession médiatique... tout cela cumulé débouche sur une paralysie de l'État.

25 juin

Surprenante déclaration aux *Échos* de Valérie Rabault, rapporteur général du budget à l'Assemblée nationale. Cette députée socialiste n'hésite pas à affirmer qu'elle et ses amis entendent proposer de nouveau à la rentrée « des mesures censurées par le juge constitutionnel l'an dernier ». Soit elle dit n'importe quoi, ce que je ne peux imaginer. Soit elle refuse de reconnaître le rôle et la jurisprudence du Conseil, ce qui serait plus grave... mais pas invraisemblable.

30 juin

Devenir président de la République est son dessein clairement affiché, la raison de son engagement politique. Il a tout organisé soigneusement dans ce but, cultivé des amitiés, organisé des relais, préparé des réseaux, pris en main l'UMP pour en faire un parti à son service. Son cynisme n'a que peu de limites. Son intelligence est vive et il ne doute pas de ses capacités.

« Fais de ta vie un rêve, et d'un rêve une réalité », recommandait Saint-Exupéry. Le rêve de Copé est d'accéder à l'Élysée et il l'affiche sans ambiguïté. Mais il s'est laissé dépasser, déborder, submerger par cet excès d'ambition, jusqu'à finir par compromettre son avenir.

Tout est toujours possible en politique et Jean-François Copé n'est pas de ceux qui renoncent facilement. Cependant il a focalisé contre lui tant de farouches inimitiés qu'il ne peut même plus compter sur le soutien de celles ou ceux qu'il a aidés. Nombre de journalistes qui ont cru en lui et contribué à édifier sa notoriété, parce qu'il leur apparaissait comme un « opposant » à Sarkozy, le regardent désormais avec méfiance, se sentant trahis. Par ricochet, ses « concurrents » à droite, heureux de sa chute, à laquelle ils ont d'ailleurs pris part, y ont trouvé une raison supplémentaire d'espérer en leur propre destin présidentiel. Aujourd'hui Copé est bien seul, abandonné, fustigé par les mêmes qui, hier, le louaient et l'accompagnaient dans sa marche présumée vers le pouvoir suprême.

Avant qu'éclate l'affaire Bygmalion et qu'il se voie contraint de quitter la présidence de l'UMP, il avait souhaité que nous déjeunions ensemble comme nous en avons l'habitude depuis plusieurs années. Ce n'est pas parce qu'il est accablé de critiques et qu'il traverse une sérieuse zone de turbulences que j'ai considéré que je devais désormais, comme beaucoup d'autres, lui fermer ma porte.

Il m'intéresse d'avoir sa version des faits qui lui sont reprochés. Il m'assure n'avoir pas constitué de « trésor de guerre » et qu'il n'y a eu, en ce qui le concerne, aucun enrichissement personnel, qu'il n'était pas le responsable de la campagne de Sarkozy, ni celui qui ordonnait les dépenses, signait les chèques, décidait des virements. Jamais il n'a eu à se prononcer sur le nombre et le format des réunions publiques du candidat. C'est à la demande de Sarkozy que son collaborateur, Lavrilleux, est venu renforcer son équipe qu'il trouvait nulle. Toute la campagne a été conduite dans un climat d'improvisation et d'agitation très peu professionnelles. Lavrilleux, reconnaît-il, n'a probablement pas su s'opposer à Lambert, le directeur de la campagne, et à Cesari, le responsable administratif de l'UMP. Il ne leur a pas fait part de ses doutes ou de ses inquiétudes quant aux dépenses engagées et aux montages financiers imposés sur lesquels il ne savait sans doute pas tout.

Copé m'assure qu'il n'aurait découvert que récemment, à la suite d'un article paru dans *Libération*, qu'il y aurait eu des surfacturations et des prises en charge par l'UMP de dépenses liées non au parti, mais à la campagne présidentielle. Il me dit n'en être pas responsable. « Je comprends mieux votre décision de l'année dernière », m'avoue-t-il.

Sa vérité rejoint-elle la réalité ? J'en doute. Peut-être en est-il arrivé à se persuader que sa vérité est la vérité. Quoi qu'il en soit, sa démonstration ne m'a pas convaincu.

Il reconnaît que les temps sont devenus difficiles pour lui. Un torrent de haine ne cesse de l'assaillir. Il a conscience qu'il doit temporiser et attendre que l'instruction judiciaire démontre la sincérité de ses déclarations. « Je dois me reconstruire. »

En partant, il me remercie chaleureusement de n'avoir pas annulé notre déjeuner.

Il est blessé, mais reste digne.

2 juillet

Impossible de ne pas savoir que Nicolas Sarkozy a été mis en examen après quinze heures de garde à vue. Les journaux, la radio, la télévision ne parlent que de cela.

Je l'écoute ce soir à la télévision. Toujours la même ligne de défense : attaquer sur le terrain politique et taper le plus fort possible, fût-ce au prix de contorsions avec la vérité, et surtout discréditer ses juges.

Lorsque, il y a un an, le Conseil l'a débouté de son recours, il a répliqué en annonçant aussitôt sa démission du Conseil, même s'il n'en avait pas la possibilité juridique en tant que membre de droit. Je n'ai d'ailleurs jamais reçu de lui la moindre lettre en ce sens.

Je ne sais ce qu'il adviendra de ses mises en examen, mais je retrouve ici le même type de réaction dont il a usé contre nous. Une volonté aussi manifeste d'atteinte à la réputation de ses juges au prix d'insinuations mensongères. Au lieu de contester avec précision ce qui lui est reproché, il préfère s'ériger en victime d'un complot politique et jouer l'opinion publique contre les pouvoirs judiciaires ou constitutionnels. Mise en scène classique qui peut se briser contre les faits, mais qui lui permet de gagner du temps et de mobiliser ses troupes en multipliant les appels à le soutenir.

Tout cela est révélateur d'une personnalité dangereuse pour la République. « Se défier de la Magistrature, a écrit Balzac, est un commencement de dissolution sociale. » Je suis plus que jamais indigné d'entendre un ancien président de la République s'en prendre de cette façon à la justice et à une institution de la République, comme il l'a fait il y a un an avec nous.

J'observe de surcroît qu'en contestant l'impartialité de l'une des juges qui l'ont mis en examen, il n'a pas annoncé, conformément à l'article 662 du Code de procédure pénale, qu'il déposait une requête aux fins de dessaisissement pour suspicion légitime. Troublant…

5 juillet

Dans le train Morlaix-Paris, en rentrant de Plouvenez-Lochrist où je suis allé décorer de la Légion d'honneur mon ami Jacques Le Guen, qui fut député du Finistère pendant dix ans, de 2002 à 2012, je me demande ce qui me pousse ainsi, quotidiennement ou presque, à tenir ce journal de bord.

Écrire au jour le jour, sans revenir sur ce qu'on a noté auparavant, c'est prendre le risque d'incohérences, d'erreurs de jugement et, par la force des choses, l'assumer. C'est traiter de la même façon de simples anecdotes et des faits plus importants. Une photographie de l'instantané et non la reconstitution a posteriori d'une histoire.

Mémoires ou Journal ne sont-ils pas finalement l'expression d'une prétention, d'un orgueil démesuré qui finit par nous persuader de l'importance du témoignage que nous aurions à livrer ?

Je sais, même si je ne veux pas me l'avouer, qu'un jour ces notes seront publiées. Dans ces conditions, mon écriture pourra-t-elle rester longtemps libre et spontanée ? Mais je n'ai aucune envie de renoncer à cet exercice quasi quotidien devenu pour moi une nécessité. Une sorte d'addiction.

6 juillet

Déjeuner avec Jacques Chirac chez Renaud Donnedieu de Vabres.

Combien j'aimerais détruire ce mur qui lentement m'éloigne de lui. Notre communication devient plus difficile. Il est de plus en plus retranché dans un univers auquel j'ai de moins en moins accès. Et j'en éprouve une tristesse infinie.

Effroyable maladie qui finit par gommer progressivement les souvenirs, le passé, l'histoire, effacer en lui tout ce qu'il a été.

9 juillet

Stupéfiante, affirme-t-on, la dette de l'UMP dont le montant est aujourd'hui chiffré à 74,5 millions d'euros. Un chiffre astronomique vraisemblablement connu de longue date par les premiers intéressés, Sarkozy et Copé, qui ont sans doute pris soin de le dissimuler.

Parmi les nouvelles du jour, on apprend qu'un membre de l'équipe dirigeante percevait un salaire à peine inférieur au traitement du président de la République, l'équivalent de celui d'un ministre.

Le niveau de haine était tel entre ces clans qui se disputaient le pouvoir qu'ils ont constitué des dossiers les uns sur les autres en vue de les transmettre à la presse – ce qu'ils ont fait.

Ils se complaisent tous aujourd'hui, sous nos yeux, dans une odieuse partie d'autodestruction.

Après les billets d'avion de Mme Copé, qui auraient été pris en charge par l'UMP, les allusions, semble-t-il mensongères, à des vacances de Xavier Bertrand, réglées elles aussi par le parti, voici que nous sont révélées les notes de téléphone et frais de transport ahurissants de Rachida Dati, les frais de bouche stupéfiants facturés à l'UMP par l'un de ses vice-présidents, le montant exorbitant des salaires de certains cadres et porte-parole, les factures des avions et hélicoptères utilisés par Fillon… Tous auraient puisé sans scrupule ni la moindre retenue dans les caisses d'une organisation politique financièrement à l'agonie !

10 juillet

En cours de séance, Nicole Belloubet émet le souhait que soit inscrit au début de nos décisions : « Au nom du peuple français et de la République ».

Je suis naturellement d'accord avec cette proposition.

À mon arrivée, j'avais pris d'emblée l'initiative de faire remplacer les portraits des anciens présidents de la République par le drapeau français et des bustes de Marianne, symbole de la République. Mais cette proposition se heurte au conservatisme de ceux qui ne veulent rien changer ou entendent évoluer avec prudence.

Si bien que je préfère reporter cette décision à plus tard. Il serait inutile de se diviser à ce sujet.

16 juillet

Audience d'installation du nouveau président de la Cour de cassation en présence du chef de l'État.

J'espère voir s'établir enfin avec cette Cour des relations normales, alors que ses magistrats continuent de bloquer la transmission au Conseil de trop nombreuses QPC.

Au mois d'avril, elle a ainsi refusé de nous saisir d'une question sur la loi Gayssot, puis d'une autre sur la possibilité pour les gendarmes d'ouvrir le feu en cas de légitime défense. La Cour considérait qu'il ne s'agissait pas de sujets sérieux. Pour des raisons identiques, ne nous a pas été transmise une QPC portant sur l'article 469 du Code de procédure pénale qui permet au juge de décerner un mandat de dépôt criminel sans que la loi fixe un délai ni une durée maximale. Tout cela est absurde et irrespectueux de la volonté du législateur.

La séance est quelque peu surréaliste. Le premier président, dans son allocution, ne remercie de leur présence ni le chef de l'État ni les présidents de l'Assemblée nationale et du Sénat. D'une formule lapidaire mais révélatrice de son état d'esprit, il se contente de saluer « les plus hautes autorités des autres pouvoirs de l'État réunies autour de M. le Président de la République ». Il qualifie d'archaïque le système institutionnel français en matière de justice. En fait, il revendique une indépendance totale de celle-ci, probablement la disparition du ministère concerné, le rattachement de l'École de la magistrature au Conseil supérieur, probablement aussi l'indépendance des magistrats du parquet...

En aparté, avant de quitter les lieux, François Hollande m'informe de son souhait de nommer Marc Guillaume secrétaire général du gouvernement. C'est une bonne nouvelle à tous égards. J'avais suggéré à Hollande, il y a quelques mois, de faire ce choix.

Haut fonctionnaire de très grande qualité, Marc Guillaume est aussi un juriste des plus remarquables.

17 juillet

Nous sommes tous les deux seuls, il est bien, détendu comme je ne l'ai pas vu depuis fort longtemps.

Le dernier *Paris Match* étant posé à côté de lui, je lui demande s'il a vu cette photo de Giscard devant le château des d'Estaing. Ma question le fait sourire.

« Il a toujours voulu faire croire qu'il descendait de l'amiral d'Estaing », me dit-il.

Je l'interroge sur ses relations avec Giscard.

« Elles n'ont pas été excellentes, je n'ai jamais compris sa psychologie. »

Il me raconte avec délectation l'histoire de Giscard et de l'ordre de Cincinnati.

« J'étais Premier ministre et un jour Giscard m'a demandé d'intervenir pour qu'il y soit admis. Il s'agit d'une sorte de confrérie américaine qui rassemble les héritiers des compagnons de La Fayette ayant pris part à l'indépendance des États-Unis.

— Pourquoi vous a-t-il demandé cela ?

— Bernadette connaissait probablement quelqu'un… Je ne sais plus très bien… Je tente une démarche et me heurte à une fin de non-recevoir ferme et sans appel. Giscard avait essayé de son côté mais on lui avait déjà répondu non. Il voulait que ma démarche soit faite au nom du gouvernement de la France…

— Quel était son but ?

— C'est du Giscard ! Faire reconnaître un lien de parenté avec l'amiral d'Estaing.

— Vous lui avez dit que ce n'était pas possible ?

— Oui et il en a été profondément attristé. Il était président de la République, tu te rends compte.

— C'est un épisode très révélateur de sa personnalité.

— Oui.

— En réalité vous n'avez jamais eu de bonnes relations avec lui. J'en ai été témoin chaque fois que vous avez siégé ensemble au Conseil.

— Si tu le dis », conclut Chirac avec un petit sourire.

Giscard au Conseil s'ennuie, voudrait être ce qu'il n'est plus. Un jour où je l'ai un peu brusqué, il est allé se plaindre auprès du secrétaire général d'être mal traité. Il ne sort jamais de son statut de souverain détrôné.

Chirac est resté le même, bien que conscient de ne plus être, lui non plus, ce qu'il a été. Il ne comprend pas les longues discussions entre juristes qu'il trouve parfois bien loin des réalités. Je me souviens de ces petits mots qu'il me passait en séance : « Fais taire ces bavards, on a compris ! ».

Le fossé qui sépare Chirac de Giscard est infranchissable. Ils n'appartiennent pas au même monde. Ils ne se sont jamais vraiment compris. En 1974, Chirac a choisi Giscard parce qu'il pensait que Chaban n'avait aucune chance face à Mitterrand, mais leur coexistence n'a pas duré.

Chirac exècre les mondanités et, même s'il en comprend la nécessité dans le monde médiatique d'aujourd'hui, il n'est pas obnubilé par la mise en scène de sa propre personne.

Il est moins encore obsédé par son arbre généalogique et sa place dans notre histoire

Dans son livre *La Lueur de l'espérance*, Jacques Chirac se montrait très critique envers « une grande bourgeoisie libérale, surtout préoccupée de ses intérêts… À ses yeux, le nationalisme est un sentiment de petites gens, les riches s'offrant des satisfactions plus tangibles en même temps que plus raffinées ». Il fustigeait « l'affaiblissement de la combativité dans une grande bourgeoisie dont les descendants ne possèdent plus ni les qualités ni les défauts de leurs durs ancêtres… Avides d'obtenir réconfort, à la fois par la richesse pieusement entretenue, le plus possible d'honneurs conquis, et les applaudissements chaleureux des braves gens ».

Nous ne sommes pas loin de ce qu'aurait pu dire François Mitterrand à ce sujet et qu'il a d'ailleurs écrit dans ses *Mémoires interrompus* : « La bourgeoisie a toujours choisi son intérêt ou ce qu'elle croyait être son intérêt. Le patriotisme ne fait partie de ses intérêts que sous bénéfice d'inventaire. » À l'évidence, derrière les mots se profilent des réflexions voisines.

Chirac n'a jamais été atlantiste, contrairement à Giscard et à la majeure partie de la droite française. Pour résumer sa position vis-à-vis des États-Unis, on pourrait là encore citer Mitterrand qui dans *Ici et Maintenant* écrit : « J'aime les Américains, mais pas leur politique. »

Derrière les discours et formules imposés par les circonstances et le jeu politique, on décèle au fil du temps une certaine entente entre Mitterrand et Chirac qui n'existe pas avec Giscard. Ils ont des personnalités certes divergentes, mais compatibles.

Chirac admire l'artiste politique que fut Mitterrand, sachant se sortir de toutes les situations, même les plus périlleuses. Sa longévité politique l'impressionne. Malgré les échecs, les trahisons, Mitterrand est arrivé à la fonction présidentielle. Là, oubliant parfois ses promesses et engagements électoraux, il a gouverné sans remettre en cause les institutions de la Ve République et prouvé sa capacité à s'élever au-dessus des contingences pour incarner la France.

Chirac, comme Mitterrand, a su renaître de ses cendres et repartir au combat en dépit des trahisons et de deux échecs consécutifs à l'élection présidentielle.

Mitterrand, au-delà des apparences et des nécessités politiques, me semble avoir toujours été fasciné par de Gaulle, sa stature politique, son rayonnement international, sa vision du monde.

Naturellement il s'est longtemps tenu dans une posture qui lui interdisait de montrer la moindre sympathie envers « ce vieil homme [qui] aime la France et… aime l'État » comme il l'écrit dans *Le Coup d'État permanent.*

Le lyrisme en moins et dans un autre style probablement, Chirac aurait pu signer le portrait que Mitterrand brosse de de Gaulle : « Formé à cette école d'ancienne mode, de Gaulle était plus proche des soldats de l'an II et des poilus de 1914 que les bourgeois de sa génération. Il dut à cet anachronisme de parler comme un visionnaire. Son retard devint de l'avance. En se détachant des siens, il rencontra le peuple. Ni l'un ni l'autre ne se sont par la suite tout à fait séparés. »

Entre Chirac et Mitterrand, le fossé fut moins grand qu'il n'y paraît. Certes ils ne partageaient pas les mêmes options politiques et se sont combattus sans concession, mais ils ne font partie ni l'un ni l'autre de la race des doctrinaires et des idéologues. Ce sont avant tout des réalistes, des pragmatiques, qui ont toujours su s'adapter aux circonstances sans renoncer à leurs convictions les plus profondes. Ils aimaient la France avant de s'aimer eux-mêmes.

L'exercice du pouvoir a rapproché Mitterrand et Chirac alors qu'il a éloigné Chirac de Giscard. Il est vrai que les situations n'étaient pas les mêmes. Les deux hommes avaient en commun leur allergie à la technocratie, le fait d'être tous deux originaires de la province, issus de la France rurale. Ils aimaient à se retrouver dans leurs terroirs respectifs, la Corrèze pour l'un, la Saintonge pour l'autre…

Durant la cohabitation, les entretiens que Chirac avait avec Mitterrand, notamment avant le Conseil des ministres, se déroulaient toujours avec urbanité même en cas de désaccord. Ce qui ne fut pas, loin s'en faut, le cas entre Chirac et Giscard.

Chirac et Mitterrand ont aussi en commun leur filiation politique avec celui que l'on surnommait « le petit père Queuille », adepte, s'il en est, de la synthèse et du consensus. L'esprit du radical-socialisme.

276

Mitterrand est entré en politique à droite puis a progressivement glissé vers la gauche. Chirac a débuté à gauche. Sensible aux idées socialistes, il a un court moment vendu *L'Humanité Dimanche* devant l'église Saint-Sulpice à Paris et signé l'appel de Stockholm. Puis il a évolué vers la droite, sans jamais se reconnaître vraiment dans les idées de cette famille politique qui n'était pas la sienne.

Aujourd'hui, bien qu'ils soient l'un et l'autre sortis de la vie politique, les relations entre Chirac et Giscard sont toujours aussi mauvaises. Ils ne se pardonnent rien et lorsqu'ils siégeaient ensemble au Conseil, ils se parlaient le moins possible. Leurs échanges se résumaient, de part et d'autre, à un « Bonjour, monsieur le Président » suivi d'un « Au revoir, monsieur le Président ». Je ne crois pas avoir entendu entre eux d'autres échanges de paroles.

21 juillet

Rencontre avec François Hollande qui me confirme son souhait de nommer, d'ici la fin de l'année, Marc Guillaume secrétaire général du gouvernement.

« Qu'as-tu pensé de la nomination de Toubon au poste de Défenseur des droits ? me demande-t-il.

— Tu as fait un bon coup pour un poste qui n'est pas décisif pour l'avenir de la France. Tu ne pouvais pas nommer une personnalité de gauche, la droite aurait hurlé. Tes gauchistes ont grommelé, mais aucune importance, toujours les mêmes ronchons. Tu as pris la droite à contre-pied. C'est de la politique. Bien joué.

— Selon toi, Sarkozy va-t-il reprendre l'UMP ?

— Ce n'est pas à moi qu'il fait ses confidences, mais s'il le veut, il reprendra le parti et les prétendants se coucheront. Il leur fait peur, ce ne sont pas des résistants… Juppé ira-t-il jusqu'au bout ? Peut-être, mais pas certain.

— Comment va Chirac ?

— Aussi bien que possible.

— Giscard vient-il encore au Conseil ?

— Cela lui arrive, mais épisodiquement. De toute façon, il n'y a aucune influence. Cela ne vaut même plus la peine de réformer la Constitution pour exclure juridiquement les anciens présidents. Chirac n'y vient plus, Sarkozy non plus.

— Sarkozy se présentera-t-il à la présidentielle ? me demande encore Hollande.

— Il donne l'impression de s'y préparer, lui dis-je. Mais la présidentielle s'annonce difficile pour toi. Si Sarkozy se présente, tu risques d'arriver en troisième position et donc le second tour opposera probablement Sarkozy à Marine Le Pen. Mais je ne suis pas convaincu que l'on rejouera la scène de Chirac en 2002 contre Le Pen. Sarkozy n'est pas Chirac et Marine n'est pas son père. Bien des socialistes hésiteront à voter Sarkozy ; même à droite, je ne suis pas certain qu'il ferait le plein des voix… »

Puis nous évoquons les projets d'aménagement territorial et je lui rappelle la jurisprudence du Conseil. Il m'écoute.

25 juillet

Longue conversation avec Bruno Le Maire rencontré par hasard dans le TGV Paris-Bordeaux.

Sa notoriété politique progresse bien et il est devenu, comme on dit, incontournable pour les prochaines échéances électorales.

« Te présenteras-tu si Sarkozy est candidat en novembre pour prendre la direction de l'UMP ?

— Oui, j'y suis déterminé…

— Il arrivera devant toi, les militants voteront pour lui.

— Peut-être, mais cela me permettra de changer de statut et de m'affirmer face aux autres qui se seront couchés dès que Sarkozy aura fait connaître sa décision. Sauf Mariton qui est lui aussi résolu à y aller et fera un bon score.

— Et Juppé ?

— Il m'a dit qu'il n'avait aucunement l'intention de prendre l'UMP. Ce qui l'intéresse, c'est la présidentielle. Il pense que son heure est arrivée.

278

— Seras-tu aussi candidat aux primaires qui suivent ?

— Oui !

— Même contre Sarkozy ?

— Naturellement. Les militants comme les Français attendent de nouvelles personnalités pour diriger la France. Ils ne veulent plus de Sarkozy. Je dois prendre date et incarner la relève. D'ailleurs, je l'inquiète, c'est pour cela qu'il a fait prendre contact avec les députés qui me soutiennent pour qu'ils renoncent à m'aider... »

26 septembre – 4 octobre

IIIᵉ congrès de la Conférence mondiale sur la justice constitutionnelle à Séoul. Entendre parler de lutte contre les discriminations et de politiques d'intégration par des personnages qui acceptent chez eux des discriminations religieuses ou sexuelles est bien surprenant.

Lorsque j'interviens dans le débat pour dire qu'il n'y a pas que des ségrégations tenant à la couleur de la peau, certains me regardent avec surprise. Mon homologue marocain réagit vivement quand je rappelle que le Conseil constitutionnel français a reconnu la liberté du mariage comme une composante de la vie personnelle et donc validé la loi ouvrant le mariage aux couples de même sexe. Et quand j'évoque notre loi, jugée conforme à la Constitution, interdisant le port du voile intégral sur la voie publique ou l'interdiction de signes religieux ostentatoires à l'école, la présidente de séance, elle-même voilée, se braque tout aussi promptement.

Tous deux semblent avoir beaucoup de mal à concilier les grands principes avec la réalité.

9 octobre

Pourquoi le gouvernement et le Parlement sont-ils incapables de se souvenir de ce qu'écrivait Montaigne : « Les lois désirables sont celles qui sont les plus simples et les plus générales » ?

Nous examinons ce matin la « loi d'avenir pour l'agriculture, l'alimentation et la forêt ». Je ne suis pas certain qu'au terme de la lecture des cent trente pages de cette loi, nos agriculteurs aient le sentiment qu'on prépare leur avenir.

En fin d'après-midi, je retrouve Jacques Chirac. Après que je me suis assis, il sort de la poche de sa veste son stylo et me le tend.

« Je l'ai toujours eu avec moi, je ne vais pas l'emporter dans la tombe, je te le donne. Il n'y a pas longtemps, c'était ton anniversaire. »

Cette heure passée ensemble fut un magnifique moment de complicité et d'affection. Il est des instants qui ont plus d'importance que le temps qui passe.

Nous avons beaucoup parlé de lui, de ses relations avec François Mitterrand et naturellement de son soutien à Alain Juppé. Il en est satisfait et heureux.

Dans l'entourage de Sarkozy on laisse entendre que, Chirac n'ayant plus « tous ses esprits », son communiqué en faveur de Juppé lui aurait été dissimulé ou imposé.

Je l'interroge sur ce point. Il éclate de rire et me déclare être « très content » de l'avoir fait.

13 octobre

Quelques heures à Tunis pour présenter le rôle du Conseil en tant que juge des élections, au moment où les Tunisiens s'apprêtent à désigner leurs députés.

L'espérance d'une Tunisie démocratique est aussi évidente que l'inquiétude liée à la montée de l'extrémisme religieux.

15 octobre

Les institutions de la Ve République seraient à bout de souffle, usées, et il nous faudrait une nouvelle Constitution. « Vive la VIe République », tel est le dernier slogan à la mode

Rien de nouveau. Comme d'habitude certains responsables politiques, qui n'ont pas le courage de s'interroger sur leurs comportements et leurs responsabilités, au lieu de se remettre en cause, préfèrent s'en prendre aux institutions.

Comment ne voient-ils pas que l'image qu'ils véhiculent d'eux-mêmes ne cesse de nourrir chez nos compatriotes le rejet de la classe politique ? J'ai surtout envie de leur dire : « Partez ! Vous n'êtes pas dignes de représenter notre pays ! »

La réforme institutionnelle de 2008 porte une lourde responsabilité dans cette incapacité de nos dirigeants à exercer leurs fonctions.

En fait certains rêvent d'une restauration du régime des partis. D'autres prônent un retour aux « majorités d'idées », expression que l'on doit à Edgar Faure, qui est en réalité la négation du fait majoritaire et un facteur d'instabilité politique.

Voici Jean-Michel Baylet, politicien médiocre, battu au Sénat, qui menace le gouvernement de ne plus lui accorder le soutien des radicaux de gauche. Pitoyable chantage. Dans sa hargne, il va jusqu'à demander la suppression de la fonction de Premier ministre !

Il est clair que nous traversons une crise de la représentation politique. L'abstention ne cesse de progresser scrutin après scrutin. Partant de ce constat évident certains en concluent qu'une réforme constitutionnelle est nécessaire.

Imputer cette crise de la représentation nationale aux institutions m'apparaît comme une erreur de diagnostic. Penser que les Français retourneront aux urnes si les politiques ne changent pas l'image qu'ils propagent d'eux-mêmes est une absurdité.

En 1995, on parlait déjà de crise de cet ordre, et pour la juguler on a considéré qu'il fallait que le Parlement se réunisse en une session unique. Cela a-t-il mis fin au problème ? Non.

Puis on a dit qu'il convenait de réduire la durée du mandat présidentiel. Ainsi, en 2000, on a imposé le quinquennat à la place du septennat. Pour quel résultat ? Une situation pire qu'auparavant.

Cette idée de la réduction de la durée du mandat présidentiel trotte dans la tête des politiques depuis longtemps. En 1848, déjà, les débats étaient animés à ce sujet. Certains estimaient que le mandat devait être de trois ans. Finalement on a opté pour un seul mandat de quatre ans. On sait ce qui est alors arrivé. En 1873, au début de la IIIe République, on hésita entre le quinquennat et le décennat et on transigea en faveur du septennat. L'idée du quinquennat réapparut avec Georges Pompidou. Mais la réforme ne put aboutir, faute d'une majorité des trois cinquièmes au Congrès pour modifier la Constitution. Elle figurait dans les propositions électorales de François Mitterrand, qui s'est empressé de l'oublier sitôt élu à l'Élysée. Elle ressurgit en 1995, et finalement fut adoptée en 2000.

Autre idée aujourd'hui avancée : la réduction du nombre de parlementaires. Au nom de la crise, on avait naguère augmenté le nombre des députés et sénateurs, et comme cela n'a rien réglé, on propose aujourd'hui de le diminuer. Ce ne sera pas plus efficace, même si en principe mieux vaudrait en restreindre le nombre.

On croit avoir trouvé la solution en brandissant l'idée d'une modification de la loi électorale. Le débat sur le mode de scrutin est aussi vieux que la République. La question sous jacente est : veut-on une majorité pour que la France soit gouvernée, ou une multitude de partis et un gouvernement incapable de s'appuyer sur une majorité cohérente ? La solution n'est sans doute pas dans un retour aux errements anciens.

En dernier recours, les professeurs spécialistes des réformes en tout genre prônent un élargissement du référendum. Prévu par la Constitution, son domaine a été étendu en 1995 et en 2008. Sous l'égide de Hollande, on est allé plus loin en instituant la possibilité d'un référendum d'initiative populaire. Que veut-on de plus ?

Le véritable remède à cette crise de confiance réside dans le changement d'image de la classe politique. Le spectacle que ses acteurs nous infligent aujourd'hui confirme qu'ils n'ont hélas toujours rien compris de ce qu'on leur reproche et de l'attente des Français.

22 octobre

Je n'avais pas revu Gérard Larcher depuis son élection à la présidence du Sénat. Il a, cette fois-ci encore, éliminé Jean-Pierre Raffarin. Et pourtant bon nombre de chroniqueurs politiques le donnaient battu par l'ancien Premier ministre.

Larcher est heureux, c'est manifeste et il ne s'en cache pas. Il est particulièrement satisfait de son score sans appel. C'est une victoire personnelle. Il a compris que pour être élu, le label sarkozyste n'était pas le meilleur. Larcher est redoutable dans l'art de la guerre politique. Ses adversaires l'oublient souvent à leurs dépens. Il cache derrière sa bonhomie un savoir-faire peu commun. Ce qui ne l'empêche pas d'être fidèle en amitié.

Il donne l'impression de vouloir jouer un rôle politique, me dit consulter beaucoup. Il a reçu avant moi Bruno Le Maire…

Il entend redonner au Sénat un rôle qu'il a perdu avec son prédécesseur. Il n'aura pas de mal, Jean-Pierre Bel fut totalement transparent, incapable d'imprimer sa marque et de faire preuve de la moindre autorité. Ce fut une catastrophe pour le Sénat et le bon fonctionnement de nos institutions.

Larcher, qui me dit avoir entendu mes critiques, entend orienter le Sénat dans la défense de lois lisibles et applicables. Dont acte.

14 novembre

« La politique est l'art d'obtenir de l'argent des riches et des suffrages des pauvres, sous prétexte de les protéger les uns des autres », écrivait Jules Michelet.

Hollande a réussi à se mettre à dos à la fois les riches et les pauvres. Bel exploit ! Il y a quelques jours, il expliquait à la télévision qu'il n'y aurait plus d'impôts nouveaux et voici que son secrétaire d'État au Budget vient de dire à l'Assemblée nationale exactement le contraire.

Hollande n'arrive même pas à obtenir de ses ministres qu'ils n'expliquent pas l'inverse de ce qu'il affirme. C'est consternant !

24 novembre

À deux reprises au cours de nos entretiens, le président du tribunal constitutionnel espagnol m'indique que, s'il le pouvait, il mettrait fin à la possibilité pour les membres de sa juridiction d'exprimer une opinion dissidente. L'autorité des décisions rendues par le tribunal constitutionnel en serait renforcée. Pour un membre de sa juridiction, la faculté d'exprimer une opinion dissidente est, selon lui, une fausse bonne idée.

25 novembre

Rencontre avec le maire de Brazzaville, beau-fils du président du Congo. Je ne sais pas ce qu'il souhaite ni ce qu'il me veut. Je ne le connais pas. J'ai cependant accepté de le recevoir.

Il commence par me dire avec force et insistance son admiration pour de Gaulle, mon père et Chirac. Je m'attends donc à une demande exorbitante, sinon une promotion dans l'ordre de la Légion d'honneur. Non, il veut savoir en réalité comment modifier la Constitution du Congo, pour permettre au président Sassou-Nguesso de se maintenir au pouvoir. Je ne vois pas en quoi je peux l'aider. Il me montre le texte de cette Constitution qui explique sans ambiguïté que le président ne peut faire que deux mandats. Cette disposition ne peut être modifiée, ce qu'il voudrait pourtant faire. Ma réponse est claire. Ce n'est pas possible, si l'on veut respecter la loi. Et pour moi toute autre solution est exclue. L'entretien s'arrête là.

28 novembre

Colloque à l'Assemblée nationale sur le thème « Mieux légifé-rer ». Je suis invité par Bartolone à prononcer le discours de clôture.

Il en est des sujets de colloque comme des fleurs et des sai-sons. Ils reviennent avec une régularité remarquable. Une régularité heureuse quant il s'agit de voir réapparaître les bourgeons ou le printemps. Une régularité plus lassante s'il s'agit de traiter de la médiocre qualité de la loi.

À l'air de déjà-vu s'ajoute en effet un sentiment d'incapacité récurrente à régler les problèmes.

Le thème est néanmoins important à défaut d'être très constitu-tionnel. « Mieux légiférer » est un bel objectif qui doit évidemment être encouragé.

Les causes de la mauvaise législation sont internes au Parlement ; elles sont également partagées avec le gouvernement. À ces deux acteurs de réagir pour corriger les errements actuels.

Dresser un bilan de la médiocrité de notre législation ne vise évidemment pas à se prononcer sur le fond de celle-ci. Cette appré-ciation est malheureusement commune aux législatures successives. Je rappelle deux chiffres pour mesurer cette inflation législative.

Ils portent sur les textes définitifs des lois promulguées au cours d'une année, ainsi que les textes des résolutions adoptées par l'As-semblée nationale. En 2002, ils atteignent en nombre de caractères 1,87 million. En 2013, ils sont passés à 3,82 millions.

Ce constat quantitatif est également impressionnant pour les amendements déposés : à l'Assemblée nationale, pour la session 2012-2013, on en dénombre 32 545, et pour la session 2013-2014, 21 051 déposés et 3 896 adoptés. Par comparaison, pour la session 2000-2001, ce nombre était de 7 821. Et pour la session 1999-2000, de 11 522. Là encore, il a plus que doublé.

Sous l'actuelle législature, la loi du 24 mars 2014 pour l'accès au logement et un urbanisme rénové comportait cent soixante-dix-sept articles. Cet excès est tout autant l'œuvre du projet de loi initial (quatre-vingt-quatre articles) que des amendements qui s'y sont ajoutés (quatre-vingt-treize articles additionnels).

La loi en question modifiait de très nombreuses dispositions législatives touchant à la vie quotidienne. Elle nécessitait près d'une centaine de mesures réglementaires d'application.

Alors que la plupart de ces mesures, huit mois après le vote, n'ont pas encore été prises, la modification de la loi est d'ores et déjà mise en chantier.

C'est là le deuxième constat de la mauvaise législation. Celui de sa modification trop fréquente.

Sur l'instabilité de la loi, il est normal que chaque alternance politique conduise à la modification de notre législation. C'est le jeu démocratique.

En ce sens les alternances politiques régulières dans notre pays depuis 1981 ont contribué à la modification récurrente des lois et règlements. Mais ce facteur explicatif là est républicain. Il devrait en revanche conduire, après chaque alternance, le pouvoir à ne modifier la norme qu'après réflexion.

29 novembre

Nicolas Sarkozy est élu à la tête de l'UMP. Bruno Le Maire a réalisé un excellent score. Désormais il existe politiquement et s'impose dans la cour des grands. C'est lui le vrai gagnant de ces élections.

Pourquoi plus de trente pour cent des militants se sont-ils abstenus ?

Le faible score de Mariton prouve combien les adversaires de la loi sur le mariage pour tous sont minoritaires au sein de l'UMP. Contrairement aux déclarations de Sarkozy, elle ne pourra être remise en cause si la droite revient au pouvoir.

S'il veut gagner les primaires en vue de la présidentielle de 2017, Alain Juppé a désormais tout intérêt à se mobiliser, à rassembler des troupes, à sillonner la France, à faire entendre sa voix… Ces élections ont mis à mal les prétentions de Fillon et anéanti les velléités de retour de Copé.

Quand les parlementaires et militants de l'UMP comprendront-ils que Sarkozy est un handicap ? Les Français ne veulent plus de lui, j'en suis convaincu.

1er décembre

Dans l'hémicycle du Conseil économique, hommage à Jean Kahn, décédé l'année dernière. Son épouse m'a invité à y participer.

En 1995, Jean Kahn présidait le Consistoire de France quand j'étais ministre de l'Intérieur et aux prises avec une série d'attentats meurtriers sans précédent. Il a soutenu mon action, je l'ai souvent consulté pour recueillir ses conseils. La communauté juive de France était particulièrement exposée et inquiète, à juste raison.

Le 7 septembre 1995 vers 16 h 30, une voiture piégée explosa, à quinze mètres de l'une des entrées de l'école juive à Villeurbanne, près de Lyon. À quelques minutes près, la plupart des sept cents enfants présents, âgés de deux à quinze ans, allaient emprunter cette sortie. Ils étaient tous en classe au moment de l'explosion. Il y eut en revanche quatorze blessés dont un grave parmi les passants et les parents stationnant devant l'école.

Par ma présence ce soir, je veux témoigner à Jean Kahn ma reconnaissance. Pendant toute cette période, grâce à lui, à son autorité, la communauté juive est demeurée d'une dignité exemplaire.

3 décembre

Petit déjeuner au Conseil avec un chef d'entreprise important. Je le rencontre régulièrement en compagnie de Marc Guillaume. Il évoque la conjoncture économique internationale, la situation préoccupante de la Russie, les perspectives françaises. Il n'y a pas de raison, selon lui, d'être optimiste sur l'avenir. Il ne note pas de reprise économique. Il insiste sur notre dépense publique qui continue de progresser, la dette qui ne cesse de croître, et sur le choc de la fiscalité. L'ISF est un impôt qui lui apparaît de plus en plus déstructurant pour notre économie et l'une des raisons du départ à l'étranger de nombreux chefs d'entreprise.

Je lui indique que le Conseil n'a pas le même pouvoir d'appréciation que le Parlement, qu'une fiscalité absurde n'est pas forcément anticonstitutionnelle, sauf si elle atteint un taux de prélèvement à ce point élevé qu'elle devient confiscatoire pour les particuliers. Nous l'avons admis. Et ce même raisonnement, il faut l'accepter pour les entreprises. Il me rappelle que les deux cents plus grosses entreprises françaises représentent trente pour cent de l'emploi en France.

En partant, il m'avoue son incapacité à faire admettre par les parlementaires de gauche, et même par certains de droite, la nécessité d'éviter que la fiscalité ne tue l'entreprise.

Pourquoi toujours fustiger les patrons, systématiquement les désigner tels que des ennemis, comme si nous étions revenus en plein XIXe siècle ?

Ce même jour, j'apprends la mort subite de Jacques Barrot. Il nous avait rejoints au Conseil constitutionnel en février 2010. Nous avions siégé ensemble au Palais-Bourbon et au gouvernement. Homme de cœur et de convictions, de dialogue et de consensus, européen, démocrate-chrétien, il était unanimement apprécié au Conseil pour sa gentillesse, son attention aux autres, sa disponibilité, sa compétence.

Député pendant près de quarante ans, ministre de Valéry Giscard d'Estaing puis de Jacques Chirac, Jacques Barrot laisse derrière lui des traces profondes de son action publique. Il a ainsi créé l'aide personnalisée au logement lorsqu'il fut secrétaire d'État au Logement de 1974 à 1978. Il a mis en place le régime social des artisans et des commerçants lorsqu'il fut ministre en charge de ces dossiers de 1978 à 1979. Il engagea le plan de redressement de la Sécurité sociale comme ministre de la Santé en 1979. Il affirma alors avec force, affrontant les professions médicales, que la Sécurité sociale ne pouvait avoir des dépenses supérieures à ses recettes.

Il reprit avec courage les mêmes principes de 1995 à 1997 avec Alain Juppé. Il s'interrogeait depuis lors sur notre Sécurité sociale qui fonctionne à crédit, mettant en danger le futur de nos enfants, sur lesquels nous reportons nos dettes.

Jacques Barrot, que la foi avait mis à l'abri des idéologies, était, derrière ses airs apaisants, un faux candide, un homme libre et déterminé. C'est cette liberté qui l'incita à s'abstenir pour permettre au gouvernement de Michel Rocard de faire voter la réforme de la CSG et à combattre avec tant de force l'intolérance et l'extrémisme. Sa tristesse, le 21 avril 2002, n'était pas feinte. Il pleurait la perte de repères de son pays qui lui était si cher.

Avec ses engagements locaux, spirituels et politiques, la quatrième fidélité de Jacques Barrot fut européenne. Dès sa jeunesse, il fut inspiré par l'idéal européen communiqué par ses fondateurs, celui de la réconciliation des peuples autour d'une espérance commune. Il était convaincu qu'à court ou moyen terme les nations européennes continueraient à en découdre sauf si on les conduisait à accepter de partager des intérêts communs. À cet effet, Jacques Barrot ne redoutait pas une autorité supranationale.

Jacques avait aimé ses fonctions de vice-président de la Commission européenne en charge successivement des transports et de la justice. La Commission était à ses yeux garante de l'intérêt général européen. Elle devait aider les États à construire des compromis pour progresser au service de cette vision géopolitique.

Il était fier d'avoir fait aboutir le grand projet de GPS européen Galileo ou encore d'avoir fait progresser l'espace européen de justice et de sécurité. Mais il avait mal pour l'Europe chaque fois que celle-ci était rendue responsable de maux qui nous sont propres et qu'elle était désignée comme le bouc émissaire de réformes que nous ne savions pas mener à bien.

Après cette carrière politique française et européenne, Jacques Barrot a intégré notre Conseil. Il a laissé de côté son engagement partisan pour devenir un juge influent et écouté. Il rapportait chacun de ses dossiers avec le recul d'une vie enrichie de toutes ses expériences. Il était fier et heureux de servir désormais la protection des droits et libertés constitutionnellement garantis. Il ne transigeait pas sur ces derniers, tout en cherchant à définir le juste équilibre pour une juridiction qui n'a pas un pouvoir d'appréciation de même nature que celui du Parlement.

C'est dans le métro qu'il prenait chaque jour pour se rendre au Palais-Royal que la mort l'a frappé.

Je pense à l'ami fidèle, au compagnon enjoué, à l'homme aux colères vibrantes et rapidement terminées, aux vrais faux emportements et aux indignations généreuses.

4 décembre

Contestataire par tempérament, révolté par nature, jacobin par conviction, Henri Emmanuelli n'est jamais aussi à l'aise que dans l'opposition où il peut dénoncer, critiquer, grogner, vilipender, provoquer à sa guise. Irréductiblement ancré à gauche, il est cependant demeuré un esprit libre et incontrôlable. Il s'est opposé à Fabius, Strauss-Kahn, Jospin, mais est toujours resté fidèle à Mitterrand.

Lorsque je siégeais à l'Assemblée nationale, il ne m'a jamais épargné. Moi non plus, d'ailleurs. Lors des séances publiques, j'ai toujours pris un grand soin à ne jamais répondre à ses colères souvent feintes. De cet affrontement mi-sérieux mi-simulé est née entre nous une certaine complicité respectueuse de nos différences. Lorsqu'il m'a invité à déjeuner, j'ai naturellement accepté.

La situation économique et politique le préoccupe. Il me semble un peu dépité, me dit ne pas arriver à se faire entendre de Hollande. Il est, devant moi, prudent cependant dans ses commentaires sur le président et le gouvernement. Ce n'est un secret pour personne qu'il ne fait pas partie de ces socialistes qui soutiennent les orientations du pouvoir sans de fortes réserves.

5 décembre

Inauguration à Mulhouse d'une stèle en hommage au grand rabbin Kaplan en compagnie de Haïm Korsia, le nouveau grand rabbin
de France.

En venant ici, j'ai voulu rappeler que la République se doit
de lutter contre l'antisémitisme qui ne cesse de rôder dans notre
société. Je tenais aussi à rendre hommage à cet homme profondément républicain qui fut un élève de mon arrière-grand-père.

7 décembre

Retour à Évreux pour le Salon du livre. Bonheur de retrouver des
amis, des adversaires politiques qui viennent me saluer et m'exprimer leur amitié. Certains me font part de leur tristesse de voir
l'image de la France souillée par le comportement des dirigeants
politiques. Un conseiller général socialiste me transmet ses doutes
sur la capacité des siens au pouvoir à comprendre les Français.
Une militante de droite, que je connais bien, m'avoue qu'elle ne
pourra plus, quant à elle, voter Sarkozy. Une autre m'interroge
sur Juppé. « Croyez-vous qu'il ira jusqu'au bout ? » D'autres me
remercient d'avoir permis à Bruno Le Maire de me succéder dans
le département. Guy Lefrand, qui a reconquis la mairie d'Évreux,
me glisse, pour me faire plaisir : « Je fais du Debré et cela plaît. »
À moi également.

8 décembre

Obsèques de Jacques Barrot en la basilique Sainte-Clotilde. Je
suis assis à côté de Nicolas Sarkozy. Manifestement, il éprouve
toujours aussi peu de sympathie à mon égard. En arrivant il me
serre la main avec un mépris affiché et sans me dire un mot. Même

pas un simple bonjour. Cela m'amuse plutôt. Comme il a été à peine plus aimable envers Christiane Taubira qui a pris place à ma droite, j'embrasse la ministre de la Justice en lui expliquant les raisons d'une telle effusion. Nous nous amusons d'autant plus elle et moi que Sarkozy nous regarde avec dédain.

Pendant l'office, il ne reste pas un instant en place, toujours aussi nerveux. Il fait comme si je n'étais pas là, m'ignore totalement. Ma présence à ses côtés à l'évidence le contrarie et contribue à son agitation.

Lors de l'éloge funèbre que je prononce, je cite Valéry Giscard d'Estaing et Jacques Chirac, dont Jacques Barrot a été le ministre, et m'arrange pour mentionner le nom d'Alain Juppé, Barrot ayant fait partie de son gouvernement. Naturellement je ne mentionne pas le nom de Nicolas Sarkozy, il n'y avait pas de raison de le faire. En regagnant ma place, je comprends que cela ne lui a pas plu.

9 décembre

Claude Bartolone me téléphone pour me dire qu'il s'apprête à désigner Lionel Jospin comme successeur de Jacques Barrot. Il me demande de ne rien dire, m'affirme que seuls Hollande et nous deux, lui et moi, sommes au courant. Un quart d'heure plus tard l'AFP diffuse l'information.

C'est la première fois qu'un ancien Premier ministre devient membre du Conseil.

En voyage en Australie, j'appelle Lionel Jospin sur son portable pour le féliciter. Je tombe sur son répondeur et lui laisse un message.

13 décembre

En ce dimanche gris et pluvieux, je me demande ce que je vais dire au chef de l'État lors de la traditionnelle cérémonie des vœux qui a été fixée au 6 janvier. L'an dernier, j'avais pointé du doigt la dérive législative.

Je songe cette année à rappeler la nécessité de défendre nos institutions. À fustiger ce réflexe bien français qui conduit les politiques, lorsqu'ils sont las d'interroger l'avenir et pour se donner l'illusion du mouvement, à s'en prendre à ce qui fonctionne.

J'ai également envie de dénoncer la résurgence de ces maux, corporatisme, xénophobie, antisémitisme, qui menacent l'unité nationale et la République. Les exemples ne manquent pas dans le passé pour étayer mon argumentation.

Je ne dois cependant pas oublier que, même devant le président de la République, il me faut veiller à ne pas outrepasser mon devoir de réserve.

16 décembre

Déclarations de Pierre Joxe affirmant que, lorsqu'il siégeait au Conseil, il s'est continuellement heurté aux forces conservatrices.

Quand je suis arrivé il n'avait pratiquement aucun dossier à rapporter, mes prédécesseurs ne le supportaient pas. Je me suis bien entendu avec lui. Il suffisait de le laisser grogner au début de chaque séance, puis son humeur s'apaisait. C'était son mode d'emploi.

Je lui ai confié des rapports et il s'est montré d'un sérieux irréprochable. Je n'ai jamais eu le sentiment cependant que les solutions qu'il nous proposait émanaient d'un révolutionnaire.

Il est vrai qu'il souhaitait introduire dans nos conclusions la possibilité d'opinions dissidentes. Je m'y suis opposé en lui faisant remarquer que lorsqu'il était premier président de la Cour des comptes, il ne les admettait pas.

17 décembre

Lionel Jospin est auditionné par la commission des lois de l'Assemblée nationale. Je juge ses réponses parfaites.

22 décembre

Première rencontre au Conseil avec Lionel Jospin.

Il me confie n'avoir à aucun moment songé à s'y faire nommer. Ce fut pour lui une totale surprise. Mais il s'est fait à cette idée.

Nous évoquons le devoir de réserve auquel nous sommes tous astreints. Cela ne le gêne pas. Il me dit ne plus vouloir s'exprimer sur la politique et désormais personne ne se demandera pourquoi il refuse d'en parler.

Je lui précise, cela étant, qu'il me semble difficile pour lui de rester membre du parti socialiste. La loi organique et le décret du 13 novembre 1959 prévoient que « les membres du Conseil constitutionnel ont pour obligation générale de s'abstenir de tout ce qui pourrait compromettre l'indépendance et la dignité de leur fonction ». Nous sommes saisis par l'opposition de lois votées par la majorité socialiste. Les premiers pourraient le soupçonner de partialité s'il continuait d'en faire partie.

Je sais que Charasse, il me l'a dit, lui a conseillé de faire le contraire. Il se trompe. Il est vrai, l'article 2 du décret de 1959 est mal écrit et surtout il est resté inchangé depuis l'origine... Il dispose que « les membres du Conseil constitutionnel s'abstiennent d'occuper au sein d'un parti ou groupement politique tout poste de responsabilité ou de direction et, de façon générale, d'y exercer une activité inconciliable avec les dispositions » sur l'indépendance des membres du Conseil. Mais à l'origine on pouvait être membre du Conseil et maire ou conseiller général... Je crois donc, cela me paraît conforme à notre situation actuelle, qu'il convient de rompre tout lien avec une formation politique.

Il me dit qu'il souhaite réfléchir, n'ayant plus aucune fonction au sein de son parti... « Nous en reparlerons ensemble, mais ce n'est pas Charasse qui me dictera ma conduite. Charasse n'est pas dans la même situation que moi, lui a été exclu du parti socialiste. Pas moi ! » conclut-il.

Rencontre cordiale, bien qu'un peu tendue m'a-t-il semblé.

29 décembre

Giscard assiste comme souvent aux délibérés sur les lois de finances. La séance durant pratiquement toute la journée, il déjeune avec nous.

Pour lancer la conversation, je lui fais remarquer que Hollande suit ses traces, car il y a désormais un chien à l'Élysée, et de surcroît un labrador.

Nous avons alors droit à un historique de la présence des chiens à l'Élysée. Il commence par cette précision essentielle pour l'histoire de la Vᵉ République, selon laquelle c'est Georges Pompidou qui a été le premier président à en posséder un. Il avait reçu en cadeau un lévrier afghan qui fit un bref passage dans le palais avant d'être placé dans un élevage en Normandie où il bénéficiait de plus d'espace pour courir... Tout cela pour dire que le véritable initiateur de l'installation d'un chien à l'Élysée, selon Giscard... ce fut Giscard. S'ensuit un long exposé où il apparaît qu'à l'occasion du voyage officiel de la reine d'Angleterre – si j'ai bien compris, ayant, je l'avoue, un peu décroché –, il reçut en cadeau un labrador qui vécut sur place. Un labrador royal est ainsi entré dans le temple de la République.

Après la séance de l'après-midi, il me dit avoir besoin de me parler en privé. Il me retrouve dans mon bureau, arborant un air mystérieux qui m'inquiète.

« Ce n'est plus possible... et cela finira mal », me déclare-t-il. Heureusement, il ajoute : « J'ai la solution. »

Me voilà soulagé. Mais de quoi s'agit-il ?

« Vous comprenez, Hollande ne peut pas continuer ainsi, gouverner avec une minorité, imposer des lois absurdes.

— La loi a été votée par la majorité parlementaire.

— Par des parlementaires qui, selon les sondages et s'il y avait des élections aujourd'hui, ne seraient plus la majorité. Tout cela finira mal et dans la rue. Cette majorité n'est plus légitime.

— Jusqu'aux prochaines élections, qu'on le veuille ou non, ils constituent la majorité, ils ont été élus, ils sont légitimes. »

Manifestement il ne m'écoute pas et poursuit son idée :

« J'ai la solution : il faut dissoudre. Le chef de l'État peut dissoudre quand il le souhaite l'Assemblée nationale, c'est prévu par la Constitution.

— Certes, lui dis-je, mais ce n'est pas à moi de le lui suggérer. Je ne suis pas certain d'ailleurs que, pour lui, cela soit la meilleure façon de procéder. Si de nouvelles législatives avaient lieu à son instigation, il apparaîtrait, vraisemblablement, comme le fossoyeur du parti socialiste et celui qui a fait entrer au Palais-Bourbon de nombreux députés du Front national. Il espère plutôt que la droite continuera à se déchirer et que la conjoncture économique s'améliorera. »

Je ne réussis pas à le convaincre, et il me répète en repartant qu'il n'y a pas d'autre solution selon lui que celle qu'il préconise.

2015

6 janvier

Prestation de serment de Lionel Jospin avant la traditionnelle cérémonie d'échanges de vœux à l'Élysée. Son décret de nomination a été publié le matin même au *Journal officiel*, le secrétariat général du gouvernement ayant omis de le faire auparavant. Il a fallu toute la sagacité de Marc Guillaume toujours secrétaire général du Conseil, pour que cet oubli soit réparé à temps.

Au cours de son propos, François Hollande commet une petite erreur. Il dit que Jospin a été désigné pour cinq ans ; en réalité, il termine le mandat de Barrot, soit quatre ans et deux mois.

Dans mes vœux au président de la République, j'ai résolu d'insister sur la défense de la Constitution à l'heure où celle-ci est dénigrée par de trop nombreux responsables politiques comme si elle était la source de tous nos maux.

Je redis ma conviction profonde qu'elle a apporté à la France une démocratie stable et efficace. Alors que le pays est confronté à des difficultés économiques et sociales, tout doit être fait pour préserver la solidité de nos institutions.

Je tiens à rappeler que cette opération de démolition a été récemment sanctionnée par le Conseil.

Dans sa décision du 11 décembre 2014, il a formulé une importante réserve d'interprétation à propos des dispositions du nouveau règlement de l'Assemblée. Celles-ci entendaient limiter le pouvoir du gouvernement d'obtenir, de droit, l'ouverture de jours de séance autres que ceux prévus par le règlement pendant les deux semaines sur quatre qui lui sont réservées.

De même le Conseil a rappelé dans sa décision que la responsabilité du gouvernement est collégiale et qu'une Assemblée ne peut désigner un ministre qu'elle souhaiterait interroger. Il convient absolument d'éviter le retour aux « interpellations » qui ont contribué aux dérèglements des Républiques précédentes, à l'instabilité ministérielle et à la paralysie gouvernementale. Je mets en garde contre les apprentis sorciers pour qui la Constitution est un jeu de construction que l'on peut monter ou démonter au gré des humeurs.

Je dis cela devant Claude Bartolone, le président de l'Assemblée nationale, qui semble grimacer un peu en m'écoutant critiquer sa réforme du règlement de l'Assemblée nationale. En revanche, François Hollande, debout à mes côtés, esquisse ostensiblement un petit sourire entendu. Il ne peut pas ne pas être de mon avis, mais selon son habitude, il s'est sans doute bien gardé d'en faire part à l'intéressé, alors même que ce projet portait un coup fatal à l'architecture de nos institutions et à l'autorité du gouvernement.

La Ve République a permis de corriger les carences des régimes précédents. Nous ne pouvons en la matière avoir la mémoire courte. Le grand soir pourrait n'être qu'un grand retour en arrière.

Ce ne sont pas nos institutions qui bloquent les nécessaires réformes économiques et sociales. En assurant la stabilité de l'État, elles offrent tout au contraire un cadre idéal pour les réaliser, comme en témoigne l'histoire politique de la Ve République récente ou ancienne.

François Hollande est un homme affable. Mais cela suffit-il pour diriger la France ?

11 janvier

Au lendemain des tragiques attentats qui ont décimé la rédaction de *Charlie Hebdo*, fait plusieurs victimes à l'Hyper Cacher de la Porte de Vincennes et coûté la vie à une policière municipale, j'étais réticent à l'idée de participer à une marche contre le terrorisme. Je ne voulais pas cautionner une opération qui m'apparaissait avant tout d'inspiration politicienne, initiée par les responsables socialistes qui ont mal manœuvré, comme souvent, en donnant l'impression de vouloir récupérer cette manifestation dont ils avaient exclu le Front national par avance. Au lieu de s'adresser directement à tous les Français sans exception, par-delà leurs divergences partisanes et de tenir un discours d'unité qui a tardé à venir...

La venue de nombreux chefs d'État ou de gouvernement étrangers, la mobilisation populaire, l'émotion qui s'est exprimée de toutes parts ont heureusement changé l'esprit de cette marche. Ce ne sont plus les partis qui la conduisent, mais le peuple de France.

Dans ces conditions, lorsque le service du protocole de la Présidence m'a invité à prendre part à cette mobilisation nationale contre le terrorisme, j'ai accepté de me joindre au cortège des « personnalités » qui partirait de l'Élysée.

Ils sont tous là, dans le grand salon du palais. Villepin papillonne, Balladur est replié sur lui-même, Juppé s'ennuie, Larcher, heureux d'on ne sait quoi, discute, Ayrault serre des mains. Sarkozy est accompagné de sa femme, Borloo près du buffet paraît en pleine forme. Ségolène Royal sourit, d'abord attentive à ce qu'on remarque sa présence, Macron, de plus en plus gravure de mode, est rayonnant, Cazeneuve fatigué semble avoir la tête ailleurs. Valls très entouré, les yeux aux aguets, est tendu, tandis que Jack Lang, toujours sans cravate, décontracté, traîne sa satisfaction d'être ce qu'il est... À cette occasion, je fais la connaissance de secrétaires d'État dont j'ignorais jusqu'ici l'existence.

Pendant la marche, je subis l'agitation incessante de ces « personnalités » qui jouent des coudes, me poussent, m'écrasent les pieds pour se hisser au premier rang dans l'espoir de figurer sur les photos, alors même que nous sommes loin de la première ligne des chefs d'État ou de gouvernement. Il n'y a que cela qui les intéresse : se faire voir, occuper le devant de la scène. J'en ai tellement assez de leur comportement que je vais me réfugier sur le côté pour leur laisser la place.

Un secrétaire d'État, dont je découvre le nom et le visage, me glisse à l'oreille, dans le car qui nous ramène à l'Élysée : « C'est quand même agréable de passer au milieu d'une foule et de ne pas se faire engueuler ni siffler. » Effectivement, c'est nouveau pour un membre du gouvernement.

17 janvier

Rencontre ce matin au ministère de l'Intérieur avec Bernard Cazeneuve.

Il me dit être très préoccupé après les attentats de la semaine dernière. « Nous mettrons plus de vingt ans, me confie-t-il, pour nous en sortir. »

Il m'avoue que les services de sécurité ne disposent pas de tous les moyens nécessaires pour lutter contre ces terroristes islamistes. Il chiffre le nombre de possibles djihadistes à plus de trois mille, auxquels il faut ajouter, me dit-il, « les petites frappes des banlieues ». Il m'indique aussi la quantité d'interceptions auxquelles il faudrait procéder pour réussir à « suivre » tous les suspects avec efficacité.

Il envisage une modification législative pour renforcer les moyens juridiques de surveillance des communications téléphoniques de ces individus même quand ils sont hors de France, et étendre ces mesures à leurs proches.

Il s'en prend vivement à Jean-Marie Delarue, le président de la Commission nationale de contrôle des interceptions de sécurité. C'est pourtant le gouvernement actuel qui l'a choisi pour ce poste. Il est des fonctions où il convient de bien réfléchir avant de désigner leur titulaire en privilégiant, pour ce type de recrutement, la compétence et le sens des responsabilités plutôt que le « copinage politique ».

Si je comprends bien Cazeneuve, Delarue serait un obstacle à l'efficacité des écoutes. Il est vrai que dans un récent entretien publié par *Le Monde*, celui-ci a annoncé qu'il s'opposerait à toute simplification de la procédure permettant de les déclencher.

Il m'affirme que les services de renseignement sont moins performants que de mon temps. La réforme des services de renseignement décidée par Sarkozy a été, selon lui, dramatique. Elle leur a fait perdre une partie de leur efficacité.

Il m'avoue davantage se reconnaître dans le sens de l'État des « barons » du gaullisme que dans le comportement de ses pairs politiques, qui ne croient plus en rien. Il fustige ces ministres et parlementaires socialistes qui ne cessent de stigmatiser le gouvernement et son chef qu'il soutient, quant à lui.

Il n'apprécie pas non plus l'attitude du président de l'Assemblée, Claude Bartolone. Plus préoccupé d'assurer son propre destin politique – il rêve de devenir Premier ministre – que de soutenir et accompagner l'action de Matignon.

Bernard Cazeneuve a conscience et bien compris, me semble-t-il, à la différence de nombreux socialistes, qu'il n'y a pas de liberté sans un État fort et respecté.

En l'observant, je me dis qu'il y a un style Cazeneuve. À défaut de charisme, il paraît miser et peut-être cultiver un genre très personnel. Le ton est monocorde, la voix posée, le débit régulier, son visage n'exprime rien. À la manière d'un sphinx, il regarde, observe, demeure impassible. Lorsqu'il me raccompagne, je note que son pas est lent et régulier.

27 janvier

« Tu as tort de t'afficher aux côtés de Sarkozy comme tu l'as fait lors son récent déplacement à Berlin, dis-je à Bruno Le Maire avec qui je déjeune au Récamier. Tu ne dois pas te laisser emmener dans ses bagages. Tu n'en retires aucun profit. Existe par toi-même. Tu n'as plus maintenant, pour corriger cela, qu'à t'afficher avec Alain Juppé. Tu dois être un homme de dialogue, mais ni le faire-valoir ni le courtisan de quiconque. »

28 janvier

Roland Dumas raconte dans *Le Figaro* comment, lors de la campagne présidentielle de 1995, il a « sauvé la République » en s'abstenant de rejeter, en tant que président du Conseil constitutionnel, les comptes de campagne de Chirac et de Balladur. Et comme il ne l'a pas fait, il considère avoir bien servi son pays !

Je ne pense pas qu'il ait perdu la mémoire au point d'avoir oublié le serment prononcé le 8 mars 1995, à l'Élysée, devant le président de la République de l'époque, François Mitterrand : « Je jure de bien et fidèlement remplir mes fonctions, de les exercer en toute impartialité dans le respect de la Constitution, de garder le secret des délibérations et des votes... »

Dans quelques mois, l'ouverture de nos archives livrera une vérité qui ne concordera probablement pas avec celle de Roland Dumas. Selon certains témoignages et surtout indiscrétions d'un ancien membre du Conseil, naguère publiées dans la presse lorsque nous avons examiné les comptes de Nicolas Sarkozy, je crois comprendre que la version de Dumas serait très éloignée de la réalité.

Il semblerait que les comptes de Chirac et de Balladur comportaient l'un et l'autre des versements d'argent liquide. Pour le premier, de l'ordre de 3 millions de francs versés par une trentaine de personnes. Pour le second, de 10 millions de francs versés par une seule.

S'agissant de Chirac, les rapporteurs auraient été convaincus par les explications fournies par le candidat sur l'origine de ces fonds et donc proposé au Conseil la validation du compte. Ce que celui-ci aurait approuvé à l'unanimité de ses membres.

Concernant Balladur, ils se seraient montrés plus circonspects après avoir pu déterminer l'origine des sommes et en auraient tiré les conséquences en proposant le rejet du compte.

Il semble que Dumas ait alors demandé aux rapporteurs de modifier les termes de leurs conclusions, après leur avoir indiqué que le Conseil se prononcerait hors leur présence. La séance s'est donc poursuivie sans eux et le Conseil a décidé, par cinq voix contre quatre, de valider les comptes d'Édouard Balladur.

Au cours du délibéré, Dumas aurait expliqué, pour rallier une majorité à sa proposition, qu'il ne serait pas logique de réserver à l'ancien Premier ministre un sort différent de celui du nouveau président. Seuls quelques membres du Conseil lui auraient opposé que la situation des deux comptes et leur mode d'approvisionnement n'avaient rien à voir.

Je me souviens de la phrase que l'on prêtait à François Mitterrand : « J'ai deux avocats, Badinter et Roland Dumas. Un pour le droit, l'autre pour le tordu. » J'ignore si elle est exacte, même si elle m'a été confirmée par l'un de ses anciens collaborateurs. Elle n'en reste pas moins éclairante sur la personnalité de Dumas, lequel laisse entendre dans son propos qu'il n'a pas bénéficié d'un « renvoi d'ascenseur ». Que veut-il insinuer par là ?

29 janvier

Gérard Larcher réagit vivement à la proposition de Claude Bartolone de supprimer le Sénat. Le président de l'Assemblée pense-t-il que le chef de l'État et le gouvernement ont la majorité qualifiée requise pour modifier la Constitution ? Il m'étonnerait qu'ils utilisent la voie du référendum pour le faire.

En réalité, Claude Bartolone ne fait qu'enfourcher une vieille rengaine restée sans suite.

Georges Clemenceau, lors d'un discours à Marseille le 21 octobre 1880, avait déjà émis une telle suggestion. En 1947, le MRP René Pleven avait souhaité la fusion de l'Assemblée de l'Union française avec le Conseil de la République. La résolution du communiste Jacques Duclos présentée à la Chambre des députés le 18 novembre 1955 tendait à supprimer purement et simplement le Conseil de la République. Le socialiste Pierre Mendès France, dans son livre *La République moderne* en 1962, proposait qu'un Conseil économique et social remplace le Sénat. Et on sait que le général de Gaulle lui-même a tenté en vain d'opérer une fusion des deux, en soumettant l'idée par référendum au peuple français, qui ne l'a pas approuvé.

Après Noël Mamère qui l'avait qualifiée de « maison de retraite pour privilégiés », la Haute Assemblée a été traitée d'« anachronisme démocratique insupportable » par la socialiste Ségolène Royal avant que, candidate à la présidence de la République en 2007, elle désigne le Sénat comme un « cimetière des éléphants » – une formule qui visait peut-être une partie des siens…

Donc rien de nouveau, sauf une polémique inutile, que Bartolone s'était abstenu de lancer quand le Sénat était présidé par l'un de ses camarades.

Les Français ont d'autres préoccupations que de se déchirer sur une hypothétique réforme des institutions. Même si le Sénat ne bénéficie pas d'une bonne image auprès de nos concitoyens, il ne paraît pas opportun d'agiter le monde politique avec des querelles aussi inutiles.

30 janvier

Ouverture du colloque Henri Wallon aux Archives nationales à Paris. L'amendement Wallon a fait disparaître la personnalité d'Henri Wallon.

Mieux, le premier amendement Wallon dissimule le deuxième amendement Wallon. Les deux amendements sont importants dans l'histoire de la République.

L'on ne retient des débats sur les lois formant ce qu'on a appelé la Constitution de 1875 que l'amendement d'Henri Wallon adopté le 30 janvier 1875 qui fit entrer la République, la fonction présidentielle, le septennat, le bicamérisme dans les lois constitutionnelles de la France. Il fit aussi adopter un amendement relatif au pouvoir de dissolution de la Chambre des députés par le président de la République, sur l'avis conforme du Sénat. En d'autres termes, le Sénat avait la maîtrise de la dissolution de la Chambre.

2 février

Première rencontre de travail entre la Cour de cassation et le Conseil constitutionnel. Avec le premier président Louvel, nous avons voulu instaurer un dialogue entre les membres de nos juridictions sur la question prioritaire de constitutionnalité, notamment sur le fonctionnement du filtre.

Les discussions sont intéressantes, techniques. Nous voudrions notamment que la Cour de cassation ne nous transmette pas uniquement des dispositions législatives évidemment inconstitutionnelles, mais toutes dispositions sensibles constitutionnellement au regard des droits de l'homme. Il convient que notre Conseil ne soit pas seulement une « machine » à annuler, mais aussi une institution qui assure une meilleure sécurité du droit et de son interprétation.

5 février

Pendant toute la séance de ce jour, je pense à Jacques Chirac. Les nouvelles de lui que j'ai reçues ce matin laissent à penser qu'il a repris son chemin vers un autre monde. Tristesse. Inquiétude.

11 février

Après que j'ai rappelé publiquement à Roland Dumas qu'il devrait respecter le serment de ne pas divulguer le secret des délibérations auxquelles il a participé, il m'écrit pour que je lui « rafraîchisse » la mémoire sur la teneur du serment prononcé lors de sa prise de fonction. Il aurait été mieux inspiré de m'en faire la demande avant de parler.

Son papier à lettres porte la mention « président honoraire du Conseil constitutionnel », mais sans mentionner évidemment qu'il a été contraint de démissionner dans des conditions peu glorieuses.

Certes, depuis une décision en date du 4 novembre 2004 restée non publiée – elle n'est pas juridictionnelle – prise sous la présidence de Pierre Mazeaud, il est convenu que « les anciens présidents et anciens membres du Conseil constitutionnel peuvent faire état de la qualité de président ou de membre honoraire ». Elle comporte cette précision : « Il ne peut être fait mention de cette qualité à l'occasion d'activités privées rémunérées autres que culturelles, scientifiques ou de recherche. »

Il est vrai qu'à l'époque le Conseil n'avait pas une grande activité. Ses membres disposaient d'assez de temps pour s'occuper à autre chose qu'à juger des lois.

Cette habitude d'afficher sur son papier à lettres ou ses cartes de visite d'anciennes fonctions m'a toujours paru ridicule, surtout quand elles n'ont duré que quelques mois.

Je me souviens d'un personnage qui fréquentait assidûment l'Assemblée nationale et que personne ne connaissait. Il se faisait appeler « Monsieur le Ministre », venait pratiquement chaque jour au restaurant du Palais-Bourbon, il est vrai moins cher que la plupart des restaurants du quartier. Il exigeait toujours la même table et n'était pas spécialement aimable avec le personnel.

Un jour, exaspéré par son comportement, je l'ai interpellé en ces termes : « Je suis Jean-Louis Debré, député de l'Eure, et vous, qui êtes-vous ? » Il m'a donné son nom, qui ne me disait rien, et m'a affirmé avoir été ministre et donc être en droit, à ce titre, de fréquenter ce restaurant.

Vérification faite, il avait été non pas ministre mais simple secrétaire d'État, dans un éphémère gouvernement des débuts de la IVe République. Et depuis lors, il profitait de l'Assemblée et s'en servait comme d'une cantine. La République est bonne fille.

13 février

Réception pour le départ du chef de notre service juridique. Magistrat et juriste de très grande qualité, Jean-François de Montgolfier a été nommé au tour extérieur maître des requêtes au Conseil d'État.

Il n'était pas spécialement désireux de quitter la magistrature, après sept ans et demi passés au Conseil, mais la Chancellerie ne lui offrait aucun poste intéressant.

À force d'écouter les syndicats et de ne jamais sortir des critères de l'ancienneté qui empêchent de distinguer les meilleurs pour leur assurer la carrière qu'ils méritent, la magistrature judiciaire se prive de nombreux talents et se replie sur elle-même.

Je l'avais constaté il y a quelques mois quand, souhaitant que notre greffière, Delphine Arnaud, intègre la magistrature, il nous fallut plus de deux années d'efforts pour y arriver et autant de démarches pressantes auprès de la Chancellerie. Cette dernière a fini par l'accepter, non sans beaucoup de résistance.

17 février

Je passe la matinée à la bibliothèque du Palais-Bourbon pour faire des recherches en vue de mon prochain livre que j'envisage de consacrer aux « illustres inconnus » qui ont fait la République. Plusieurs députés viennent me saluer.

L'un d'entre eux, socialiste, me dit être inquiet de la situation politique et du comportement excessivement critique de ses camarades à l'égard d'un gouvernement qu'ils sont censés soutenir.

En sortant, je croise des élus UMP qui viennent de terminer leur réunion de groupe. Ils se montrent tout aussi pessimistes. « Il faut que Sarkozy dégage », me déclare l'un d'entre eux. Un autre s'interroge sur la volonté de Juppé d'aller jusqu'au bout de sa candidature à l'Élysée. « Il n'a pas la niaque pour mener ce combat. Il plane sur ses acquis », estime-t-il en me demandant qui soutenir.

Je demeure évasif, refusant de paraître, devant eux, m'immiscer dans ce genre de débat. Mais je leur conseille de regarder peut-être du côté de Bruno Le Maire. Je ne vois personne, en fait, qui se détache à l'UMP pour affronter Hollande et incarner une espérance à droite.

18 février

Ahurissants de mauvaise foi, les commentaires provoqués par la décision du gouvernement, faute d'une majorité, d'utiliser l'article 49 alinéa 3 de la Constitution pour faire adopter par l'Assemblée nationale la loi dite Macron.

En engageant sa responsabilité sur cette loi, le gouvernement est assuré de la faire passer. Si une motion de censure est déposée et repoussée, la loi sera considérée comme automatiquement adoptée.

Les ténors de l'UMP, relayés par *Le Figaro*, parlent de coup de force, crient au scandale, dénoncent le mépris du Parlement, affirment que la majorité a implosé… Exactement les mêmes termes qu'employaient les députés socialistes quand la droite avait recours à cette procédure, utilisée quatre-vingt-trois fois depuis 1958.

Je me souviens des propos de François Hollande, alors premier secrétaire du parti socialiste, le 9 février 2006, à la tribune de l'Assemblée : « Le 49-3 est une brutalité, le 49-3 est un déni de démocratie, le 49-3 est une manière de freiner ou d'empêcher le débat parlementaire. » À l'époque, le futur chef de l'État condamnait l'utilisation du 49-3 par Dominique de Villepin pour faire voter son projet de loi sur l'égalité des chances qui incluait le très controversé contrat première embauche (CPE). « C'est bien le signe que le gouvernement doute de sa réforme et que la mobilisation va prendre de l'ampleur », avait alors renchéri Hollande, stigmatisant « un passage en force », « une violation des droits du Parlement ».

Tous les Premiers ministres : Michel Debré, Georges Pompidou, Pierre Mauroy, Laurent Fabius, Jacques Chirac, Raymond Barre, Édouard Balladur, Pierre Bérégovoy. Édith Cresson, Alain Juppé, Jean-Pierre Raffarin, y avaient recouru auparavant. Michel Rocard s'en servit vingt-huit fois, la gauche au pouvoir en ayant fait, au total, un usage plus fréquent que la droite.

Mais les uns et les autres font comme s'ils ne se souvenaient de rien.

Heureusement, cet article, gage d'efficacité, figure toujours dans notre Constitution et les idéologues du chaos politique n'ont pas encore réussi à le faire supprimer, même si son emploi a été restreint en 2008. Le gouvernement ne peut désormais faire appel au 49-3 que pour les projets de loi de finances ou de financement de la Sécurité sociale, et dans la limite d'une fois par session parlementaire pour tout autre projet de loi.

Ce sont les députés dits « frondeurs » qui ont contraint le gouvernement à déclencher cette procédure pour faire adopter ce qui est présenté comme la grande réforme du quinquennat. J'ai envie de leur dire, en reprenant une réflexion de Chirac dans ses Mémoires : « En politique, on ne construit pas une victoire sur la défaite de son propre camp. »

À poursuivre ainsi leur petit jeu politicien, ils préparent la défaite de Hollande, celle du gouvernement et naturellement la leur. Ce qui n'augure rien de bon pour le pays.

23 février

Je ne cesse de découvrir en Lionel Jospin un homme d'une qualité que je ne soupçonnais pas. Plutôt sympathique, attentif aux autres, très désireux de s'impliquer dans sa fonction.

Je lui ai fait déposer il y a quelques jours la première QPC qu'il devrait rapporter. Il m'a appelé pour m'en remercier, m'assurer qu'il allait s'y consacrer avec le plus grand sérieux. Je ne suis plus habitué à des comportements aussi élégants. « L'homme est ce qu'il cache », écrit Malraux. C'est vrai pour Jospin.

2 mars

Pour ce cinquième anniversaire, j'ai voulu inviter au Conseil les cent soixante-quatre bâtonniers de France, le premier président et le procureur général de la Cour de cassation... mais aussi, pour créer un événement, le président de la Cour européenne des droits de l'homme.

Je sais que de nombreux juristes, et au Conseil naturellement, contestent souvent le bien-fondé de la jurisprudence de Strasbourg, mais peu m'importe. Ce n'est pas une raison pour ignorer cette juridiction.

3 mars

Je remercie, par téléphone, François Hollande d'avoir enfin tenu ses engagements pour Marc Guillaume, dont la nomination au secrétariat général du gouvernement sera avalisée demain en Conseil des ministres. Je lui redis qu'il a fait un excellent choix en optant pour ce haut fonctionnaire exceptionnel ayant le sens de l'État, du droit et de la justice, et d'une loyauté exemplaire.

« Grâce à lui, plaisante-t-il, le Conseil n'aura plus de travail car désormais les lois ne comporteront plus de dispositions inconstitutionnelles que vous aurez à annuler. »

Je lui réponds sans ironie : « Ce sera un progrès, il était temps. Mais il aura du travail... »

J'informe le président que j'ai choisi Laurent Vallée pour succéder à Marc Guillaume, et lui fais porter une lettre officielle pour sa propre nomination. Je souhaite que le décret soit rapidement publié au *Journal officiel* pour éviter les manœuvres et pressions habituelles dès qu'un poste devient vacant.

10 mars

Nous passons plus d'une heure en tête à tête. Je tente de le distraire en lui racontant les dernières péripéties de la vie politique. J'évoque quelques-uns des sujets de société que nous examinons au Conseil. Il me donne l'impression de s'y intéresser, mais je n'en suis pas certain. Il m'écoute plus qu'il ne me parle ou ne réagit.

Je reviens sur des souvenirs anciens, lui rappelle cette réunion en 1994, à Brive, Tulle ou Ussel, lors de la campagne pour les élections européennes, où notre tête de liste Hélène Carrère d'Encausse dut affronter les maquignons corréziens.

Chahutée, Hélène Carrère d'Encausse, plus habituée aux réunions mondaines, aux conversations diplomatiques et aux séances aseptisées de l'Académie française qu'aux meetings électoraux, avait bien du mal à intéresser son auditoire aux problématiques européennes. Devant le désastre qui s'annonçait, je fis prévenir Chirac, qui avait prévu de nous rejoindre à la fin de la réunion, de hâter son arrivée s'il voulait limiter les dégâts, car des journalistes assistaient avec délectation à ce pugilat qui menaçait de mal tourner.

Dès qu'il apparut, les maquignons se calmèrent et cessèrent leur chahut. Hélène Carrère d'Encausse s'assit tandis que Chirac s'adressa à la salle qui se mit à écouter sagement le « patron ». Il connaissait chacun des présents ou faisait comme si. Il en tutoyait certains. À la fin de la réunion, il invita tout le monde à boire un coup dans une salle voisine. Grâce à lui, on avait évité de justesse le naufrage politique.

Ces lointains souvenirs le font sourire.

Je me dis que, chez lui, l'oubli qui était voulu, cultivé, est devenu un oubli subi, imposé. Chirac effaçait volontairement le passé de sa mémoire, il ne se retournait jamais sur les années écoulées, les évacuait de ses préoccupations. C'était d'ailleurs sa force, il ne regardait que devant lui.

Sorti de l'Élysée, son destin politique achevé, il refusait de se pencher sur cette longue période passée à la tête de l'État. Quand, dans les mois qui ont suivi son départ du pouvoir, lors de nos fréquentes promenades dans Paris, ou de nos haltes à la Rhumerie, boulevard Saint-Germain, je l'interrogeais sur ses souvenirs, il me répondait difficilement. Non par refus de me livrer quelque secret d'État, que je ne lui demandais d'ailleurs pas, mais parce qu'il avait déjà tiré le rideau sur cette époque.

Cet oubli n'était pas feint : le passé ne l'intéressait plus, n'occupait pas sa pensée. Il n'en était pas nostalgique. C'était une histoire ancienne sur laquelle il n'avait pas envie de s'attarder. Il n'en éprouvait aucun désir.

12 mars

Je suis invité à Villeurbanne par un ancien cadre de la mairie d'Évreux, en poste dans la région lyonnaise, à disserter devant un « cercle de réflexion » – en réalité un club franc-maçon – sur les valeurs de la République et le rôle du Conseil. La conférence a pour thème « Marianne, reviens ».

J'interviens dans un « temple », lors d'une tenue qu'ils appellent « blanche », entouré de plus de trois cents francs-maçons parmi lesquels de nombreux élus locaux, notables, « dignités » nationales venues spécialement pour l'occasion.

Après un discours de plus d'une heure, je réponds aux très nombreuses questions sur la République, l'extrémisme, la laïcité… Après quoi le « grand maître » me remet un buste de Marianne réalisé à mon intention.

Je sors sous les applaudissements, il paraît que ce n'est pas la coutume, et les participants terminent sans moi leur réunion. On peut s'y exprimer en toute liberté : les « frères », m'assure le « grand maître », ne trahissent jamais le secret de leurs délibérations.

30 mars

Difficile d'échapper aux commentaires sur les élections départementales. Un personnage, toujours présent les soirs d'élection pour dire ce qu'il pense des résultats, laisse entendre qu'en France on ne cesse de voter.

Ce n'est pas totalement faux. Il convient cependant d'être prudent, de ne pas trop agiter cette idée. Que serait la politique sans élection ? Un défilé de mannequins. Les élus deviendraient des intermittents du spectacle, les ministres des étoiles filantes !

Mais il est juste de dire qu'on nationalise trop les scrutins locaux. Ils apparaissent de plus en plus comme des enjeux de politique nationale.

Il est vrai que ces départementales, pour les socialistes, sont effectivement un désaveu national. Une sanction contre leurs incohérences, leurs chamailleries internes, leurs divisions étalées sur la place publique, l'incapacité de Hollande à s'imposer comme patron de sa majorité. L'UMP en profite naturellement. Nicolas Sarkozy s'approprie ce succès. Il a politiquement raison de capter cette victoire, il la revendique partout.

Mais peut-être s'agit-il d'une victoire à la Pyrrhus, d'un échec cinglant des socialistes plus que d'une victoire de Sarkozy.

18 avril

À la demande de François Hollande, son directeur de cabinet m'appelle pour m'informer qu'il annoncera le lendemain sur Canal Plus son intention de saisir le Conseil de la loi sur le renseignement quand elle sera définitivement votée.

Délicate attention. Cette annonce est une habile manœuvre doublée d'une parade politique pour tenter de prendre de vitesse les opposants au sein de la majorité présidentielle et éviter d'éventuelles QPC après la promulgation de la loi.

Voilà le Conseil promu juge de paix des querelles internes des socialistes et de leurs contradictions, de l'incapacité du gouvernement à faire régner une discipline dans les rangs de sa majorité.

C'est la première fois depuis que notre institution existe que nous sommes saisis directement par le chef de l'État du contrôle d'une loi.

L'Élysée devrait pourtant savoir que nous ne donnons pas d'avis, mais rendons des décisions. Le Conseil est devenu une véritable juridiction. Certes nous ne sommes pas dans le cadre d'une QPC. Il convient cependant de dire pourquoi on nous saisit. Il faudra que l'Élysée précise bien l'objet de sa demande. Cela ne sera pas chose aisée. Il peut difficilement faire porter la critique sur un texte qu'il soutient et que sa majorité aura adoptée.

28 avril

Apparemment Jean-François Copé ne se laisse pas gagner par une déprime, après tout ce qui lui est arrivé. C'est ce qu'il m'affirme en tout cas. Il croit encore en son avenir politique et surtout présidentiel. Son optimisme m'impressionne, mais je ne le partage pas.

23 mai

La majesté de ces tilleuls, le calme, l'harmonie du jardin confère à ce parc de trois hectares, en ce samedi matin ensoleillé de Pentecôte, une beauté et une dignité particulières, propices à la méditation.

Le talent des deux paysagistes qui l'ont façonné, Claude Desgot, neveu et collaborateur d'André Le Nôtre, et Achille Duchêne, est éclatant.

Je pense à tous ces Premiers ministres qui, en se promenant ici, y ont cherché inspiration et sérénité.

314

Je me souviens de mon adolescence où, jouant avec notre caniche, je le faisais courir en lui lançant une balle, sous le regard amusé des gardes républicains qui veillaient à ce que personne ne vienne troubler la sérénité des lieux

Ma rencontre avec Manuel Valls se déroule, pour des raisons de discrétion, dans l'agréable pavillon de musique datant du XVIIIe siècle.

Depuis qu'il est Premier ministre, je n'ai pas eu ni cherché à avoir un entretien en tête à tête avec lui. C'est lui qui en a pris l'initiative. Il n'y a pas d'ordre du jour précis, mais nous évoquons très vite la future loi sur le renseignement.

Je lui avoue que l'initiative prise par l'Élysée de saisir le Conseil me laisse un peu perplexe. J'ai l'impression qu'il partage mon sentiment car il me répond que c'est le drame de ces interventions nécessitant un effet d'annonce.

Je ne lui cache pas que le texte adopté par l'Assemblée me paraît présenter a priori plus de fragilités que le projet de loi d'origine, alors qu'il faut parvenir à concilier d'une part la sauvegarde de l'ordre public et la préservation des intérêts fondamentaux de la nation et, de l'autre, le respect de la vie privée et des droits et libertés constitutionnellement protégés.

Je sais que Philippe Bas, le président la Commission des lois du Sénat, saura tenir face aux pressions et manipulations des responsables de nos services de renseignement, contrairement à son homologue de l'Assemblée nationale, et parvenir à ce nécessaire équilibre.

Nous en arrivons à parler de ma succession au Conseil. Valls lance le nom de Fabius, « très tenté » par cette perspective. Il me demande mon sentiment. Je lui réponds que je n'ai pas d'avis à formuler sur ce point, insistant seulement sur la nécessité de désigner une personnalité qui ait le sens de l'État.

Je ne souhaite pas me mêler de la nomination de mon successeur et a fortiori me prononcer sur un nom. Pourquoi pas Fabius ? Il a certainement les qualités requises.

Cela dit, je n'ai jamais éprouvé la moindre sympathie à son égard. Il m'a toujours donné l'impression de traîner avec lui une facilité peu commune à être arrogant et à devenir méprisant. Son allure de grand bourgeois égaré à gauche confine à l'insolence ou à la provocation.

À la fin de notre entretien, Manuel Valls reconnaît que la situation politique est difficile. Le président de la République, même si sa cote de popularité a cessé de décroître, peine à remonter, et il est loin de pouvoir espérer être réélu. Alors que la sienne, souligne-t-il, est plus positive. La façon dont il me dit cela me laisse imaginer l'intensité de ses ambitions politiques.

Il affirme, pour paraître irréprochable vis-à-vis du chef de l'État, que sa posture médiatique et politique, son calme qui tranche avec l'agitation de Sarkozy, pourrait à la longue convenir aux Français. Du moins est-ce ce qu'il me dit. Mais je le sens dubitatif.

C'est en quelque sorte le retour du slogan « la force tranquille » si cher à François Mitterrand. Mais Hollande, lui non plus, n'est pas Mitterrand. Loin s'en faut.

26 mai

Entendre des sénateurs, dont les comptes de campagne ont été rejetés par la Commission nationale des comptes de campagne et des financements politiques, nous expliquer que les dispositions de la loi sur les financements électoraux ne sont pas adaptées aux élections sénatoriales est insupportable. Si tel est le cas, pourquoi l'ont-ils votée ? Pour l'apparence ?

De tels propos de la part de sénateurs sortants est scandaleux. La loi s'applique à tout le monde, même aux sénateurs. Heureusement, sur les cent soixante-dix-huit élus lors des dernières élections, seulement cinq ont vu leur compte rejeté.

27 mai

François Hollande a prononcé un beau discours au Panthéon en mêlant habilement dans un même hommage les destins de Geneviève de Gaulle-Anthonioz, Germaine Tillion, Jean Zay et Pierre

Brossolette. Mais je ne parviens pas en l'écoutant à oublier le talent, le souffle oratoire, la voix de Malraux résonnant en ces mêmes lieux.

Hollande s'est quand même très bien sorti d'affaire. Mais à trop vouloir mêler histoire et politique, et en privilégiant la seconde, son discours a montré ses limites.

La politique porte en elle une part de comédie, de mise en scène. Elle est même devenue au fil du temps, avec le développement de la radio, les progrès de la télévision et les moyens modernes de diffusion des images et d'Internet, un véritable spectacle. Pour certains, elle n'est malheureusement plus que cela.

Cette manifestation devant le Panthéon a été minutieusement préparée par les spécialistes de la communication. Les héros du jour sont, certes, Geneviève de Gaulle-Anthonioz, Germaine Tillion, Jean Zay et Pierre Brossolette, mais le chef de l'État s'est imposé comme l'acteur principal d'une cérémonie qui lui paraissait consacrée.

2 juin

Triste moment passé avec lui. Il n'est pas en forme et notre entretien doit être rapidement écourté. Je me demande, en quittant son bureau de la rue de Lille, quand arrivera ce jour terrible où il ne me reconnaîtra plus.

21 juin

Seul, ce dimanche matin dans mon bureau du Conseil, j'écoute les musiciens en train de répéter le concert qu'ils doivent donner ce soir pour la fête de la Musique.

J'aime ce Palais-Royal, lieu de mémoire s'il en est. La monarchie, celle des Bourbons et celle des Orléans, la Révolution, l'Empire et la République, tous les régimes politiques l'ont marquée de leur empreinte. L'âme de la France c'est son Histoire, affirmait Jaurès.

Si l'on en croit Balzac, pour l'homme, l'avenir ne serait qu'une figure du passé. Lui raconter ce qui fut, n'est-ce pas, presque toujours, lui dire ce qu'il sera ? L'Histoire ne serait-elle qu'un éternel recommencement ?

J'ai pourtant la conviction que nous pouvons construire dans le présent une histoire originale. Peut-être même est-ce le présent qui donne un sens à notre histoire et non l'inverse, même si le passé a naturellement une influence sur nos idées et nos comportements. Notre pays ne serait pas ce qu'il est sans ce qu'en ont fait ses rois et ses présidents. Qu'aurait été notre nation sans Henri IV, Clemenceau ou de Gaulle, qui l'ont sauvée des épreuves tragiques qu'elle traversait ?

Aujourd'hui, on l'imagine très bien sans Sarkozy et sans Hollande. La France qui désespère de ne pouvoir sortir de la crise qui la mine, attend la personnalité qui lui redonnera le sens d'un destin partagé et saura l'incarner tout entière.

Notre actualité politique de ces dernières semaines reflète une sorte de grande déprime collective. On a eu droit à la ridicule polémique, entretenue par une opposition à la mémoire courte, sur le déplacement en Allemagne, dans un avion de l'État, du Premier ministre avec ses deux enfants. Puis les médias se sont beaucoup intéressés à une question majeure pour l'avenir de la France : savoir si une actrice s'apprêtait à entrer à l'Élysée et à devenir officiellement la compagne du président de la République. Avant de faire leur une de l'absurde rumeur selon laquelle l'ancien directeur général du FMI, « sorti » de l'affaire du Carlton de Lille, pourrait revenir sur la scène politique.

Tandis que l'ancien président, obsédé par son désir de revanche, flirte avec un populisme dangereux, son successeur, dont un ancien ministre vient d'être renvoyé en correctionnelle, court déjà la campagne deux ans avant l'échéance présidentielle, promet à tout vent, ne cesse de parler en prenant des engagements qui ne convainquent plus personne et le rendent inaudible.

Que de temps perdu pour la France !

23 juin

Nouvelle rencontre avec Bruno Le Maire. Arrivé, par son talent et son dynamisme, à se hisser au niveau des crédibles prétendants à l'Élysée, il possède beaucoup d'atouts pour incarner le renouveau.

Son défi immédiat est de rester lui-même, de ne pas être confondu avec une copie, même remaniée, de Sarkozy ou, rajeunie, de Juppé.

Sa différence, qu'il doit cultiver, est d'être un homme neuf et de parler vrai pour désensabler une pensée politique qui s'est enlisée dans le néant.

Il rêve de se présenter à la prochaine présidentielle. Mais Sarkozy et Juppé vont probablement tout faire pour bloquer ses ambitions.

Est-il envisageable que Nicolas Sarkozy renonce finalement à se présenter ? C'est pour l'instant difficile à imaginer, même s'il ne va tarder à se rendre compte que son retour n'est pas souhaité comme il l'espérait.

Et Juppé ? Le Maire imagine qu'il en sera de même et que l'âge deviendra son principal handicap.

Mais dans ce cas, Le Maire trouvera Wauquiez sur sa route, lequel tentera de rassembler toute la droite sans hésiter à musarder sur les terres du Front national. Bruno Le Maire devra alors aller chercher les voix du centre.

29 juin

Remise par François Hollande de la Légion d'honneur à Patrick Pelloux.

En dehors des vœux, c'est probablement la deuxième fois que j'assiste à une cérémonie à l'Élysée depuis le changement de président. J'ai décliné toutes les invitations à des dîners officiels ou remises de décoration. Au début de son propos, Hollande s'amuse d'ailleurs à faire remarquer que ma présence en ces lieux reste assez inhabituelle.

Je suis venu pour Patrick Pelloux, médecin urgentiste, syndica-liste, chroniqueur à *Charlie Hebdo*, militant de gauche assumé avec lequel, depuis longtemps, j'entretiens des relations cordiales. J'ai toujours apprécié son amour de la République et sa volonté de la défendre, comme sa capacité de révolte et d'indignation.

En 2003, alors que le ministère de la Santé, enfermé dans je ne sais quelle cécité, n'avait rien vu arriver, il a eu la lucidité de lancer un cri d'alerte sur les ravages de la canicule. Son franc-parler tranchait avec le discours anesthésiant du ministre de l'époque.

30 juin

La dignité de son attitude depuis qu'il a quitté Matignon impose le respect.

S'éloigner du pouvoir, a fortiori quand on a été écarté, est une dure épreuve personnelle. Alors qu'il n'y a pas eu d'alternance politique, que ses « amis » l'ont remplacé, que nombre d'entre eux ont même pris part activement à son éviction, il aurait pu être tentant pour lui de continuer à « exister » médiatiquement et politiquement, de donner des leçons, de verser dans la critique, d'animer une contestation discrète.

Il n'y a rien de confortable à retrouver les bancs de l'Assemblée quand on est un ancien Premier ministre. Jean-Marc Ayrault a su jusqu'à présent, même si, probablement, son silence lui coûte, éviter de critiquer le président de la République et l'action de son successeur. C'est pourtant le jeu favori de bon nombre de députés socialistes. Il est demeuré fidèle à ses engagements et aux hommes qui lui ont fait confiance. Comportement rare en politique.

Sans doute peut-on lui reprocher, lorsqu'il était à Matignon, de n'avoir pas su contenir les parlementaires socialistes dissidents et d'avoir donné l'impression de tolérer les manquements à l'unité et à la solidarité de certains de ses ministres. Il n'a pas fait preuve d'assez d'autorité, préférant privilégier la recherche du consensus comme il en avait pris l'habitude au cours des onze années passées à la tête du groupe socialiste à l'Assemblée nationale.

Jean-Marc Ayrault est devenu Premier ministre à un moment difficile pour la gauche, écartée depuis dix ans des responsabilités gouvernementales. Ses représentants n'étaient pas préparés à assurer les fonctions ministérielles ni à affronter les réalités politiques.

Une gauche dont le principal ennemi est elle-même.

Nombre des principaux responsables socialistes ont longtemps espéré un autre président que François Hollande et les cicatrices de la « primaire » ne sont pas toutes refermées. Leur parti est miné par les luttes de clans, les querelles personnelles, les ego surdimensionnés de divers parlementaires ou ministres.

La gauche française n'a pas su faire sa révolution culturelle, prisonnière de réflexes idéologiques périmés, entre le populisme de Mélenchon et l'irresponsabilité, les incohérences des écologistes.

Ayrault a dû affronter tout cela en même temps que les hésitations et maladresses d'un président de la République qui n'avait pas encore endossé les habits de sa fonction.

Il ne s'en est jamais plaint publiquement, à l'inverse de certains de ses ministres qui ne cessaient, plus ou moins discrètement, de contester l'autorité du chef de l'État et la sienne.

À la fin du déjeuner, je lui demande ce qu'il envisage de faire désormais.

« Tu sais, je n'ai pas d'espace politique à l'Assemblée, me répond-il. Et je me refuse à critiquer l'action du président ou celle de mon successeur, ce n'est pas dans ma nature.

— Souhaites-tu prendre ma suite à la tête du Conseil ?

— Je ne te cache pas que j'en ai parlé à Hollande, reconnaît-il. Cela dépend de lui uniquement.

— Que t'a-t-il répondu ?

— Il est très secret et ne m'a rien dit de précis. As-tu entendu parler de la candidature de Fabius ? me demande-t-il.

— C'est une rumeur qui court. Mais je n'en sais pas plus.

— Je ne verrais aucun inconvénient à ce que tu sensibilises Hollande à mon souhait. Il a beaucoup de considération pour toi. »

Je ne me fais pas beaucoup d'illusions. Le poids politique de Fabius est bien supérieur à celui d'Ayrault. Et mon influence sur Hollande très faible.

10 juillet

L'ancien sénateur Aymeric de Montesquiou est mis en examen dans l'affaire dite du « Kazakhgate » pour corruption passive et complicité de blanchiment en bande organisée. Il serait soupçonné d'avoir touché des rétrocommissions lors de la vente d'hélicoptères par la France au Kazakhtsan en 2000, alors qu'il représentait Nicolas Sarkozy en Asie centrale. Le sénateur aurait perçu la somme de 200 000 euros par le biais d'un intermédiaire belge.

Je ne sais pas si ce qu'on lui reproche est exact. C'est à la justice de le prouver.

Mais c'est le même sénateur dont le Conseil a récemment annulé l'élection pour infraction à la loi sur le financement des campagnes électorales, en la déclarant inéligible. Lorsque je l'ai croisé peu après notre décision, il a refusé de me serrer la main et, en présence de tiers, tenu des propos très désobligeants à mon égard. Il m'a adressé par la suite une lettre fort désagréable et même injurieuse pour contester notre décision.

Il devrait pourtant se faire plus discret en comprenant qu'il n'est victime que de ses propres turpitudes.

23 juillet

Au cours d'une séance de près de huit heures, le plus long délibéré auquel j'ai participé, le Conseil examine la loi sur le renseignement.

Elle a déclenché des discussions enfiévrées à l'Assemblée et des réactions indignées de personnalités diverses. Certains ont crié à la fin de la démocratie, de l'État de droit et des libertés publiques et dénoncé un retour aux lois d'exception… Réactions souvent plus politiques que de nature juridique. Les « interventions » qui nous ont été adressées n'ont jamais été aussi nombreuses : avocats, députés, organismes et institutions diverses... tous ont quelque chose à dire, à stigmatiser. Cette loi a donné lieu à bien des fantasmes.

Afin d'être plus efficaces, la police et les forces de sécurité ont pourtant besoin de bien connaître nos ennemis, de mieux les cibler, les surveiller...

Les « livres blancs » sur la défense et la sécurité nationale, commandés par le gouvernement, aussi bien en 2008 qu'en 2013, avaient déjà mis en exergue l'importance de la collecte d'informations pour que les services concernés puissent remplir leur mission de « connaissance et d'anticipation ».

Depuis longtemps en France, les forces de sécurité civiles ou militaires se sont appuyées sur nos organismes de renseignement. Identifier l'adversaire est une nécessité impérieuse dans un régime républicain, si l'on veut préserver un État de droit.

Notre pays est aujourd'hui en guerre. Le terrorisme notamment islamiste menace directement la France et sa sécurité. Il lui impose de mieux assurer la protection de ses intérêts politiques, stratégiques et économiques. Mais il manquait un cadre juridique cohérent, tenant compte des moyens modernes de communication, permettant de concilier l'usage des nouvelles techniques de renseignement avec la préservation de nos libertés individuelles. Cet effort de réorganisation est louable et salutaire. Tel est l'objet de la loi que nous examinons.

La Grande-Bretagne, à travers le British Security Service Act de 1989, l'Italie avec la loi du 3 août 2007 relative au « système du renseignement pour la sécurité de l'État », se sont déjà dotées d'un tel cadre juridique.

29 juillet

Ce devait être notre dernière rencontre avant qu'il n'aille se réfugier au Maroc pour l'été. Elle a dû être reportée in extremis. Grande tristesse et véritable inquiétude.

5 août

Très long examen, plus de huit heures, du recours des parlementaires de droite concernant des dispositions de la loi Macron.

On joue ici à fronts renversés. La droite parlementaire aurait pu prendre ces mêmes dispositions qu'elle conteste aujourd'hui. Et le paradoxe est que cette loi marque une orientation vers un ordre économique concurrentiel, d'inspiration libérale et défendue par un gouvernement qui se dit de gauche.

Elle a été votée, difficilement il est vrai, le Premier ministre ayant dû recourir à trois reprises à l'article 49-3 pour l'imposer à sa majorité.

Le jeu politique explique en grande partie le fait que la droite ait déposé un recours pour l'annulation de certaines dispositions au motif qu'elles violeraient les droits et la liberté, alors qu'il eût été plus astucieux pour elle de laisser à la gauche la responsabilité de ces mesures impopulaires. Mais la politique étant une sorte de tango de l'hypocrisie, l'opposition en arrive à défendre des corporatismes et conservatismes périmés qui freinent l'initiative et le dynamisme économiques.

Au cours de la séance, à l'occasion d'un vote, Giscard annonce sa volonté de s'abstenir. Je lui réponds que ce n'est pas possible. On ne tient compte que des votes positifs ou négatifs. Il me rétorque que ce n'est pas la pratique du Conseil. Il cite le cas de Chatenet qui, en décembre 1976, s'est abstenu. Il a noté cela dans l'ouvrage que nous avions publié sur les premières archives du Conseil.

Ce n'est pas la première fois que cette question se pose. Ce n'est pas non plus la première fois que Giscard tente de s'abstenir.

L'exemple qu'il cite est exact. Ce n'est d'ailleurs pas le seul. En janvier 1990, Jean Cabannes ayant souhaité faire de même sur une loi d'amnistie, Robert Badinter, qui présidait alors notre institution, l'avait admis « pour des raisons personnelles ».

Je précise à Giscard que depuis lors l'abstention n'a jamais plus été acceptée, sans doute parce que le Conseil a acquis au cours de ces dernières années le caractère d'une véritable juridiction. Le fait que chacun de ses membres présent lors du délibéré prenne

324

part au vote contribue à cette évolution. Je n'ai pas l'intention de modifier cette règle. Il serait inopportun de changer de méthode. La loi organique impose au Conseil pour prendre ses décisions un quorum de sept membres. À l'évidence, l'abstention ne permettrait plus de le garantir.

Malgré le souhait de Giscard, je maintiens la pratique en usage en ne recensant que les votes favorables à la décision proposée. Ma réponse n'a pas l'air de lui convenir. J'ai le sentiment que les membres du Conseil m'approuvent, mais ils ne disent rien. Courage, taisons-nous !

10 août

Dans le train Arcachon-Paris, un monsieur s'approche de moi pour me demander si j'accepte de faire une photo avec lui. « Je ne suis pas de votre bord, me dit-il, mais vous je vous aime bien, je vous apprécie… » Cela fait toujours plaisir. Il ajoute : « Vous étiez super comme président de l'Assemblée *générale* ! »

11 août

Mort de notre collègue Hubert Haenel, membre du Conseil depuis cinq ans. L'homme était animé d'une foi profonde qui n'avait engendré chez lui ni intolérance ni sectarisme. C'était un républicain modéré, mais jamais modérément républicain, sincèrement européen car profondément alsacien.

Pour présenter le concours de la magistrature en 1966, il avait dû fournir un certificat de réintégration dans la nationalité française. Il lui avait fallu prouver qu'il était français alors qu'il était né en 1942 à Pompey, en Meurthe-et-Moselle, et que l'Alsace était le berceau de toute sa famille. Il ne cachait pas le dépit qu'il en avait ressenti : « La France est bien dure avec ses enfants qu'elle a à deux reprises abandonnés et qui lui sont viscéralement attachés. »

9 septembre

Rencontre informelle avec le président du MEDEF accompagné de ses collaborateurs. Laurent Vallée et moi l'écoutons avec attention évoquer la conjoncture économique. À propos des prochaines lois préparées par le gouvernement, notamment budgétaires, il nous fait part de ses craintes et de ses espoirs. Il estime que, progressivement mais lentement, les dirigeants de gauche portent un autre regard sur l'entreprise, un peu moins déformé par leur idéologie. Il espère que le budget n'aboutira pas à remettre en cause le pacte de responsabilité ni à augmenter la pression fiscale sur les entreprises et permettra au contraire de baisser leurs charges. Bref, rien de bien nouveau dans ses propos. Il s'interroge sur le flou contradictoire des discours gouvernementaux et présidentiels sur la question des trente-cinq heures.

11 septembre

La succession d'Hubert Haenel donne lieu à beaucoup de convoitise, même pour une durée de trois ans. Certains me font passer des messages pour que j'appuie leur candidature. J'ai beau leur répondre que la décision pour ce poste appartient au seul président du Sénat et que je refuse d'interférer dans son choix, ils ne me croient pas. Et pourtant, c'est la vérité.

Exaspéré par un membre du Conseil qui laisse entendre sans arrêt qu'il a recommandé un tel ou suggéré d'écarter tel autre, je téléphone à Gérard Larcher. Il me précise n'avoir eu aucun contact avec celui-ci et que, s'il l'appelle, il ne lui répondra pas. En ce qui me concerne, je lui confirme seulement ce que je lui avais dit lors des obsèques d'Haenel. Le Conseil a désormais besoin de personnalités qui viennent pour y travailler et ont le sens de l'État.

16 septembre

Quelques heures à Rabat pour présenter la QPC au ministre de la Justice, au président du Conseil constitutionnel et à des magistrats et hauts fonctionnaires et leur expliquer comment nous avons mis en place cette nouvelle procédure.

Au cours du rapide déjeuner qui suit cette rencontre, j'interroge mes interlocuteurs sur la situation au Maroc. Après les phrases incontournables rendant hommage au roi, à sa clairvoyance, à l'efficacité des services de police et de renseignement... je perçois chez eux une grande inquiétude au vu des tensions qui règnent dans la région et des progrès du fondamentalisme religieux. Il semblerait que plus de trois mille jeunes Marocains aient rejoint Daech.

« Que se passera-t-il quand ils reviendront ? » s'interroge l'un des hauts fonctionnaires. Il ajoute : « Nous ne sommes pas à l'abri d'une tuerie comme en Tunisie. Nous y aurons droit, mais nous ne savons pas quand et où. » Un autre décèle dans les résultats des dernières élections locales, malgré les apparences et les affirmations officielles, beaucoup de trouble et d'interrogations dans l'état d'esprit des jeunes Marocains.

Tous me disent clairement que l'évolution politique de l'Algérie, après la disparition de Bouteflika, sera un problème majeur. On ne sait qui prendra sa suite et dans quelles conditions.

28 septembre

Trois jours à Amman, à l'invitation du président de la Cour constitutionnelle de Jordanie. Je l'avais reçu à Paris en mars dernier.

Entourée par la Syrie, l'Irak, l'Arabie saoudite et Israël, la Jordanie est au cœur des terrains d'affrontements des grandes puissances. Le ministre de la Justice avec qui je m'entretiens longuement ne me cache pas son anxiété pour l'avenir de son pays.

La lutte contre Daech accentue la menace terroriste interne dans un pays qui compte plusieurs milliers de sympathisants djihadistes et probablement au moins mille cinq cents Jordaniens partis combattre en Syrie et en Irak. Le gouvernement cherche à renforcer la sécurité interne et a réussi, semble-t-il, à arrêter près de deux cents sympathisants de Daech. Depuis la fin septembre 2014, la frontière a été fermée presque totalement.

La situation économique en subit les conséquences. Du fait du conflit syrien, le tourisme est en chute libre et les échanges commerciaux sont au ralenti, asphyxiant l'économie et alimentant un chômage dramatique. Trente pour cent des jeunes Jordaniens sont sans emploi.

Découvrant le magnifique site de Pétra, je ne croise pratiquement aucun touriste. Et le directeur du site m'informe d'une diminution de plus de cinquante pour cent du nombre de visiteurs. Je ne peux m'empêcher de craindre que Pétra finisse dans quelque temps par subir le sort de Palmyre.

Six cent trente mille réfugiés syriens sont installés en Jordanie. Ils vivent dans des camps où la situation ne cesse de se dégrader. Ils n'ont pas le droit de travailler et la grande majorité d'entre eux, malgré l'aide internationale, vit en dessous du seuil de pauvreté et dépend totalement de l'aide alimentaire internationale.

Le gouvernement jordanien s'inquiète de la progression des groupes radicaux. Si le roi, me dit-on, souhaite en Syrie une solution politique rapide, il ne fait pas pour autant du départ de Bachar al-Assad une priorité ou un préalable.

Devant les plus hautes autorités judiciaires, j'insiste sur l'exigence d'indépendance de la justice vis-à-vis des autorités politiques, des groupes de pression, sur la nécessité qui doit être donnée aux citoyens de pouvoir facilement saisir la Cour constitutionnelle pour faire contrepoids aux forces conservatrices et à l'immobilité des juges.

Mais il n'est pas certain que mes propos sur le rôle essentiel d'une véritable cour permettant de renforcer l'État de droit et de garantir le respect des droits et libertés soient suffisants pour ébranler le fonctionnement d'une institution soucieuse de ne pas trop s'écarter du sillon tracé par le roi et les princes du régime.

12 octobre

Après la prestation de serment de Jean-Jacques Hyest, François Hollande m'entraîne dans le salon contigu à celui où s'est déroulée la cérémonie pour que nous puissions discuter plus tranquillement.

Au moment où nous nous éclipsons, je perçois le regard surpris des membres du Conseil. Quand nous réapparaissons au bout d'un long moment, ils sont encore plus interrogatifs et certains voudraient bien connaître la teneur de notre entretien. Peu avant de s'en aller, après avoir salué tout le monde, le président m'entraîne de nouveau avec lui pour achever notre conversation.

Il m'interroge sur un ancien membre du Conseil qui pourrait s'être rapproché aujourd'hui de l'Église de scientologie. Je ne sais si cette information lui vient des services de renseignement. Sur ce sujet, je ne peux lui apporter aucune précision.

Évoquant certaines de nos dernières décisions, je lui dis combien sa responsabilité sera grande quand il devra choisir mon successeur afin que le Conseil demeure à la fois incontestable dans son indépendance et conscient de ses devoirs vis-à-vis de l'État.

Il se déclare déçu qu'un de nos membres, lors de l'examen de la loi Macron, n'ait pas voté dans le sens qu'il avait annoncé à l'un de ses collaborateurs. Je me dis que ce membre a été piégé par son ambition. Il a voulu plaire au président tout en pensant que ce dernier ne connaîtrait pas la réalité de son vote lors de notre délibéré secret. Il a perdu toutes chances de me succéder. Un de moins.

Je comprends aussi que la « campagne » que mène le vice-président du Conseil d'État pour me remplacer a peu de chances d'aboutir.

Sur les affaires politiques en général, François Hollande semble avoir conscience de la situation délicate dans laquelle il se trouve, même si, selon lui, les choses s'arrangent un peu en ce moment au sein du parti socialiste où les frondeurs se font plus discrets. Sur ce point je le trouve bien optimisme. C'est peut-être chez lui une posture de façade. Certains frondeurs, espérant un poste ministériel, se montrent moins virulents. Mais les autres planent toujours au-dessus de toute réalité. Tous, quoi qu'il en soit, reprendront leurs contestations après la déroute annoncée au prochain scrutin régional.

Comment ne pas regretter que sa personnalité n'inspire aucune crainte, qu'il n'émane d'elle ni mystère ni rayonnement, les fondements de toute autorité ? Un président de la République ne saurait susciter que de la sympathie pour être respecté. Hollande est finalement trop « normal ». Machiavel n'avait pas tort lorsqu'il affirmait « plus sûr d'être craint que d'être aimé ».

22 octobre

Après son voyage au bout d'un certain enfer politique, Jean-François Copé me dit aller mieux et s'être « reconstruit ». Il croit possible son retour sur le devant de la scène, convaincu qu'au moins quarante-cinq députés lui apporteront toujours leur soutien et que ses réseaux sont intacts. Il espère beaucoup du livre qu'il publiera en janvier 2016 et entend participer aux primaires de la droite, afin d'être en mesure d'incarner un renouveau lors de la présidentielle.

Se berce-t-il d'illusions ? Je le crois. Même si le cours de la justice lui est favorable – il se déclare certain qu'elle le mettra hors de cause –, son image a été malgré tout profondément détériorée.

Plus encore que par le passé, Copé ne cesse de fulminer contre Sarkozy, lequel ne cesserait de se défausser sur lui dans l'affaire Bygmalion, fuyant toutes ses responsabilités. Il n'a pas de mots assez durs pour le qualifier.

Il trouve que Bruno Le Maire a pris la « grosse tête », que Fillon est « égal à lui-même » et n'a « aucune chance ». Il estime que Juppé symbolise le passé et qu'il ne tiendra pas la distance.

Il entend représenter, quant à lui, ce que Sarkozy voulait être et n'a pas été : un bonapartiste moderne, comme ce fut le cas de Chirac à son époque, ce qui lui a permis de gagner en dépit de vents politiques contraires.

330

3 novembre

Quand je l'ai croisé lors d'une réception au printemps dernier, il a été surpris que je consente encore à lui dire bonjour et lui demander comment il allait. Je fus étonné de sa réaction et le lui dis. Il m'avoua que ses amis l'évitaient, se détournaient de lui, qu'il était exclu de tout et se sentait abandonné, très seul. Je me suis alors souvenu de cette citation de Camus dans *L'Étranger* : « Il n'était même pas sûr d'être vivant puisqu'il vivait comme un mort. » Je l'ai donc invité à déjeuner.

Ses fautes sont inexcusables, particulièrement lorsqu'on est un élu et ministre de la République.

Jérôme Cahuzac paye ses agissements et son mensonge. Cette chute politique me fascine. Hier on voyait en lui une valeur sûre du socialisme. À l'Assemblée, comme président de la Commission des finances, au gouvernement, celui de Jean-Marc Ayrault, comme ministre du Budget, il était écouté par ses camarades, respecté par ses adversaires. Et puis vint la chute brutale, l'humiliation, la honte. Ses anciens amis en rajoutent dans leurs critiques, ses détracteurs aussi. C'est ainsi en politique : on est un temps porté au pinacle, le lendemain mis au rebut. Il est politiquement mort et demain il sera sans doute judiciairement condamné. Il a ce qu'il mérite. Mais est-ce une raison pour se conduire médiocrement vis-à-vis de lui ?

Nous évoquons l'affaire de fraude fiscale qui l'a contraint à démissionner du gouvernement et dont il répondra devant la justice. Difficile de comprendre ce qui s'est passé. Tout est rocambolesque dans son affaire : vengeance d'une femme trompée, cassette enregistrée à son insu par un adversaire politique…

L'attitude de Cahuzac est difficile à comprendre, sauf à penser que ce joueur de poker a cru avoir toutes les cartes en main, pouvoir mentir et bluffer de façon éhontée, contraindre son adversaire à « se coucher ». En réalité, il ne possédait pas les cartes maîtresses et c'est lui qui a été éliminé de la partie.

Il en veut beaucoup à Hollande de lui avoir laissé entendre au début de cette tourmente politique, déclenchée suite aux révélations d'un compte à l'étranger, qu'il lui gardait sa confiance et finalement de l'avoir lâché en le contraignant à démissionner du gouvernement. C'est faire preuve de beaucoup de naïveté que de se fier à ce point à la parole des politiques. Hollande ne pouvait pas le maintenir au gouvernement.

Ses mensonges réitérés à la télévision, devant tous les Français et à l'Assemblée nationale, selon lesquels il n'avait jamais disposé de compte bancaire à l'étranger, ont fini par sonner de plus en plus faux face aux révélations distillées par une presse déchaînée.

« Les choses dans ce monde prennent des faces bien différentes ; tout ressemble à Janus ; tout avec le temps a un double visage », a écrit Voltaire.

Oubliant ses propres turpitudes, ou les minimisant, Cahuzac est persuadé être d'abord victime de règlements de comptes politiques alors qu'il récolte avant tout les fruits de son irresponsabilité et de sa légèreté politique.

7 novembre

Le nouveau Juppé est-il arrivé ?

Lors de la Foire du livre de Brive, invité par le maire, en fin d'après-midi, au match de rugby Brive contre Bordeaux-Bègles, et au dîner qui suit avec les sponsors et les principaux acteurs ou responsables du club de la ville, je ne cesse d'observer Alain Juppé qui est aussi présent.

Manifestement il fait des efforts et des progrès, serre les mains, sans que cela n'apparaisse trop comme un geste contraint. Il sourit, signe des autographes, pose facilement pour des photos. Voilà le timide Juppé qui ose enfin s'affranchir de sa réserve.

Il éclate de rire lorsque deux jeunes des quartiers populaires s'approchent de lui pour un selfie et que l'un d'eux lui lance, dans son langage et avec un phrasé typique : « M'sieur, vous on vous aime bien, c'est pas la même chose avec le p'tit agité, le dingue, il faut le virer çui-là, le j'ter çui-là, il est dangereux çui-là, on n'en veut plus... »

Au cours du dîner, Juppé passe de table en table, écoute, apparaît presque chaleureux.

Certes, ce n'est pas le copain à qui on tape dans le dos ou celui qui va raconter une histoire à vous faire rire aux éclats. Mais quelqu'un qui impose le respect.

Il bénéficie ce soir d'une évidente aura. Quand il est arrivé dans le stade et à la fin du match, lorsqu'il est descendu de la tribune, on n'a entendu aucun sifflet ni manifestation d'hostilité, bien au contraire.

11 novembre

Alors que la France officielle commémore l'armistice ; que la télévision montre à grand renfort d'images Hollande serrant la main de Sarkozy ; que Manuel Valls et trois de ses ministres, sous les objectifs des caméras et appareils photo, s'attablent à la terrasse d'un café des Champs-Élysées ; que le ministre de l'Économie teste sa popularité en se promenant au milieu de la foule, accompagné de nombreux journalistes... je pense à la conversation que j'ai eue jadis avec mon grand-père sur la Grande Guerre dont on célèbre aujourd'hui l'armistice.

C'était il y a bien longtemps, je ne me souviens pas de la date. J'étais adolescent et me promenais avec lui dans les vignes surplombant sa propriété des *Madères* à Vernou-sur-Brenne, en Touraine. Je l'écoutais.

Il évoquait un souvenir, vraisemblablement douloureux pour lui, lié au conflit. C'était le 8 septembre 1918, lorsqu'il était allé rechercher sur le front, dans le secteur de l'Aisne, son ami Abel Ferry, le neveu de Jules, gravement blessé. Abel était alors député et commissaire aux armées. Atteint par des éclats d'obus, il décéda peu après. Robert Debré était alors à ses côtés et c'est lui qui ramena, dans une ambulance, son corps à Paris.

13 novembre

Déjeuner avec Christiane Taubira au Conseil. Nous parlons de sa loi sur la Justice en examen devant le Parlement, de la profession d'avocat, de ses rapports avec le bâtonnier de Paris, de l'avenir du Conseil constitutionnel...

Elle connaît ses dossiers. Mais elle n'est pas à sa place dans le gouvernement. Elle n'a pas l'autorité politique pour s'opposer au ministre des Finances et faire entendre sa voix.

Réformer la justice, la faire évoluer suppose certes d'opérer des transformations législatives, de revoir certaines procédures, de modifier bien des comportements au sein de l'institution judiciaire. Mais cela nécessite aussi des moyens financiers plus importants ou mieux utilisés, et suppose qu'on ne reste pas arrimé à des conceptions périmées.

Nuit d'horreur à Paris. Je suis à bicyclette avec Valérie, nous retrouvons Jean-Marie qui « tape la manche » devant la Comédie-Française. Il nous apprend qu'il y a eu plusieurs attentats et de très nombreuses victimes, tandis qu'on entend retentir les sirènes des véhicules de police qui passent près de nous à grande vitesse. Angoisse.

Nous allons nous asseoir avec Jean-Marie au Café Palais-Royal pour regarder la télévision.

Tard dans la nuit, rentré à mon domicile, je me souviens de ce 25 juillet 1995 où, ministre de l'Intérieur, j'appris les attentats qui venaient de se produire dans le métro parisien puis ailleurs dans la capitale. Des noms ressurgissent dans ma mémoire : station Saint-Michel, avenue Friedland, boulevard Richard-Lenoir, place Charles-Vallin, station Port-Royal, où j'arrivai très peu de temps après l'explosion d'une bombe.

Souvenirs douloureux de cette période où la France était en guerre contre un ennemi dont elle ne connaissait pas le visage. Un ennemi qu'on appelait le terrorisme, mais dont on ne savait alors presque rien, si ce n'est qu'il frappait au cœur de Paris avec la volonté farouche de tuer.

De nombreux journalistes m'adressent des messages et sollicitent mon témoignage sur ces moments, pareils à ceux que nous vivons aujourd'hui. Je ne le souhaite pas. Je me réfugie douloureusement dans le silence. Je songe aux victimes, à ces familles que j'avais rencontrées à l'Institut médico-légal… Toute la nuit me reviennent des bruits, des visages, des corps, les images tragiques de ce Canadien en voyage de noces dont la femme, à Port-Royal, venait de mourir auprès de lui sur le quai du métro, de cette mère d'origine malgache, rencontrée à l'Institut médico-légal de Paris, où elle était venue identifier le corps de sa fille.

Toute la nuit, il n'est question, en continu, sur toutes les chaînes de télévision, que de guerres, d'attentats, d'assassinats, de morts, de tueries, de corps déchiquetés, de gilets explosifs, de kalachnikovs. De larmes, de sang.

Je ne parviens pas à détacher mon regard de ces corps recouverts de draps blancs étendus sur le macadam, à m'extraire de ces bruits de fond où résonnent cris, hurlements, sirènes d'ambulances, de véhicules de police ou de pompiers qui nous transpercent d'inquiétudes, d'angoisses et de peur.

Comment s'échapper de tout cela ? Je n'y arrive pas.

Obsédantes, ces images qui repassent en boucle et défilent en permanence sous nos yeux, ces commentaires répétés et souvent imprécis, qui déferlent sur nous comme des vagues d'anxiété.

15 novembre

Comment lutter contre le terrorisme ? Cette question revient au centre de l'actualité. J'entends à la télévision des responsables politiques, journalistes ou prétendus experts recourir à la formule magique du « y a qu'a ».

Y a qu'à changer de politique étrangère… Y a qu'à rappeler les réservistes de l'armée, recruter plus de policiers… Y a qu'à enfermer les suspects contaminés par le radicalisme religieux ou partis faire le djihad en Syrie dans des camps comme les Américains l'ont fait à Guantánamo… Y a qu'à prononcer de nombreuses assignations en résidence surveillée… Y a qu'à équiper les individus censés être dangereux de bracelets électroniques… On est même allé jusqu'à affirmer que le meilleur moyen de réagir au terrorisme était d'armer les citoyens…

Il est tentant, confronté à cette barbarie, de désigner un seul coupable, Daech, de dénoncer le fanatisme religieux, de fustiger les musulmans… On évite ainsi les difficiles remises en cause. Et pourtant, comme le dit Nietzsche dans un bel aphorisme : « N'accuse pas l'autre alors que la faute est en toi. »

Ces attentats nous ont confirmé une fois de plus que les réseaux islamistes disposaient en France et en Europe, notamment chez nos voisins belges, de complicités réelles, au point de recruter des kamikazes sur notre propre sol. Peut-être qu'après les assassinats des journalistes de *Charlie Hebdo* en janvier dernier, l'État a quelque peu somnolé dans sa traque des réseaux islamistes radicaux.

Ce constat nous renvoie en bloc aux défaillances de nos structures civiques et éducatives, à la situation explosive qui continue d'exister dans certains quartiers, à nos ghettos urbains, à nos zones dites de non-droit, à l'imparfaite et inégale solidarité des pays de l'Europe face à la menace terroriste, à l'incapacité politique de l'Union européenne de traiter les questions de sécurité, aux limites de notre politique étrangère, au rôle complexe de la Turquie et de l'Arabie saoudite, peut-être même du Qatar, et à l'inefficacité de l'organisation des Nations unies.

Certes, il importe de renforcer et moderniser les moyens de la police, de nos services secrets, de la justice et de l'armée. Mais il est plus que jamais urgent et nécessaire d'adapter nos procédures législatives à cette guerre moderne. Surtout n'oublions pas l'essentiel : être efficaces dans la lutte contre le terrorisme et affirmer notre unité nationale.

17 novembre

La presse publie les photos de ces centaines de jeunes assassinés au Bataclan ou à la terrasse de cafés. Leurs visages sont ceux de la France. Une France populaire, joyeuse, sympathique, heureuse.

La séance des questions d'actualité retransmise à la télévision montre dans le même temps nos députés s'invectivant, agressifs, intolérants. Visages d'une autre France bien affligeante.

Consternante est l'attitude de nombreux députés, qui n'ont toujours pas compris que les Français attendent de leurs élus un autre comportement. La dignité qui a prévalu lors de la séance du Congrès qui s'est tenu à Versailles a été bien éphémère.

Ces parlementaires sont à l'image médiocre et recroquevillée sur la politique qu'a donnée de lui-même, en cette circonstance, Nicolas Sarkozy. J'ai envie de lui dire, ainsi qu'à ses amis, qu'il est parfois de leur devoir de préférer les intérêts de la nation à leurs petits calculs partisans.

18 novembre

Comment s'extirper de ce torrent d'informations accablantes qui se déverse sur nous en permanence depuis la nuit du 13 novembre ? Où se réfugier pour ne pas sombrer dans le pessimisme et le désespoir ? Où trouver encore des raisons de croire, la force de résister au pire ?

Peut-être dans ces phrases de Saint-John Perse que je relis : « La vie est toute action ; l'inertie est la mort… Ainsi, pour les sociétés comme pour les individus, le goût de l'énergie, source première d'optimisme, est un instinct foncier de rectitude organique. Le pessimisme n'est pas seulement une faute contre-nature, c'est le "péché de l'esprit", le seul "irrémissible". »

Confrontés à la débâcle de toutes nos espérances, nous devons répliquer par un sursaut d'énergie, de confiance et… d'optimisme.

23 novembre

« Il y a des jours faciles, d'autres qui le sont moins », dit Claude Chirac en évoquant l'état de santé de son père. Ce soir, il me semble aller plutôt bien.

Je lui raconte la Foire du livre de Brive à laquelle j'ai assisté il n'y a pas longtemps, où de très nombreuses personnes, comme chaque année, sont venues me demander de ses nouvelles. Je perçois sur son visage fatigué l'ébauche d'un sourire. Je lui offre un bol, on dit, je crois, un « mug », sur lequel il est représenté. Nouvelle marque, chez lui, de satisfaction. Nous évoquons ensuite les attentats, la férocité des terroristes, les difficultés de l'enquête… Il écoute, mais ne réagit pas. L'amitié n'est-ce pas de pouvoir se parler sans trop parler ?

Ce soir, je lis dans ses yeux l'expression d'une profonde lassitude, une immense usure. Le reverrai-je ? Peut-être plus ! Je sens bien qu'une étape a été franchie et qu'il a repris son chemin vers l'ailleurs et l'inconnu.

27 novembre

« Quand on n'a que l'amour », la chanson de Jacques Brel s'élève dès le début de l'hommage rendu aux victimes du 13 Novembre, dans cette majestueuse cour des Invalides. Ces paroles submergent d'une profonde émotion une assistance d'officiels pourtant difficiles à impressionner.

La litanie des noms, prénoms et âges des cent trente victimes rappelle tragiquement l'horreur de ces assassinats.

« Vendredi 13 novembre, ce jour que nous n'oublierons jamais, la France a été frappée lâchement, dans un acte de guerre organisé de loin et froidement exécuté. Une horde d'assassins a tué cent trente des nôtres et en a blessé des centaines, au nom d'une cause folle et d'un dieu trahi.

« C'est parce qu'ils étaient la France qu'ils ont été abattus.

338

« Aujourd'hui, la nation tout entière, ses forces vives, pleurent les victimes. Cent trente noms, cent trente vies arrachées, cent trente destins fauchés, cent trente rires que l'on n'entendra plus, cent trente voix qui à jamais se sont tues. Ces femmes, ces hommes, incarnaient le bonheur de vivre. C'est parce qu'ils étaient la vie qu'ils ont été tués. C'est parce qu'ils étaient la France qu'ils ont été abattus… C'est parce qu'ils étaient la liberté qu'ils ont été massacrés. »

Le discours de François Hollande est juste. Le chef de l'État a trouvé le ton, les mots, le rythme les plus adaptés à ce moment de communion nationale. Il ne s'agissait pas pour lui de plaire ou de convaincre, mais d'exprimer publiquement ce que chacun ressent en son for intérieur. Et il le fait avec émotion et gravité.

François Hollande a su conférer à cette cérémonie dignité et recueillement. Depuis la tragique soirée du 13 novembre, son attitude a été exemplaire de sobriété et de sincérité.

Mais pourquoi veut-il se lancer dans une réforme de la Constitution pour y intégrer l'état d'urgence et la déchéance de la nationalité ? Ce n'était pas le moment d'annoncer de telles réformes, si peu compatibles avec l'unité nationale qu'il a su incarner.

S'il ne s'agit que de simples annonces politiques, Hollande s'engage alors, une nouvelle fois, dans une voie hasardeuse.

Et si elles ne le sont pas, il risque fort de s'enliser dans les remous de la politique, de diviser sa majorité, de raviver les controverses dont ses frondeurs tireront parti. Et d'offrir à l'opposition un moyen de surmonter ses contradictions et de se réunifier contre lui.

4 décembre

À l'école de droit de Clermont-Ferrand, la remise du prix Michel de L'Hospital me permet de rendre hommage à celui qui fut chancelier de France. Ce huguenot n'a cessé de prôner la réconciliation entre protestants et catholiques pour éviter les guerres de Religion. Son édit de tolérance aurait pu, s'il avait été entendu, éviter le pire.

J'aime à passer devant sa statue dressée au pied de la colonnade du Palais-Bourbon, non loin de celles de d'Aguesseau, de Colbert et de Sully. Ces hommes incarnent pour moi le génie des grands serviteurs de l'État. Ils partageaient une magnifique idée de la France.

9 décembre

Moment important de ce très court déplacement à Alger à l'invitation de mon homologue algérien : ma rencontre avec le président Bouteflika.

J'avais été reçu par lui en janvier 2007. C'était la première visite officielle en Algérie d'un président de l'Assemblée nationale française.

Je suis très surpris, aujourd'hui, qu'il ait souhaité me recevoir, le sachant très diminué. Il revient de Grenoble où il a subi des examens médicaux.

Il m'accueille dans son palais, situé un peu en dehors du centre d'Alger, très fortement et visiblement protégé. Une résidence médicalisée, me dit-on.

Il est tassé dans son fauteuil, très essoufflé, la voix faible. Un petit micro collé contre sa bouche permet de mieux entendre ce qu'il dit. Il a bien des difficultés pour s'exprimer. À plusieurs reprises, il doit s'interrompre pour boire une gorgée d'eau. Il me faut être particulièrement attentif pour réussir à le comprendre.

Il m'indique avoir toujours eu beaucoup d'estime pour mon grand-père et aussi pour mon père. Évoquant ses nombreux désaccords avec ce dernier, il me précise qu'il respectait « l'homme de convictions et de loyauté : quand il disait "oui" c'était "oui" et "non" c'était "non" ». Il m'avait déjà raconté cela lors de notre rencontre de 2007.

J'évoque la coopération que les Conseils constitutionnels algérien et français ont nouée entre eux.

Il me demande des nouvelles de Jacques Chirac. Il souligne alors combien ses relations avec « le président Chirac » avaient été approfondies, « amicales et positives ». Il me rappelle qu'ils

« avaient su, ensemble, ouvrir une nouvelle page amicale des relations entre l'Algérie et la France ».

Concernant François Hollande, Bouteflika souligne qu'il « ne le connaissait pas avant son élection », mais qu'il a été « très agréablement surpris par son esprit d'ouverture, d'amitié et d'imagination » et « par sa volonté de fortifier les relations franco-algériennes ».

Lui qui a connu tous les présidents français depuis l'indépendance, il tient à me préciser que le général de Gaulle fut à ses yeux celui qui marqua le plus fort intérêt pour l'Algérie, tandis que Jacques Chirac et François Hollande sont pour lui ceux qui auront le plus contribué au développement des relations entre les deux pays. « Ils doivent, devant l'Histoire, en être remerciés », me dit-il d'un ton solennel.

À propos de la situation au Mali, il insiste sur le soutien de l'Algérie à l'engagement français sur le terrain. « Sans l'intervention de la France, il n'y aurait sans doute plus de Mali. » Et il ajoute : « Je sais que cette intervention a été critiquée, mais elle est salutaire, non seulement pour le Mali, mais pour tous les pays voisins, dont l'Algérie. »

Il pense en revanche qu'il ne peut y avoir de solution militaire au conflit syrien, que la France ne doit pas prendre le risque de s'y enliser et d'envoyer des troupes au sol. Pour lui, il n'y a pas d'autre solution que de rechercher une issue politique qui doit associer Bachar al-Assad, et naturellement l'Iran. « Pays avec lequel, souligne-t-il, il faut dialoguer. »

Il rappelle que c'est bien l'intervention américaine de 2003 en Irak qui a déstabilisé la région et déclenché toutes les crises qui ont suivi.

Il est aussi question dans notre échange des rapports entre l'Algérie et le Maroc, qu'il qualifie de « déplorables ». Bouteflika se demande devant moi pourquoi les responsables marocains ne cessent pas d'« insulter l'Algérie et son chef »…

Tandis que notre entretien se termine, je constate qu'il a de plus en plus de mal à parler. Sa respiration est hachée. Il est fatigué. Avant que nous nous séparions, il me remercie d'avoir établi avec le Conseil constitutionnel algérien une véritable coopération et me précise son intention de réformer la Constitution pour renforcer l'État de droit dans son pays.

Bouteflika est-il encore en capacité de diriger l'Algérie ? C'est la question que je me pose tout au long de cette soirée. Il est à l'évidence bien informé des affaires internationales. Mais cet homme, épuisé après moins d'une heure d'entretien, à l'élocution difficile, n'est-il qu'un paravent derrière lequel se cachent des hommes ou des clans soucieux de garder le pouvoir le plus longtemps possible ?

En le maintenant à la tête du pays, ne cherchent-ils pas à différer une guerre de succession qui achèverait de fragiliser une Algérie déjà promise, avec l'effondrement des prix du pétrole, à de grandes difficultés économiques et sociales. Un pays où la montée de l'islamisme radical est manifeste.

11 décembre

Pour plus de discrétion, l'entrée se fait par la grille du parc donnant rue de l'Élysée.

Pendant quarante-cinq minutes, comme toujours avec François Hollande, la conversation est facile, calme et franche.

Il m'avait demandé de passer le voir lors de la remise à Barbara Hendricks, le 8 décembre, du prix Jean-Pierre Bloch, décerné par la LICRA.

Je lui relate rapidement ma conversation avec Bouteflika.

Il veut surtout évoquer avec moi l'avenir du Conseil et le profil de ceux ou celles qui seront appelés à y siéger.

J'insiste une fois encore sur le fait qu'ils se devront d'être indépendants du pouvoir, que le Conseil ne doit pas être une annexe du Conseil d'État ou de la Cour de cassation, et donc un simple débouché pour les professeurs de droit. Il faut veiller à désigner d'anciens responsables politiques à côté des juristes.

Il cite des noms de candidats. J'écoute cette liste sans la commenter. Ce n'est pas à moi de qualifier ou disqualifier telle ou telle personnalité. Il le comprend. Je lui demande si, pour ma succession, il pense à Fabius. Il ne me répond pas, esquisse un petit sourire et conclut : « Nous en reparlerons le moment venu. »

17 décembre

« Tout État libre où les grandes crises n'ont pas été prévues est à chaque orage en danger de péril. » Cette citation de Jean-Jacques Rousseau dans *Considérations sur l'État de Pologne* me revient en mémoire tout au long de l'audience publique de la première QPC sur une assignation à résidence prise en vertu de la loi instituant l'état d'urgence.

Contrairement à ce qu'affirment ses détracteurs, l'état d'urgence ne signifie pas que le gouvernement puisse agir sans cadre juridique et de manière arbitraire. C'est un État de droit dans lequel il s'agit de concilier la prévention des atteintes à l'ordre, à la sécurité et à la paix publique, menacés par une situation particulièrement grave, avec la sauvegarde des droits et libertés constitutionnellement protégées.

Que d'hypocrisie chez ceux qui dénonçaient le fait qu'après le 11 janvier rien n'ait été fait pour démanteler les filières djihadistes et aujourd'hui contestent qu'on veuille s'en donner les moyens !

22 décembre

Finalement, Hollande a tranché. Il a compris qu'il ne pouvait pas renier son engagement solennel pris devant les députés et sénateurs réunis au Congrès à Versailles.

Ne pas inclure dans le projet de réforme de la Constitution la déchéance de nationalité pour les binationaux condamnés pour terrorisme, c'était à coup sûr briser l'image d'autorité, de chef, qu'il s'est appliqué à donner de lui depuis les attentats à Paris. C'était renoncer à tout espoir de réélection en 2017.

Aussi piège-t-il Sarkozy. Cette déchéance de nationalité, l'ancien président l'avait promise en 2010 dans son discours de Grenoble pour les assassins de policiers et de gendarmes. Votée par les députés, elle avait été finalement retirée par le gouvernement et avec son accord, pour éviter l'implosion de la majorité de l'époque avec le départ des centristes.

L'opposition s'apprêtait à dénoncer en chœur les reniements et gesticulations médiatiques de Hollande, ses promesses non tenues, ses incessantes reculades... Aujourd'hui, elle est prise de vitesse et ses réactions à cette annonce sont inaudibles.

Les « présidentiables », planqués aux abris, ne disent rien, ils laissent les « seconds couteaux » bafouiller à la télévision et concentrer leurs critiques sur Taubira. Elle aurait mieux fait d'attendre avant de parler, mais elle n'est absolument pas le problème.

Les écolos, « frondeurs » et nombre de députés socialistes tapent tant qu'ils le peuvent sur Hollande. À la télévision une écologiste, Cécile Duflot, a pu rappeler que le gouvernement de Vichy, entre 1940 et 1944, avait eu recours à cette mesure pour déchoir de la nationalité française près de sept mille Juifs !

Hollande fait de la politique, prend tout le microcosme politique à contre-pied. Il a gagné la première manche. Mais la partie n'est pas finie.

Je ne cesse de penser à cette citation de Renan : « La nation est un rêve d'avenir partagé. »

Déchoir de la nationalité française des binationaux qui ont acquis la nationalité française et ont été condamnés pour crime terroriste, ont assassiné notamment des Français, prouvant qu'ils ne partageaient rien avec eux, aucun rêve d'avenir, aucun idéal de vie commune, n'est peut-être qu'un acte symbolique. Mais les symboles sont importants en République.

« Dans notre France moderne, qu'est-ce donc que la République ? se demandait déjà Jaurès dans son discours du 30 juillet 1903, lors de la traditionnelle cérémonie des prix au lycée d'Albi. C'est un grand acte de confiance. Instituer la République, c'est proclamer que des millions d'hommes sauront tracer eux-mêmes la règle commune de leur action ; qu'ils sauront concilier la liberté et la loi, le mouvement et l'ordre ; qu'ils sauront se combattre sans

2015

se déchirer ; que leurs divisions n'iront pas jusqu'à une fureur chronique de guerre civile, et qu'ils ne chercheront jamais dans une dictature même passagère une trêve funeste et un lâche repos. »

Ce soir, aux informations télévisées, deux représentants de l'association Droit au logement sont interrogés devant le Conseil constitutionnel où ils ont manifesté contre notre décision sur les assignations à résidence prises dans le cadre de la loi sur l'état d'urgence. Mais le journaliste s'est abstenu de dire que cette « manifestation » n'avait pas rassemblé plus de dix personnes, en l'espace d'une demi-heure. Aucune image n'a été diffusée, révélant le ridicule de ce rassemblement. Manipulation.

23 décembre

Pour la première fois, le gouvernement, par la voix du secrétariat général du gouvernement, requiert sans ambiguïté du Conseil qu'il déclare inconstitutionnel l'amendement que Jean-Marc Ayrault et une centaine de députés socialistes ont fait adopter par le Parlement lors de l'examen de la loi de finances.

Le gouvernement ne se contente pas, comme il le fait pour les amendements des députés ou sénateurs qui ne lui conviennent pas, de rappeler que ceux-ci sont d'origine parlementaire. Façon pudique de nous indiquer qu'il ne verrait aucun inconvénient à ce qu'ils soient déclarés non conformes à la Constitution. Certes, mais tout amendement absurde, démagogique, dramatique pour les finances publiques, inapplicable même, n'est pas automatiquement inconstitutionnel, sinon nous en annulerions beaucoup plus.

Cette fois il nous fait part de son opposition catégorique. Il argumente juridiquement et ses arguments sont recevables.

2016

5 janvier

Traditionnelle cérémonie des vœux à l'Élysée. Pour moi, la dernière en tant que président du Conseil. L'occasion d'évoquer l'avenir de notre institution et les réformes nécessaires à y opérer, la nécessité d'ouvrir une nouvelle page de son histoire.

Il me semble qu'après la révolution juridique entraînée par la création de la QPC, c'est-à-dire le contrôle a posteriori de la loi, il convient de s'engager dans une réflexion sur un contrôle de conventionnalité et, plus simplement, de constitutionnalité ; d'examiner si les lois sont ou non conformes aux conventions internationales qui lient la France. Je suggère aussi que l'on mette fin – cela suppose une modification de la Constitution – à la présence de droit des anciens présidents de la République et que l'on permette aux autorités administratives indépendantes de saisir directement le Conseil sans passer par le filtre de la Cour de cassation ou du Conseil d'État.

François Hollande me répond avec sa courtoisie habituelle.

Il me semble qu'une mutation chez lui est en train de s'opérer, qu'il habite la fonction présidentielle mieux qu'auparavant. Nous bavardons quelques instants en tête à tête. Il me dit qu'il ne reculera pas sur la déchéance de nationalité.

Le Premier ministre Manuel Valls assiste à cette cérémonie, ce qui n'est pas la coutume, mais il a voulu par sa présence rendre hommage au Conseil. Christiane Taubira, la garde des Sceaux, est aussi présente. Valls me laisse entendre, en aparté, qu'il est vraisemblable que ce soit Laurent Fabius qui me succède.

6 janvier

Déjeuner avec Alain Juppé. Il me parle de sa campagne pour la présidentielle de 2017, de la façon dont il entend s'organiser pour l'emporter. « Je n'ai rien à perdre », me dit-il.

Il a conscience d'être le recours espéré par les Français. Les sondages montrent qu'ils ne veulent plus de Sarkozy ni de Hollande. Il estime être celui qui assurera la transition entre les « anciens » et les « modernes », permettra l'émergence d'une nouvelle génération. S'il est élu, il ne fera, me dit-il, qu'un mandat à l'Élysée.

Il me demande de le soutenir. Je lui réponds que ma fonction m'interdit toute prise de position politique pour l'instant. Il le comprend.

Les mots, les formules jouent un grand rôle dans les élections. Ce furent successivement le « changement sans risque » pour Giscard ; en 1981 la « force tranquille », avec Mitterrand ; la « France pour tous » avec Chirac, avant la « rupture » affichée par Sarkozy et la « normalité » revendiquée par Hollande.

Juppé se doit d'axer sa candidature autour de deux mots-clés : « compétence » et « rassemblement ».

La « compétence », il l'incarne à l'évidence et c'est ce qui fera toute la différence avec Hollande. Une grande majorité de nos concitoyens estiment que le costume présidentiel est trop grand pour l'actuel chef de l'État.

Le « rassemblement » sera tout ce qui le distinguera de Sarkozy, perçu comme un diviseur et dont le côté « clivant » ne plaît plus.

Pour recueillir l'adhésion durable des Français, il faut parvenir à les séduire, les faire rêver, s'attirer leur sympathie, leur admiration… Et pour y réussir, il faudra qu'Alain Juppé sache surmonter ses réflexes habituels.

Doté d'une autorité naturelle évidente, il peut être aussi attachant qu'irritant, tant sa personnalité est complexe et parfois difficile à cerner.

C'est un timide qui ose avec timidité, un pudique qui cache ses émotions, un calme très impatient, un anxieux qui fait tout ce qu'il faut, sans le vouloir, pour se retrouver seul, et souffre de cette solitude. Un incompris qui, de manière tout aussi inconsciente, a construit l'incompréhension dont il se croit victime.

Un esprit brillant, clair, synthétique, qui se doit d'être le premier en tout.

Il force l'admiration comme il peut déclencher des réactions d'hostilité.

J'ai le sentiment, peut-être du fait des épreuves qu'il a traversées, qu'il est différent aujourd'hui de celui que je côtoyais il y a plusieurs années.

Il a en lui un véritable sens de l'État et de l'intérêt général. Cela me plaît. Ce n'est pas un démagogue. La façon dont il a transformé Bordeaux m'impressionne.

Son patriotisme n'a rien à voir avec un quelconque nationalisme. Son jacobisme est mâtiné de « girondisme ». Sa conviction européenne est réelle, sans être utopique.

Ce sont autant d'atouts pour gagner l'élection, mais il doit auparavant s'imposer lors de la primaire organisée au sein de son parti. Si la compétition n'est pas truquée par Sarkozy ou ses lieutenants, il estime avoir de bonnes chances de l'emporter. À condition que le vote soit ouvert à d'autres qu'aux seuls militants.

13 janvier

Après m'avoir entendu répéter dans mon discours de vœux à l'Élysée que je croyais nécessaire de mettre un terme, au sein du Conseil, à la présence des anciens présidents de la République, Valéry Giscard d'Estaing, se sentant visé, téléphone à notre secrétaire général pour lui exprimer sa réprobation.

Ce n'est pourtant pas un modèle d'assiduité ! Depuis plus de cinq ans nous avons statué sans lui sur cinq cent trente QPC. De mai 2004 à la fin 2015, pour les deux cent trente et une décisions de contrôle a priori, il n'est venu qu'à cent dix-neuf séances : un peu plus d'une fois sur deux. Mais des progrès sont encore possibles.

28 janvier

Quel bonheur pour moi de le retrouver, de blaguer avec lui, de le voir sourire à quelques évocations du passé. Je l'avais rarement senti au cours de ces derniers mois autant à l'écoute et à ce point présent dans notre conversation.

Avant de partir, je lui demande si Nicolas Sarkozy lui a fait parvenir son livre. Il me regarde en faisant la moue. Je le connais suffisamment pour comprendre que sa réponse est non.

Renseignements pris, il semble bien que Sarkozy l'ait adressé seulement à Bernadette, avec une dédicace exclusive.

Après notre rencontre, je me rends au Quai d'Orsay pour assister à la remise du grade d'officier dans l'ordre de la Légion d'honneur à Catherine Colonna, notre ambassadrice à Rome. J'ai pour elle une grande estime. Elle a toujours bien servi l'État dans les différentes fonctions qu'elle a occupées auprès de Jacques Chirac.

C'est Laurent Fabius qui officie. Les rumeurs continuent de courir selon lesquelles c'est lui qui me succéderait. J'ai envie de lui poser la question directement.

Il esquisse un petit sourire pour me répondre :

« On verra... C'est une belle maison, vous l'avez transformée, en avez fait une institution qui compte aujourd'hui. J'ai lu ce que vous avez dit au président de la République lors des vœux à l'Élysée et tracé comme perspective pour le Conseil. C'est intéressant. Encore une fois bravo pour ce que vous avez réalisé... »

Lorsque j'insiste pour connaître un peu mieux ses intentions, il se borne à me répéter :

« On verra... »

Je n'obtiendrai pas plus de précisions, mais n'ai en réalité aucun doute sur le fait qu'il deviendra, le 5 mars prochain, le nouveau président du Conseil constitutionnel.

Sa notoriété, son expérience, l'autorité qu'il a acquise au cœur de l'État seront clairement des atouts pour le Conseil s'il veut bien s'impliquer dans son fonctionnement. Je serai satisfait de ce choix s'il est confirmé.

Depuis longtemps, je m'interroge sur la personnalité de Laurent Fabius. Je ne le connais pas, mais l'ai souvent observé à l'Assemblée. Il était député de Seine-Maritime et parfois passait par Évreux pour venir soutenir ses amis socialistes. Il me donnait toujours l'impression de s'ennuyer, d'être blasé de tout, indifférent. Il ne rit pas, mais sourit. Il n'ajuste pas ses lunettes près des yeux, mais au milieu du nez. Il regarde son interlocuteur, mais on ne sait pas s'il le voit. Il cultive le secret sur sa propre personne au point de paraître parfois arrogant. Peu de chaleur humaine se dégage de lui et ce n'est certainement pas son passage au Quai d'Orsay qui aura contribué à le transformer.

10 février

Fabius annonce lui-même sa nomination sans attendre le communiqué officiel de l'Élysée. Ce n'est pas très courtois vis-à-vis de François Hollande, et même très désinvolte à son égard.

On apprend un peu plus tard qu'il entend rester président de la COP 21 et conserver un bureau au Quai d'Orsay. Pourquoi tient-il à cumuler les deux fonctions ? Pour acquérir une stature internationale ? Apparaître comme le « sauveur » de la planète ? Postuler au prix Nobel de la paix ? Pourtant les textes sont précis et ne laissent place à aucune ambiguïté. Sa position n'est tenable ni juridiquement ni politiquement.

Il est dommage que sa nomination soit déjà ternie par un début de polémique. Pourquoi ne l'a-t-on pas averti du risque qu'il encourait ? Pourquoi ne lui a-t-on pas indiqué la pratique suivie depuis neuf ans à ce sujet ?

19 février

Première rencontre « officieuse » avec Laurent Fabius au Conseil. Il m'interroge sur la personnalité de ses membres. Je lui dresse un portrait de chacun d'eux. J'évite volontairement d'évoquer Lionel

Jospin. Au bout d'un moment, c'est lui qui me fait remarquer que j'ai oublié de lui parler de son ancien rival et successeur à Matignon.

Je lui avoue alors combien j'apprécie Lionel Jospin et me félicite de sa présence parmi nous. Il m'écoute avec attention. J'ajoute que beaucoup dépendra, pour la suite, de leurs relations personnelles et de leur volonté de s'entendre. Mais il balaie d'un trait cette allusion à leurs querelles anciennes : « Tout cela c'est du passé. »

24 février

Aujourd'hui, ses opposants de gauche reprochent à François Hollande, à grand renfort de publicité, sa présumée trahison idéologique en lui faisant grief d'une politique libérale qu'aurait très bien pu mener la droite si elle était au pouvoir.

Notre histoire contemporaine montre pourtant qu'il en a souvent été ainsi, car dans son principe et sa réalité l'action gouvernementale sous la cinquième République échappe aux logiques de parti.

Ce n'est pas la gauche mais le général de Gaulle qui a nationalisé les grandes entreprises à la Libération, accordé le droit de vote aux femmes, ce que n'avaient pas osé faire Léon Blum et le Front populaire.

Ce ne sont pas les socialistes qui ont permis à l'Algérie d'accéder à son indépendance, mais encore de Gaulle. Réputé de droite, il a dégagé la France de l'emprise américaine, reconnu la Chine populaire de Mao, institué de nouveaux rapports dans le monde du travail entre salariés et employeurs par l'association capital-travail, l'intéressement et la participation.

Quand le Général a voulu que le président de la République ne soit plus désigné par les parlementaires, puis élu par des notables politiques, mais par le peuple directement, la gauche s'est opposée à une initiative pourtant on ne peut plus démocratique.

Quand il a entrepris de réformer le Sénat, les socialistes, les communistes et les notables de droite se sont unis pour faire échec à cette réforme pourtant espérée depuis longtemps par la gauche.

Aux yeux des socialistes et des communistes, de Gaulle passait pour conservateur et c'est en tant que tel qu'il fallait le combattre, même s'il était à l'origine de réformes qui, idéologiquement, ne pouvaient que leur convenir. Certains à droite, notamment lors du référendum de 1962, se sont aussi opposés à sa politique, mais pour d'autres raisons : selon eux, cette politique était trop... à gauche.

Ce ne sont pas les socialistes qui ont abaissé l'âge de la majorité civile, ni fait voter l'interruption volontaire de grossesse... C'est Valéry Giscard d'Estaing, bien qu'il incarnât pour eux la droite la plus traditionnelle. Et certains, dans son propre camp, ont de nouveau crié à la trahison de leurs idéaux.

Qui a reconnu la responsabilité de Vichy ? Jacques Chirac, et non François Mitterrand. Et lorsqu'il a refusé d'engager la France aux côtés des États-Unis dans la guerre d'Irak, son choix a été contesté par une partie de la gauche comme de la droite et par le patronat.

C'est encore Jacques Chirac qui n'a cessé d'œuvrer à la reconnaissance du tiers-monde et des pays dits émergents, à la réhabilitation des arts premiers et à celle des cultures oubliées pour lesquelles il a même fait construire un musée.

Je me souviens des murmures de désapprobation lorsqu'il a fait voter la Charte de l'environnement, au point que ses détracteurs s'interrogeaient sur son positionnement politique.

Ce n'est pas la gauche mais Nicolas Sarkozy qui a conféré des droits nouveaux aux justiciables et leur a permis de saisir le Conseil constitutionnel, comme l'avait souhaité sans succès Robert Badinter.

Qui a donné aux services de renseignement des moyens modernes pour mieux lutter contre le terrorisme ? François Hollande. Paradoxalement la droite a refusé de voter cette loi qu'elle aurait dû imaginer et approuver tant elle était conforme à son engagement sécuritaire.

Certes avec un peu de confusion, Hollande et son gouvernement cherchent aujourd'hui à libéraliser l'économie. Mais la droite, qui devrait s'en féliciter, préfère s'y opposer jusqu'à tenter de faire annuler la loi dite Macron. Et quand l'actuel président de la République entreprend de réformer le droit du travail, nombre de socialistes dénoncent aussitôt une politique de droite que la droite n'a jamais osé faire tout en proclamant qu'elle était nécessaire.

N'en déplaise aux uns et aux autres, la responsabilité de l'homme d'État n'est pas de sacrifier à des intérêts partisans, mais avant tout de se préoccuper de l'intérêt général.

Confronté aux réalités économiques et sociales comme aux problèmes internationaux, il doit faire le choix des réformes qui s'imposent et ne pas s'abriter derrière des postures, des slogans, des dogmes devenus archaïques.

26 février

Si des primaires étaient organisées à gauche, selon le souhait de Martine Aubry et même du premier secrétaire du parti socialiste, ct quc lc président sortant y était lui-même soumis, alors ce serait la confirmation que nous sommes en plein retour du régime des partis. Que ce soit le parti socialiste qui puisse décider si le chef d'État en exercice doit ou non se représenter est en tous points contraire à l'esprit de nos institutions et une aberration au regard des principes de la Ve République.

La volonté du général de Gaulle, compte tenu des régimes précédents, fut d'arracher l'élection présidentielle aux manœuvres, marchandages et combinaisons des partis qui ont abouti à une instabilité navrante et désespérante.

Les hommes de caractère et les personnalités fortes ont toujours fait peur aux états-majors politiques. Ni Ferry, ni Clemenceau ne sont jamais arrivés à se faire élire à la présidence de la République. Les députés et sénateurs ont même préféré un Deschanel au « Père la Victoire » en 1919.

Il a fallu treize tours de scrutin pour que les parlementaires de la IVe République finissent par porter à l'Élysée un député quasi inconnu, René Coty, après avoir écarté des candidats d'une plus forte envergure.

L'invention des primaires signifie-t-elle qu'on entend renouer avec les jeux du passé ? Il serait à tout le moins salutaire qu'un président désireux de briguer un second mandat ne soit pas contraint de passer par un tel système.

François Hollande a été élu, il y a cinq ans, par le peuple français. S'il souhaite être à nouveau candidat, c'est à lui de le décider et au peuple de se prononcer sur le renouvellement de son mandat, et non aux électeurs socialistes de le décréter par avance.

Imagine-t-on de Gaulle ou Mitterrand concourant pour des primaires afin de savoir s'il leur serait possible ou non de se représenter ?

5 mars

Je quitte cette aile Montpensier du Palais-Royal entièrement rénovée. Elle a retrouvé son éclat. En neuf ans, le Conseil s'est modernisé, transformé pour devenir une institution essentielle dans notre République, une maison dont le travail repose sur des personnels de qualité, compétents, animés d'un grand dévouement. Sa gestion a été assainie, son budget volontairement diminué, au cours de ces dernières années, de près de 25 %. Le nombre des employés est, au chiffre près, identique à celui que j'ai trouvé en arrivant, malgré une activité plus intense qu'elle ne l'avait jamais été.

Pendant neuf ans je me suis abstenu de toute déclaration publique, comme me l'imposaient mes fonctions. Mais je n'en ai pas moins observé ce qui se passait autour de moi, en réservant à ce journal mes réactions, mes humeurs, souvent mes mauvaises humeurs.

En relisant ces pages, je me rends compte que je suis parfois critique envers certains hommes ou femmes politiques. Mais ce livre est constitué d'instantanés, de réflexions immédiates. Je n'ai pas cherché à les atténuer. Le faire n'aurait pas été honnête, même si c'eût été plus confortable.

Le métier politique requiert beaucoup de sacrifices personnels, une remise en cause de soi régulière, l'acceptation de la critique, même la plus injuste.

Nos parlementaires, pour la plupart, accomplissent leur mission avec sérieux. Ils ne méritent pas l'opprobre dont ils sont souvent l'objet. Mais en France l'antiparlementarisme est une donnée permanente de la vie nationale qui s'exprime, selon les époques, plus ou moins fortement.

Le mandat politique est aujourd'hui de plus en plus compliqué à exercer. Les élus nationaux sont prisonniers de la tyrannie d'une actualité trop immédiate, de la diffusion en continu de la moindre information, de sa répétition plusieurs heures durant, victimes aussi des réseaux sociaux qui véhiculent des rumeurs plus que des informations, et ils se doivent de réagir plus encore que d'agir.

Si je reconnais que mes relations de président du Conseil constitutionnel avec le chef de l'État, François Hollande, n'ont cessé d'être « normales » et cordiales, bien que sans complaisance pour le reste, que de déceptions et d'interrogations, finalement de doutes sur l'aptitude des uns à diriger ; que d'amertume et de tristesse devant l'incapacité des autres à se renouveler, se refonder, à sortir des sentiers sans issue de la politique politicienne.

Nous traversons une zone nationale et internationale de grandes turbulences, vivons dans un monde sans repères, en proie au désordre et au fanatisme, qui ne repose plus sur des certitudes et où l'effondrement des idéologies ne peut même plus servir d'alibi pour masquer les réalités.

Le temps est plus que jamais venu de reparler de la République, des principes sur lesquels elle repose, de nous inciter à l'effort, au travail, à la reconquête d'un idéal ; d'exalter le patriotisme et non le nationalisme, la solidarité et non le corporatisme, l'esprit d'entreprise et non le repli sur soi…

Je rêve de voir les nouvelles générations faire leur devise de cette formule du philosophe Alain qui n'a cessé de m'accompagner dans ma propre vie : « Le pessimisme est d'humeur ; l'optimisme est de volonté. » Rien ne sert de gémir, de grommeler, de poser son baluchon sur le bord du chemin en attendant des jours meilleurs. Soyons d'abord exigeants envers nous-mêmes. Et que celles et ceux qui aspirent à nous gouverner sachent avant tout rester fidèles aux valeurs qui nous ont façonnés et que la France continue d'incarner aux yeux des autres peuples.

Aujourd'hui je quitte une fonction à laquelle j'ai consacré, avec enthousiasme et passion, neuf années de mon existence. Je ne m'en éloigne pas sans nostalgie. Mais les « adieux » font aussi partie de la vie.

Table

Composition et mise en pages
Nord Compo à Villeneuve-d'Ascq

Imprimé en France par CPI
en avril 2016

Dépôt légal : avril 2016
N° d'édition : 55291/01
N° d'impression : 133770